1001
CÓCTELES

1001
CÓCTELES

p

Traducción del inglés: Mariano Ramírez para Equipo de Edición S.L., Barcelona
Redacción y maquetación: Equipo de Edición S.L., Barcelona

ISBN: 1-40545-757-0

Impreso en China
Printed in China

Advertencia
Las recetas que llevan huevo crudo no son indicadas para los niños, los ancianos,
las mujeres embarazadas, las personas convalecientes y cualquiera que sufra alguna
enfermedad. El consumo de alcohol debe ser moderado.

Contenido

Un universo de cócteles

1001 cócteles

Los cócteles se han convertido en la bebida del momento. Constituyen una invitación a combinar la diversión con la creatividad, sin olvidarnos de su perdurable aura de glamour que pervive desde los locos años veinte y treinta. Ahora podríamos dirigirnos al bar de moda de la ciudad (probablemente inspirado en el mítico «Harry's Bar») y degustar la última creación importada de Nueva York. O visitar el bar tradicional con más clase –el Savoy de Londres o el del Hotel Algonquin, en Manhattan, son inigualables– y pedir el clásico cóctel de todos los tiempos: un Dry Martini.

Siéntese y observe al barman en acción: sus rápidos movimientos y su hábil conversación, la manera suave y precisa de agitar la coctelera, su facilidad para conseguir el perfecto equilibrio de sabores combinados en cuestión de segundos, los últimos toques y adornos que le llevan a pensar que acaba de inventar esta bebida especialmente para usted. Pero, por otro lado, no es más que una simple bebida. ¿No sería usted capaz de hacer lo mismo en la comodidad de su propio hogar?

Es justamente este último aspecto el objetivo de este libro: brindarle la colección de cócteles más exhaustiva que pueda necesitar. Aquí encontrará 1001 cócteles clásicos y contemporáneos procedentes de todo el mundo. Se describen en términos sencillos y vienen acompañados con bellas fotografías para que sepa exactamente cómo recrearlos y presentarlos. Por supuesto, tiene la libertad de adornarlos o variar su presentación como más le plazca, ya sea suntuosa o más bien sencilla, según sus gustos y su estado de ánimo. Preparar cócteles le resultará muy divertido y sus invitados se lo agradecerán.

Cócteles sencillos de preparar

1001 cócteles se divide en cinco capítulos: Cócteles efervescentes, largos, cortos, con frutas y excepcionales. Las recetas de cada uno de ellos se han agrupado según su ingrediente básico más importante: ginebra, vodka, whisky, ron, brandy, licor, tequila o vermut. Las bebidas sin alcohol se distinguen por un símbolo especial, así como los cócteles clásicos (*véase* la página 9), de modo que podrá hallar con facilidad su cóctel clásico de ginebra o vodka, por ejemplo.

Los cócteles **efervescentes** están hechos a base de champán (que puede sustituir por cava), vino espumoso, sidra, cerveza y muchas otras bebidas. Entre ellos hallará un cóctel glamuroso y *sexy* de champán, o un ponche económico fuera de lo común para refrescar una barbacoa veraniega.

Los cócteles **largos** se definen como bebidas alcohólicas alargadas mediante otras sin alcohol, tales como los zumos de fruta o las bebidas carbonatadas. Aquí encontrará la celebérrima *Piña colada*, todas las variaciones del *Tom Collins* o el *Americano*, así como los cócteles de vanguardia *Campeón* o *Loco de dolor*.

Los cócteles **cortos** consisten por lo general en un licor puro acompañado de hielo y un poco de fruta, o aderezado con otra bebida espiritosa. En este capítulo hallará las recetas de los cócteles clásicos más famosos: el *Dry Martini*, el *Daiquiri*, el *Entre las sábanas*, el *Dama blanca*, el *Manhattan* o el *Clavo oxidado*. La lista es interminable e incluye algunas de las nuevas creaciones a base de vodka y ejemplos de las nuevas tendencias con licores de sabores.

Los cócteles **con frutas** tienen una base de fruta troceada, zumo de frutas recién exprimido o puré de fruta, como en los batidos. Algunos contienen alcohol, pero la mayoría de ellos carecen de él, lo que los convierte en bebidas idóneas para las reuniones familiares en las que lo más pequeños desean beber lo mismo que los adultos.

Los cócteles **excepcionales,** como la misma palabra indica, son bebidas fuera de lo común. Algunas son adecuadas para una sobremesa de lujo, otras para aliviar la resaca o incluso como remedio curativo. Aquí encontrará bebidas que incluyen nata, huevo o helado; cócteles coronados con una capa de nata o licor cremoso; los exóticos *pousse-cafés,* que consisten en capas de licores helados que no se mezclan entre sí; o los frappés, en los que el licor se vierte sobre hielo finamente picado. Esta colección excepcional es realmente fascinante.

Diviértase elaborando los cócteles. Todas las recetas resultan sencillas de preparar, ¡pero tal vez tenga dificultades a la hora de decidir por dónde comenzar!

La historia de los cócteles

El origen de la palabra «cóctel», del inglés *cocktail*, es incierto, si bien existen varias teorías al respecto. Una de ellas afirma que el nombre proviene de la expresión inglesa *cock-tailed* (cola tiesa o cola de gallo), que en la jerga de los corredores de caballos estadounidenses, en los siglos XVIII y XIX, designaba a un caballo de media sangre. Las colas de estos animales siempre estaban levantadas, lo que les confería una apariencia similar a la de la cola de un gallo.

Sea cual sea el origen de la palabra, los combinados existen desde la antigüedad. El primer cóctel documentado data del siglo XVI y algunas de las recetas clásicas se preparan desde hace mucho tiempo, como por ejemplo el *Old fashioned,* un combinado de bourbon que apareció hacia finales del siglo XVIII. Se sabe que la palabra «cóctel» ya se utilizaba en Estados Unidos en 1809. Treinta y cinco años más tarde, Charles Dickens describía a uno de sus personajes, el mayor Hawkins, como alguien capaz de ingerir «más cócteles que cualquier otro caballero conocido». Apreciados por la alta sociedad americana,

los cócteles se servían antes de la cena en los hogares y hoteles más exclusivos hasta que, durante la Primera Guerra Mundial, pasaron de moda. Desde entonces, su popularidad ha sido fluctuante.

Después de la guerra, los jóvenes en busca de nuevas experiencias, placeres, estímulos y estilos inéditos, se aficionaron a una nueva gama de cócteles. Resulta irónico que justo entonces, en la década de los veinte, la «ley seca» norteamericana prohibiera la fabricación, venta, transporte, importación o exportación de cualquier tipo de licor. En poco tiempo, las bebidas alcohólicas producidas ilegalmente pasaron a formar parte de la vida cotidiana y eran consumidas en tabernas clandestinas y clubes rebosantes de humo. Con frecuencia, estas bebidas alcohólicas ilegales tenían un sabor repugnante y resultaban tóxicas, por lo que se optó por disfrazar su sabor mediante zumos de fruta y bebidas carbonatadas. Sin duda, los riesgos de beber los ilícitos cócteles alcohólicos espolearon la fascinación de los jóvenes de la época por esos brebajes.

La fiebre de los cócteles cruzó rápidamente el Atlántico y se extendió entre los mejores hoteles de Londres, París y Montecarlo, que pronto dispusieron de sus propios bares. El célebre bar Americano del exclusivo hotel Savoy de Londres o el Harry's Bar de Nueva York se convirtieron en el lugar de reunión de los personajes más famosos y glamurosos de la sociedad. No resulta extraño pues el hecho de que algunos de los cócteles más célebres se inspiraran en los iconos románticos y las estrellas de cine de la época, y fueran bautizados con sus nombres.

La Segunda Guerra Mundial puso fin a tanta frivolidad, y los cócteles, aunque su consumo no cesó, dejaron de estar de moda durante décadas, hasta su ostentoso renacimiento en los años setenta. Nacía así una nueva generación de recetas que a menudo incluía bebidas más modernas como el ron blanco, el vodka y el tequila (que en aquel momento empezaba a importarse desde México). Sin embargo, la popularidad de

los cócteles volvería a disminuir para recuperarse más tarde. Hoy día, la coctelera se ha vuelto a convertir en un accesorio imprescindible para cualquier bar de moda.

Cócteles creativos

El mundo de los cócteles se encuentra en plena evolución, y usted sin duda creará sus propias variaciones a medida que avance por las páginas de este libro. La gran cantidad de bebidas e ingredientes que hoy día resulta tan fácil de conseguir hace que la coctelería se encuentre en el momento más interesante y creativo de su historia. El barman casero cuenta con una gama inagotable de posibilidades, adecuadas para cualquier ocasión.

Dispone de clásicos cortos y fuertes como el Martini en todas sus nuevas variantes: ya sea sólo con hielo (con su característico brillo gélido) o bien en largas y sutiles mezclas como el Collins, en las que las suaves notas de alcohol del fondo se mezclan con el sabor de la bebida sin alcohol que haya elegido para alargarlo. El renacimiento del *shooter,* del *slammer* y de los coloridos *pousse-cafés* entre los aficionados más jóvenes y aventureros despierta la admiración a medida que se degustan sus sabores. Los cócteles a base de champán siempre han sido muy populares, pero han experimentado tantos cambios y adiciones que prácticamente podrá crear mezclas burbujeantes de cualquier sabor y color. Encontrará el cóctel perfecto para cada situación, desde mezclas originales y cremosas para amenas sobremesas hasta otras más especiales para curar la resaca a la mañana siguiente; desde espumosos batidos con helado y licor hasta ponches de frutas y bebidas especiadas. Así que, ¿por qué no comenzar hoy mismo? Las bebidas de su despensa están esperando a que disfrute de ellas de una manera nueva y estimulante.

Significado de los símbolos:

 Cócteles clásicos

 Cócteles sin alcohol

Técnicas, trucos y material

Cualquier persona es capaz de preparar un buen cóctel aunque no tenga experiencia. Sin embargo, resulta de gran ayuda poseer el equipo apropiado, saber lo que se busca, estar dispuesto a experimentar y disponer de una despensa bien provista de ingredientes y bebidas. Estas páginas le permitirán adquirir todas las nociones básicas que necesita para empezar a agitar la coctelera como un experto.

Medidas

Una de las claves básicas para obtener un buen cóctel es medir las cantidades de los ingredientes utilizados. La medida estándar (que es la que se emplea en este libro) es de 25 ml. Puede comprar dosificadores de acero inoxidable (llamados *jiggers*) de 1, 2 o 1/3 de medida en algunos supermercados o tiendas especializadas. Sin embargo, como todo buen barman, también puede utilizar cualquier medida de su elección, siempre que respete las proporciones dadas en las recetas. Un vaso pequeño o incluso una huevera también sirven como medida básica.

La mayor parte de los cócteles cortos requieren un equilibrio preciso de sabores, mientras que en los combinados largos, que pueden ser completados con otras bebidas a su gusto, esta proporción no es tan delicada. Por ejemplo, cuando se prepara el cóctel de sugerente nombre *Entre las sábanas,* se debe emplear siempre la misma medida de Cointreau, brandy y ron blanco. Cuando tenga más experiencia, podrá empezar a variar sus cócteles preferidos y a probar sabores y texturas nuevos.

Terminología

Los cócteles clásicos se preparan agitando, mezclando, removiendo, batiendo o formando capas con los ingredientes. La famosa frase de James Bond «agitado, no removido» resume a la perfección lo detallistas que pueden llegar a ser los amantes del cóctel. Agitar un combinado resulta divertido para usted y entretiene a la vez que llena de admiración a sus invitados.

Generalmente, una coctelera se emplea cuando se deben combinar ingredientes densos, tales como licores, zumos de fruta o nata. Se trata de fusionar y enfriar la bebida con la mayor rapidez posible, manteniendo el hielo en movimiento constante para que se derrita lo menos posible. Para agitar un cóctel, ponga hielo recién picado en una coctelera fría y agregue de inmediato el resto de los ingredientes. Encaje bien la parte superior de la coctelera y el tapón y agite enérgicamente durante unos 10-20 segundos, hasta que se empiece a condensar el agua en la parte exterior del recipiente. Vierta el cóctel en un vaso y sírvalo de inmediato. También puede utilizar la batidora para cualquier cóctel que se deba elaborar en la coctelera.

Los cócteles mezclados son diáfanos, sencillos y rápidos de elaborar, y mantienen toda la fuerza de las bebidas espiritosas empleadas. Utilice un recipiente grande o un vaso mezclador con hielo sin picar. Agregue el resto de los ingredientes y mezcle bien durante unos segundos con una cuchara de bar de mango largo hasta que el recipiente quede deslustrado; a continuación, sirva el cóctel en un vaso o una copa bien fríos. Así pues, este tipo de preparación básicamente consiste en verter todos los ingredientes en un vaso frío según la secuencia indicada y mezclarlos una o dos veces antes de servir.

Muchos cócteles se pasan por la batidora, especialmente ahora en que los batidos y los zumos son tan populares. Todos los ingredientes deben batirse hasta formar una masa suave y homogénea, y por lo general se añade hielo picado.

Si las cantidades de los ingredientes son poco importantes es conveniente emplear una batidora pequeña o manual con un recipiente, ya que las licuadoras normales resultan demasiado grandes para una sola ración.

La técnica basada en formar capas de licor se usa en las bebidas conocidas como *«pousse-cafés»*, que presentan un atractivo aspecto a base de diversas franjas de colores. Para su preparación es preciso que tanto las bebidas como los vasos estén bien fríos antes de empezar, seguir la receta a pies juntillas y, lo más importante, tener un pulso bien firme. Coloque una cuchara pequeña o una cuchara de bar sobre la superficie del último licor en el vaso y vierta el próximo con cuidado sobre el dorso de la cuchara. Si desea experimentar con nuevas recetas, no olvide que la densidad de cada licor está relacionada con su capacidad de flotar, por lo que siempre debe empezar por el más denso y terminar con el más ligero.

En algunos casos, la receta le indicará que primero debe colocar algunos ingredientes –menta con azúcar, por ejemplo– en la base del recipiente y desmenuzarlos o machacarlos para que suelten su aroma antes de agregar el hielo y las bebidas. Un *golpe* es la expresión utilizada en las recetas de este libro para indicar que debe usar 1-2 ml o la punta de una cuchara pequeña inclinada de cualquier ingrediente. Una bebida *pura* es aquella que se sirve con toda su fuerza y sin hielo. Con la expresión *«on the rocks»* se indica que el cóctel se debe servir sobre cubitos de hielo.

Los *shooters* y los *pousse-cafés* resultan divertidos de beber, aunque son muy potentes. El *pousse-café* se originó en Francia y se solía tomar después de la cena. Ambos utilizan bebidas o licores fuertes y se sirven en vasos pequeños especiales para estas bebidas. El *shooter* debe ingerirse de un solo trago, mientras que un *pousse-café,* en el que las capas se suelen complementar entre sí, es preferible beberlo despacio.

Material

La coctelera es el elemento más importante del material necesario para hacer cócteles. Consiste en un recipiente cuya parte superior está equipada con un colador interno y una tapa. Las tres partes deben estar bien ajustadas mientras se agita el cóctel. Una vez agitado, sírvalo en el vaso o copa a través del colador. Si desea ver el contenido del recipiente mientras trabaja, use la «coctelera americana», que consiste en un vaso de cristal y otro de acero inoxidable. El vaso de cristal también se puede emplear para mezclar cócteles.

El vaso mezclador es un recipiente de tamaño medio en el que puede remover los cócteles. Suele ser de cristal transparente, lo que permite ver la evolución de la mezcla, y es lo suficientemente grande como para preparar varias raciones.

Para remover los combinados en vasos altos es necesaria una cuchara de bar de mango largo. Se trata de una cucharita plana y alargada con un mango que permite alcanzar el fondo del vaso mezclador. Algunas de ellas presentan un disco plano en la punta que resulta útil para machacar la menta fresca o los cubitos de azúcar que incluyen algunas de las recetas.

El colador de gusanillo impide que los trozos de hielo caigan en el cóctel cuando no se precisan. Consiste en un colador que lleva adherido un resorte en espiral que se debe encajar en el vaso mezclador. Aunque no resulta imprescindible, el colador de gusanillo facilita mucho la preparación de los cócteles mezclados.

Los dosificadores o *jiggers* y una serie de cucharas de varios tamaños son esenciales para obtener las proporciones exactas de los ingredientes.

Otras herramientas útiles, aunque no imprescindibles, son un exprimidor de limones, un cubo con aislamiento térmico y unas tenazas para el hielo, un bol para

ponches, una jarra de cristal, un rallador normal y uno para cítricos. Asimismo, una licuadora resulta muy útil para preparar grandes cantidades de zumo fresco para los cócteles... ¡y para la resaca de la mañana siguiente!

Un cuchillo afilado y una tabla de madera son imprescindibles para seccionar con cuidado una tira de piel de limón, o para cortar una rodaja de fruta fresca.

Un buen abrebotellas es esencial. Procure adquirir uno de los modelos que disponen de sacacorchos, una pequeña navaja y el abrebotellas propiamente dicho.

Vasos y copas

Puede servir los cócteles en los vasos o copas que prefiera, sin embargo, si emplea los adecuados para cada ocasión el éxito será completo. Asegúrese siempre de que estén bien fríos: si es posible, colóquelos en la nevera un día antes de utilizarlos.

Cuando elija el vaso más adecuado para ese combinado que acaba de preparar, intente armonizar el contenido con el recipiente. Un cóctel elegante resultará más atractivo en una copa estilizada con un pie largo, mientras que un trago corto y fuerte servido con hielo surtirá mejor efecto en un vaso bajo de los tipos *tumbler* u *old-fashioned*.

Copa Martini: la copa Martini, con su forma cónica y su largo pie, constituye la copa clásica para servir un cóctel. Se suele emplear para Martinis y Margaritas.

Flauta de champán: es una copa elegante y distinguida que por su forma estrecha y alargada resulta perfecta para preservar las burbujas del champán y otras bebidas efervescentes.

Copa o balón de brandy: la copa tradicional de brandy es grande y redondeada, se estrecha en su parte superior y posee un pie corto. Su diseño permite calentar el cristal y su contenido con la palma de la

Arriba:
1 Exprimidor de zumos **2** Batidora
3 Cocteleras
4 Vaso mezclador con agitador
5 Dosificadores o *jiggers* **6** Rallador
7 Martillo de madera para hielo
8 Colador de gusanillo
9 Cucharas de bar de mango largo
10 Palillos de cóctel **11** Abrebotellas completo
12 Cucharas para medir **13** Removedores
14 Rallador de cítricos

Izquierda: una coctelera grande es una pieza vital para obtener buenos cócteles.

mano y su fino borde permite capturar el buqué.

Copa para *pousse-cafés:* copa alta y delgada diseñada para exaltar el impresionante y atractivo efecto de las capas coloreadas del *pousse-café.*

Vaso *old-fashioned* o *lowball:* vaso corto y macizo que se suele emplear para todas aquellas bebidas que se sirven con hielo *(on the rocks).*

Vaso *highball* o *Collins:* vaso alto de paredes rectas cuyo diseño lo hace perfecto para los tragos largos. El *Collins* es ligeramente más alto que el *highball*, aunque muchas veces se confunden.

Vaso tipo *shot:* vaso pequeño diseñado para beber de un solo trago una medida de un licor espirituoso puro. También existen vasos más grandes para los *shooters*.

Ingredientes

Aunque por lo general un cóctel se elabora a base de bebidas alcohólicas, los demás ingredientes –azúcar, fruta, zumos de fruta, jarabes y otros– también desempeñan un papel importante. Las variedades de sabores y colores que se pueden crear constituyen una gran parte de la diversión y del espíritu aventurero que implica la preparación de un cóctel.

Angostura: se trata del bíter aromático más célebre y consiste en una combinación de genciana con especias vegetales y algunos colorantes. Es el responsable del color rosado del *Pink Gin*.

Bebidas alcohólicas: puede comenzar adquiriendo las bebidas básicas e ir ampliando su despensa poco a poco. Una buena selección de bebidas alcohólicas debe incluir:
• Una generosa cantidad de licores, tales como brandy, brandy de fruta, bourbon, Cointreau, Drambuie, ginebra, tequila, vodka, whisky y ron (blanco y negro). También puede incluir el Pernod.

Seleccione el contenido de su bar de acuerdo con sus gustos: si nunca bebe whisky, por ejemplo, no tiene sentido que adquiera whisky escocés, irlandés, canadiense o bourbon.
• Vermut seco y dulce (rojo y blanco).
• Licores de colores variados: casis, crema de menta y curaçao azul.
• Licores de hierbas y de sabores característicos, tales como amaretto, chartreuse, galliano y kümmel.
• Los licores de café, chocolate o nueces como el Kahlúa, el Malibú y el Tia Maria también se emplean de vez en cuando.
• Cerveza, vino tinto y blanco, sidra y vino espumoso.
• Reserve el champán para las ocasiones especiales.

Bebidas para alargar los cócteles: asegúrese de tener a mano todas las bebidas que necesite. Las que se utilizan con mayor frecuencia son el agua mineral con gas o carbonatada (soda), las limonadas, el ginger ale, los zumos de frutas (incluyendo el zumo de tomate), la cerveza de jengibre, los refrescos de cola y el agua tónica.

Cubitos de hielo para ocasiones especiales: en este libro encontrará una gran variedad de cubitos de hielo poco convencionales, creados para algunos cócteles específicos. Por ejemplo, puede formar unos originales cubitos de hielo con pequeños trozos de fruta: las frambuesas, las zarzamoras y los arándanos resultan perfectos, así como pequeñas rodajas de naranja, limón y lima mezcladas con menta u otras hierbas. Para obtener cubitos de hielo de colores brillantes, combine un licor de color con agua. Puesto que el alcohol en estado puro no se congela, deberá mezclar 1/3 de licor con 2/3 de agua. Obtendrá los mejores resultados con la granadina, el curaçao azul y la crema de menta.

Fruta: un buen surtido de limones frescos, limas y naranjas resulta esencial. Recuerde que a menudo aprovechará la piel, de modo que tal vez prefiera comprar frutas de cultivo biológico.

Hielo: el hielo es el segundo elemento más importante en la preparación de un cóctel, aunque incluso hay quien asegura que se trata del ingrediente fundamental, ya que preparar un cóctel sin hielo resulta imposible. De modo que prepare grandes cantidades de hielo con la suficiente antelación y, si es posible, hágalo con agua mineral pura.

Hielo picado y hielo triturado: guarde el hielo en el congelador hasta que lo necesite. El hielo picado se utiliza en los cócteles agitados y en los mezclados. Para picar el hielo, ponga los cubitos en una bolsa de plástico resistente y golpéela contra una pared exterior, o bien colóquelos en un paño limpio sobre una superficie sólida y golpéelos con un martillo de madera o un rodillo de cocina hasta obtener pedazos más pequeños, pero no triturados. El hielo triturado se derrite casi de inmediato y se emplea en los cócteles que se preparan en la batidora y en algunos cócteles agitados. Triture el hielo siguiendo el mismo procedimiento anterior pero rompiéndolo en pedazos mucho más pequeños; si lo prefiere puede utilizar una batidora, pero antes asegúrese de que tenga la opción adecuada para crear una mezcla homogénea de cristales de hielo no demasiado pequeños.

Jarabe de azúcar: algunos cócteles requieren jarabe de azúcar, también conocido como «jarabe de goma». Los bármanes profesionales lo utilizan a menudo y puede adquirirse en tiendas especializadas. Sin embargo, también resulta muy sencillo prepararlo en casa. Ponga en un cazo bien limpio cantidades iguales de agua y azúcar y caliéntelo ligeramente hasta que el azúcar se haya disuelto.

Arriba: borde escarchado de una copa Martini.
Centro: elaboración del jarabe de azúcar.
Abajo: trituración de hielo con un mazo de madera.

Deje que la mezcla se enfríe, embotéllela y guárdela en la nevera. Se mantiene durante dos semanas.

Jarabes sin alcohol: bebidas de colores intensos tales como la granadina, ya sea verde o roja.

Nata: algunos cócteles requieren el uso de la nata, ya sea nata líquida o nata batida, según el cóctel.

Salsa Worcestershire: la salsa Worcestershire consiste en una mezcla de vinagre, melaza, tamarindo y anchoas que resulta muy gustosa y un poco picante. Su fama se debe a que constituye el toque especial del popular cóctel *Bloody Mary*.

Zumos de fruta: los zumos de limón y lima recién exprimidos son imprescindibles, aunque también son importantes los de otras frutas, como la naranja o el pomelo. Si lo prefiere puede comprar zumos naturales ya exprimidos, pero evite los azucarados. Los zumos de pomelo, naranja, arándanos y tomate, así como el jarabe de limón comercializados pueden resultar muy prácticos.

Decoración

Gran parte de la sofisticación y el glamour de un cóctel se deben a su presentación, en la que los productos frescos que se eligen como adorno desempeñan un importante papel. A continuación encontrará algunas sugerencias para decorar cócteles que le permitirán complementar adecuadamente cada una de las recetas del libro.

Apio: es apropiado para los cócteles basados en el zumo de tomate, tales como el *Bloody Mary* o el *Virgen María*.

Cítricos: corte la piel de los cítricos en tiras rectas o en espiral para echarlas en el cóctel (de manera que queden flotando en el interior) o para decorar el borde del vaso.

Rodajas o trozos de fruta: para decorar el borde del vaso.

Cerezas marrasquino: dan un elegante toque de color.

Aceitunas: una aceituna verde es el adorno imprescindible para un Martini clásico. Una aceituna negra queda muy elegante en cualquier combinado blanco y claro (siempre que no sea dulce).

Menta fresca: para añadir un toque de color y de sabor.

Frutas tropicales: el uso ocasional y discreto de una fruta tropical como adorno puede incrementar el glamour de un cóctel. Pero procure no excederse, ¡se trata de un combinado y no de una ensalada de frutas!

Vasos escarchados: el borde de los vasos y copas se puede escarchar con azúcar –o con sal fina o gruesa, en el caso del *Margarita* o del *Perro salado*– para añadir glamour y un toque de sabor. Frote el borde del recipiente con una rodaja de limón o lima, mójelo con una gota de algunos de los líquidos del cóctel o con clara de huevo si está haciendo varios combinados a la vez; a continuación, ponga el vaso o la copa boca abajo en un platito con azúcar o sal para que éstos se adhieran al borde del recipiente. Si puede, deje secar durante varios minutos antes de servir. Puede aromatizar el azúcar con cáscara de limón, cacao en polvo o canela molida, entre otros.

Consejos prácticos

Coctelera: si no dispone de una coctelera, utilice dos vasos resistentes y grandes que encajen bien entre sí. Para cócteles individuales, emplee un vaso grande con una tapa hermética. Al comprar una coctelera, asegúrese de que tiene un tamaño lo suficientemente grande como para hacer un buen cóctel agitado.

Hielo: recuerde que al agitar un cóctel es importante utilizar una buena cantidad de hielo y trabajar de forma rápida y enérgica, ya que así el líquido se enfriará antes y evitará que el hielo se derrita y diluya. No use nunca el mismo hielo para dos combinados distintos, pues siempre retendrá algo del sabor de las bebidas previas y no estará lo suficientemente frío como para cumplir su cometido. El hielo es crucial para obtener un buen cóctel, de modo que asegúrese de que dispone de la cantidad necesaria antes de comenzar a mezclar.

Vasos fríos: un vaso bien frío puede significar la diferencia entre un cóctel de calidad y uno mediocre. Tenga siempre en el congelador varios vasos y copas limpios. Si no dispone de mucho tiempo para enfriar los recipientes, llénelos con agua fría y cubitos de hielo y déjelos durante un buen rato. Trate de manipularlos lo menos posible si están ya bien fríos. Evite los cristales demasiado delicados para prevenir que se rompan con los cambios de temperatura.

Preparación previa: una buena planificación es imprescindible para disfrutar al máximo preparando cócteles. Asegúrese de que dispone de los vasos necesarios, los elementos decorativos, la fruta, las pajitas, las varillas agitadoras, el hielo, el resto del material y, por supuesto, de todas las bebidas, sean alcohólicas o sin alcohol.

Favoritos: guarde todas las recetas de sus cócteles favoritos, anotando las posibles variaciones –ingredientes nuevos, creaciones propias–, así siempre las tendrá a mano y poco a poco irá creando su colección particular de especialidades.

Cócteles eferve scentes

Le Crystal

(1)

El licor de pera llamado **Poire William** constituye una excelente bebida por sí mismo, pero al combinarlo con champán se obtiene un cóctel exquisito.

Para 1 persona

$^1/_2$ medida de Poire William

1 golpe de curaçao naranja

1 rodaja de pera firme

hielo

champán o cava, frío

1 trozo de pera fresca

1 Agite con hielo todos los ingredientes menos el champán hasta que se condense agua en el exterior de la coctelera.

2 Sirva en una flauta y rellene con el champán.

3 Decore con una rodaja de pera.

(2)

El acróbata

Es una pena que la sidra se emplee tan poco en los cócteles, pues su uso es una buena manera de alargarlos, añadiendo al tiempo un poco de fuerza.

Para 1 persona

2 medidas de whisky

1 medida de Cointreau

1 medida de zumo de lima

hielo

sidra

1 rodaja de lima

1 Mezcle bien con hielo todos los ingredientes excepto la sidra hasta que se condense agua en el exterior del vaso mezclador.

2 Sirva en un vaso alto lleno de hielo y rellene con la sidra.

3 Decore con una rodaja de lima o de limón.

③ Buck's Fizz

La receta original del *Buck's Fizz* proviene del Club Buck de Londres, y siempre ha incluido champán Bollinger. Cuanto mejor sea la calidad del champán empleado, más delicioso quedará el cóctel.

Para 1 persona

2 medidas de zumo de naranja recién exprimido bien frío
2 medidas de champán frío

1 Vierta el zumo de naranja hasta la mitad de una flauta de champán bien fría, y a continuación agregue cuidadosamente el champán.

④ Amarettine

Puede utilizar cualquier vino blanco espumoso y económico como base para este atractivo cóctel. Emplee vino dulce si prefiere un combinado dulce, o si no decídase por el seco. Pero de antemano queda advertido: ¡este cóctel no es inofensivo!

Para 1 persona

$1/3$ de medida de amaretto
$1/3$ de medida de vermut seco
vino blanco espumoso

1 Mezcle el amaretto y el vermut en una copa de cóctel alta y bien fría.
2 Rellene con vino al gusto.

⑤ Alfonso

Ésta es una deliciosa manera de convertir un sencillo vino blanco espumoso en un sofisticado cóctel. O, si la ocasión lo merece, pruébelo con champán.

Para 1 persona

1 medida de Dubonnet
2 golpes de angostura
1 terrón de azúcar
vino blanco espumoso, champán o cava, bien fríos
1 espiral de piel de naranja

1 Vierta el Dubonnet en una flauta fría.
2 Agregue el terrón de azúcar salpicado con la angostura.
3 Cuando vaya a servir el cóctel, añada el espumante y la espiral de piel de naranja.

6

Sherry Punch de Bombay

Un combinado poco frecuente que animará sus fiestas. Dilúyalo al gusto.

Para 16 personas
1 botella de brandy fría
1 botella de jerez fría
1 medida de marrasquino
1 medida de curaçao
2 botellas de champán o vino blanco espumoso, bien frías
soda fría
cubitos de hielo grandes
(prepárelos con fruta en su interior)
fruta, para decorar

1 Mezcle los cuatro primeros ingredientes en un recipiente grande.
2 Añada el vino y la soda al gusto. El hielo y la fruta se deben agregar en el último minuto.

7

Long Tall Sally

El nombre de la célebre canción de Little Richard también designa a un fuerte cóctel de champán con aroma a hierbas.

Para 1 persona
$^1/_4$ de medida de brandy
$^1/_4$ de medida de vermut seco
$^1/_4$ de medida de galliano
$^1/_4$ de medida de licor de mandarina
hielo
champán o vino blanco espumoso

1 Mezcle los cuatro primeros ingredientes con hielo en un vaso mezclador y sirva en una copa alta bien fría.
2 Rellene con el espumante.

(8)

Serpentina

Como su nombre indica, este combinado verde y burbujeante alberga secretos escondidos. No olvide enfriar el champán al menos dos horas antes de prepararlo.

Para 1 persona

$^1/_2$ medida de crema de menta verde
hielo picado
1 tira o 1 espiral de piel de lima
champán frío
1 cucharadita de ralladura de lima

1 Vierta la crema de menta en la base de una flauta junto con el hielo y la espiral de piel de lima.
2 Agregue el champán y espolvoree la ralladura de lima por encima.

(9)

Chicago

Emplee champán seco o incluso un buen vino espumoso para los cócteles que incluyan ingredientes dulces, especialmente si desea escarchar el borde de la copa con azúcar para darle un toque de sofisticación.

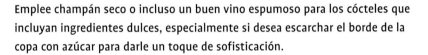

Para 1 persona

clara de huevo o zumo de limón
azúcar lustre
1 medida de brandy
1 golpe de Cointreau
1 golpe de angostura
hielo
champán

1 Escarche el borde de una copa con el azúcar y la clara de huevo.
2 Remueva con hielo el resto de los ingredientes excepto el champán hasta que se condense agua en el exterior del vaso mezclador.
3 Sirva en la copa escarchada y rellene con champán.

(10)

Mimosa

El nombre de este cóctel deriva de su color, que recuerda la atractiva tonalidad amarilla de las mimosas en flor.

Para 1 persona

el zumo de 1 granadilla
$^1/_2$ medida de curaçao naranja
hielo triturado
champán frío
1 rodaja de carambola y 1 tira de piel de naranja

1 Vacíe la pulpa de la granadilla y pásela por la batidora junto con el curaçao y un poco de hielo hasta obtener un granizado.
2 Sirva en la base de una flauta y rellene con el champán.
3 Decore con la fruta.

 11

Disco Dancer

La bebida perfecta para una noche de fiesta debe ser suave y larga.

Para 1 persona
1 medida de crema de plátano
1 medida de ron
unas gotas de angostura
hielo
vino blanco espumoso

1 Mezcle bien los tres primeros ingredientes con el hielo.
2 Sirva en un vaso tipo *highball* y rellene con vino espumoso al gusto.
3 Añada mucho hielo para alargar al cóctel y mantenerlo frío.

 12

Campari Fizz

El sabor agridulce del Campari casa de modo natural con el zumo de naranja y con el vino espumoso o el champán. Se precisa de muy poco para obtener el sabor y el color que distinguen a este cóctel.

Para 1 persona
1 medida de Campari
1 medida de zumo de naranja
hielo triturado
champán

1 Agite bien los tres primeros ingredientes hasta que se condense agua en el exterior de la coctelera. Sirva en una flauta.
2 Rellene con champán.

 13

Kir Royale

Una mejora diabólica del clásico cóctel de crema de casis y vino blanco.

Para 1 persona
Unas gotas de casis, o al gusto
$^1/_2$ medida de brandy
champán frío

1 Ponga el casis y el brandy en la base de una flauta.
2 Rellene con champán al gusto.

Ensueño

Basta con probar un sorbo de este combinado para empezar a soñar.

Para 1 persona

¹/₃ de medida de brandy
1 cucharadita de marrasquino
1 cucharadita de curaçao oscuro
1 cucharadita de angostura
hielo
champán o vino blanco espumoso
1 cereza fresca

1 Mezcle los cuatro primeros ingredientes con el hielo, sirva en un vaso de cóctel y rellene con champán.
2 Decore con la cereza.

Bruma de frambuesas

La bebida perfecta para celebrar unas bodas de rubí.

Para 24 personas

6 medidas de licor de miel Irish Mist
450 g de frambuesas
1 copa de hielo triturado
4 botellas de vino blanco espumoso, bien frías
24 frambuesas, para decorar

1 Pase el licor y las frambuesas junto con el hielo triturado por la batidora.
2 Divida la mezcla entre 24 copas para champán anchas y rellene con el vino.
3 Decore cada copa con una frambuesa.

Sorbete real

Un cóctel que resulta perfecto para las grandes ocasiones en los calurosos días veraniegos, o para contemplar tranquilamente una puesta de sol.

Para 2 personas

300 ml de vino blanco espumoso
2 medidas de casis
1 medida de brandy
1 cuchara grande de hielo triturado
zarzamoras

1 Pase por la batidora la mitad del vino con el resto de los ingredientes hasta que la mezcla tenga una apariencia espumosa y granizada (vigile que no se derrame).
2 Vierta el resto del vino despacio y sirva en vasos altos y delgados, bien fríos.
3 Decore con unas cuantas zarzamoras.

Perla negra

El agua mineral con gas hace de este cóctel una deliciosa bebida veraniega.
Para ocasiones especiales, emplee vino blanco espumoso.

Para 1 persona

1 $^3/_4$ de medida de coñac

$^1/_4$ de medida de licor de zarzamora

$^1/_4$ de medida de zumo de limón

1 cucharadita de azúcar lustre

hielo

agua con gas o vino blanco espumoso

grosellas o zarzamoras congeladas

1 Agite los cuatro primeros ingredientes con hielo hasta que se condense agua en el exterior de la coctelera.

2 Sirva en una copa de cóctel alta bien fría y rellene con el agua con gas o el vino espumoso.

3 Decore con la fruta.

Black Velvet

Ni se le ocurra pensar que la cerveza estropea un buen champán: relájese y disfrute un largo y embriagador trago de este gran clásico.

Para 1 persona

cerveza tipo stout o Guinness, fría
champán frío

1 Sirva, con cuidado para que no se derrame, cantidades iguales de las dos bebidas en una jarra de cerveza o un vaso tipo *highball*.

Mula de terciopelo

En este cóctel, la sorprendente mezcla de anís y jengibre produce un efecto muy interesante, especialmente cuando se combina con el inconfundible sabor de la cola.

Para 1 persona

1 medida de casis
1 medida de sambuca negra
2 medidas de vino de jengibre
cola
soda o vino blanco espumoso

1 Mezcle los tres primeros ingredientes con el hielo hasta que se condense agua en el exterior del vaso mezclador.
2 Sirva en una flauta bien fría y rellene con cantidades idénticas de cola y soda.

Velvet Cooler

Una extraordinaria bebida larga, refrescante y fuerte aunque no lo parezca, que resulta perfecta para una fiesta de verano.

Para 1 persona

2-3 cucharadas de zumo de piña
cerveza tipo lager helada
champán o vino espumoso helado

1 Sirva el zumo de piña en un vaso tipo *highball* bien frío.
2 Añada lentamente cantidades iguales de cerveza y champán.

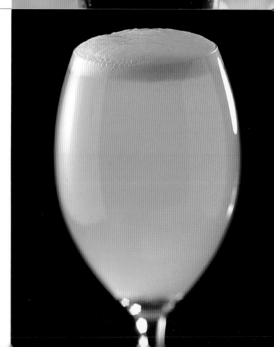

Cóctel de champán

21

El cóctel clásico de champán puede resultar demasiado dulce para algunos paladares. Lo que realmente le otorga su encanto es el brandy, de modo que, si lo prefiere menos dulce, puede prescindir del azúcar.

Para 1 persona
1 terrón de azúcar
2 golpes de angostura
1 medida de brandy
champán frío

1 Ponga el terrón de azúcar mojado con la angostura en una flauta bien fría.
2 Añada el brandy y rellene lentamente con el champán.

Champán del Caribe

22

Si bien el ron y los plátanos se suelen asociar con los trópicos, no pasa lo mismo con el vino. Sin embargo, no hay que olvidar que Francia y muchas de las islas de las Antillas, como Martinica y Guadalupe, comparten una larga historia.

Para 1 persona
$^1/_2$ medida de ron blanco
$^1/_2$ medida de crema de plátano
champán frío
1 rodaja de plátano, para decorar

1 Vierta el ron y la crema de plátano en una flauta bien fría.
2 Rellene con champán.
3 Remueva con cuidado y decore con la rodaja de plátano.

James Bond

23

Aunque resulte sorprendente en un cóctel, esta vez no hay que agitar ni remover.

Para 1 persona
1 terrón de azúcar
2 golpes de angostura
1 medida de vodka frío
champán frío

1 Humedezca el azúcar con la angostura y póngalo en una flauta bien fría.
2 Vierta el vodka y rellene con champán.

 # Amanecer

Para elaborar este cóctel, busque un buen vino espumoso y afrutado, ya sea blanco o tinto.

Para 1 persona

1 medida de zumo de lima
1 medida de jerez no muy seco
champán o vino espumoso, frío

1 Mezcle el zumo y el jerez en una flauta bien fría.

2 Rellene con el champán y remueva brevemente.

 # Príncipe de Gales

No ingiera esta versión del clásico cóctel de champán demasiado deprisa ya que es muy fuerte.

Para 1 persona

1 medida de brandy
1 medida de madeira o de moscatel
3 gotas de curaçao
2 gotas de angostura
hielo
champán frío
tiras finas de piel de naranja

1 Agite los cuatro primeros ingredientes con hielo y sirva en una flauta bien fría.

2 Rellene con champán al gusto y decore con las tiras de piel de naranja.

 # Julepe real

Recuerde que, como en todos los julepes, en primer lugar debe majar o picar la menta para que libere su sabor en la mezcla de agua y azúcar. Si se limita a cortarla, no obtendrá suficiente sabor.

Para 1 persona

1 terrón de azúcar
3 ramitas de menta fresca
1 medida de Jack Daniels
champán frío

1 En un vaso pequeño, maje el azúcar y la menta con un poco del whisky.

2 Cuando el azúcar se haya disuelto, sirva la mezcla en una flauta bien fría. Añada el resto del whisky y rellene con champán.

Cóctel del milenio

Esta bebida se concibió especialmente para celebrar la entrada del nuevo milenio.

Para 1 persona
1 medida de vodka de frambuesa
1 medida de zumo de frambuesa recién hecho
1 medida de zumo de naranja
hielo
champán frío
frambuesas, para decorar

1 Agite enérgicamente el vodka, el zumo de frambuesa y el de naranja con hielo hasta obtener un granizado.
2 Sirva en una flauta bien fría y rellene con champán.
3 Remueva ligeramente y decore con frambuesas.

28. Año bisiesto: Agite 2 medidas de ginebra, $1/2$ de Grand Marnier, $1/2$ de vermut dulce y $1/2$ cucharadita de zumo de limón con hielo hasta que se forme un granizado. Sirva en una copa de cóctel bien fría. **Para 1 persona**

29. Especial Día de Acción de Gracias: Agite 2 medidas de ginebra, $1^1/2$ de aguardiente de albaricoque, 1 de vermut seco y $1/2$ de zumo de limón con hielo hasta que se forme un granizado. Sirva en una copa de cóctel bien fría. Decore con una guinda. **Para 1 persona**

30. Martini de Navidad: Agite 3 medidas de vodka, $1/2$ de vermut seco y 1 cucharadita de schnapps de menta con hielo hasta que se forme un granizado. Sirva en una copa de cóctel bien fría. **Para 1 persona**

Cobbler de champán

El cóctel llamado *cobbler* era muy popular en los tiempos de Dickens. Entonces consistía en una mezcla de jerez, azúcar, limón y hielo. Esta burbujeante versión es un poco más fuerte.

Para 1 persona
1 vaso de champán
$^1/_4$ de medida de curaçao
1 cucharadita de jarabe de goma
hielo
1 frambuesa y rodajas de frutas suaves

1 Mezcle el champán, el curaçao y el jarabe de goma en un vaso mezclador bien frío.
2 Sirva en un vaso alto lleno de hielo y decore con las frutas.

Cóctel de perlas

Aunque no lleva joyas entre sus ingredientes, este cóctel le sentará de perlas antes o después de cenar.

Para 1 persona
$^1/_2$ medida de coñac
$^1/_2$ medida de licor de café
hielo triturado
champán frío
1 cereza o 1 uva tinta

1 Mezcle los dos primeros ingredientes con el hielo en una flauta bien fría.
2 Rellene con champán y decore con la cereza o la uva.

33 Dama afortunada

Los sabores a pera y a manzana otorgan un aroma tan afrutado a este cóctel que, si lo desea, puede emplear vino blanco espumoso en lugar de champán como base.

Para 1 persona
1 medida de calvados
1 medida de néctar de pera o ½ medida de licor de pera
1 rodaja de pera madura y firme
champán frío

1 Vierta el calvados y el néctar de pera en una flauta bien fría con la rodaja de pera.
2 Rellene con el champán.

34 Grape Expectations

En este cóctel, cuyo nombre es un juego de palabras sobre la célebre obra de Dickens *Great Expectations (Grandes Esperanzas),* debe añadir las uvas en el último momento, pues de ese modo producen más burbujas, lo que agrega atractivo a la bebida.

Para 1 persona
5-6 uvas blancas o tintas
hielo
1 golpe de licor de mandarina
champán rosado o vino espumoso, frío

1 Reserve dos uvas para la copa.
2 Chafe las uvas restantes en un cuenco pequeño hasta que obtenga zumo.
3 Añada el hielo y el licor, remueva bien y sirva en una copa bien fría.
4 Rellene con champán. Parta por la mitad y despepite las uvas reservadas, y añádalas a la copa.

Kismet

Este elegante cóctel le permitirá revivir aquella época romántica que produjo música tan fascinante como el musical que le da nombre.

Para 1 persona
1 medida de ginebra
1 medida de aguardiente de albaricoque
$^1/_2$ cucharadita de jarabe de jengibre
champán frío
unas rodajas de mango fresco maduro

1 Vierta la ginebra y el aguardiente en una flauta bien fría.
2 Añada muy lentamente el jarabe de jengibre y luego rellene con champán.
3 Decore con la fruta.

36

Bengala naranja

Sirva esta vistosa versión del clásico cóctel de champán en cualquier celebración.

Para 1 persona
$^2/_3$ de medida de brandy
$^1/_3$ de medida de licor de naranja
$^1/_3$ de medida de zumo de limón
hielo
Asti Spumante seco, helado

1 Agite los tres primeros ingredientes con hielo.
2 Sirva en una flauta bien fría y rellene con Asti Spumante al gusto.

37

Sling de pera y canela

Si no consigue jarabe de canela en el mercado, elabórelo usted mismo.

Para 1 persona
2 medidas de vodka
2 medidas de puré de pera
$^3/_5$ de medida de jarabe de canela
$^4/_5$ de medida de zumo de arándanos
y grosellas negras
hielo
champán frío
rodajas de pera

1 Agite los cuatro primeros ingredientes con hielo hasta que se condense agua en el exterior de la coctelera.
2 Sirva en una flauta bien fría y rellene con champán.
3 Decore con la pera.

Muerte en la tarde

Pervive el rumor de que éste era el cóctel favorito de Hemingway cuando vivía en París, no en vano lleva el mismo nombre que uno de sus libros. Aunque el anís otorga un aspecto misterioso y nublado a esta bebida, resulta muy apetitoso.

Para 1 persona
1 medida de Pernod
champán seco, frío
hielo

1 Ponga dos cubitos de hielo en una flauta.
2 Agregue el Pernod y vierta el champán con cuidado.
3 Beba de inmediato, antes de que desaparezcan las burbujas.

Pick-me-up

El champán es siempre vigorizante, y este cóctel en particular, con los ingredientes añadidos, ¡le levantará la moral!

Para 1 persona
hielo
3 golpes de Fernet Branca
3 golpes de curaçao
1 medida de brandy
champán frío
1 espiral de piel de limón

1 Coloque el hielo en una copa de vino bien fría.
2 Vaya añadiendo los ingredientes en el orden dado y rellene con champán.
3 Decore con la espiral de limón.

Josiah's Bay Float

(40)

Este maravilloso cóctel resulta perfecto para cualquier ocasión especial durante el verano. Está concebido para compartirlo entre dos, tal vez con el fin de celebrar un compromiso o durante una cena romántica al aire libre. Si no tiene ganas de vaciar una piña, puede servirlo en vasos largos bien fríos.

Para 2 personas

hielo picado
2 medidas de ron dorado
1 medida de galliano
2 medidas de zumo de piña
1 medida de zumo de lima
4 cucharaditas de jarabe de azúcar
champán, para rellenar
rodajas de lima y limón
guindas
una piña vaciada

1 Agite enérgicamente el ron, el galliano, los zumos de piña y lima, y el jarabe de azúcar con hielo hasta obtener un granizado.
2 Sirva en la cáscara de piña, rellene con champán y remueva con cuidado.
3 Decore con las rodajas de lima y limón y con las guindas. Sirva con dos pajitas.

41. Matador real: Corte el extremo superior de una piña y reserve. Vacíe la cáscara, dejándola intacta. Pase la pulpa por la batidora hasta obtener un puré. Exprima el zumo del puré y póngalo en la batidora. Añada 8-10 cubitos de hielo triturados, 4 medidas de tequila añejo, 1$^1/_2$ medidas de crema de frambuesa, 2 medidas de zumo de lima y 1 cucharada de amaretto. Bata hasta que se forme un granizado y sirva en la cáscara de la piña. Añada más hielo si fuera necesario. Vuelva a colocar el «sombrero» de la piña y sirva con dos pajitas. **Para 2 personas**

Jade

(42)

El jade genuino se distingue por resultar siempre frío al tacto, una máxima que también se debe aplicar a la coctelería. En un bar nunca sobra el hielo.

Para 1 persona
$^1/_4$ de medida de midori
$^1/_4$ de medida de curaçao azul
$^1/_4$ de medida de zumo de lima
1 golpe de angostura
champán frío
hielo picado
1 rodaja de lima, para decorar

1 Agite enérgicamente el midori, el curaçao, el zumo de lima y la angostura con hielo hasta que se forme un granizado.
2 Sirva en una flauta bien fría. Rellene con champán y decore con la rodaja de lima.

(43) Fizz mexicano

El agrio sabor frutal del tequila no se aprecia bien cuando se toma puro, pero sale a relucir cuando se combina con otros ingredientes más dulces.

Para 1 persona
2 medidas de tequila
1/2 medida de granadina
5-6 medidas de ginger ale seco
hielo triturado

1 Agite el tequila, la granadina y la mitad del ginger ale con hielo hasta obtener un granizado.
2 Sirva en un vaso alto bien frío y rellene con ginger ale al gusto.
3 Bébalo con una pajita.

(44) Francés 75

Aunque este combinado fue descrito en un recetario de cócteles de principios del siglo XX como la bebida que «definitivamente da en el clavo», en la actualidad existe una cierta confusión respecto a sus ingredientes. Todas las recetas incluyen el champán, pero difieren en cuanto al resto de licores que se le agregan.

Para 1 persona
2 medidas de brandy
1 medida de zumo de limón
1 cucharada de jarabe de azúcar
hielo picado
champán frío
1 espiral de cáscara de limón

1 Agite enérgicamente el brandy, el zumo de limón y el jarabe de azúcar con hielo hasta que se condense agua en el exterior de la coctelera.
2 Sirva en un vaso tipo *highball* bien frío y rellene con champán.
3 Decore con la espiral de cáscara de limón.

45. Francés 75 (segunda versión): Agite enérgicamente 2 medidas de ginebra de Plymouth y 1 medida de zumo de lima con hielo hasta que se condense agua en el exterior de la coctelera. Sirva en una copa de vino bien fría y rellene con champán frío. Decore con una guinda. **Para 1 persona**

46. Francés 75 (tercera versión): Coloque 1 cucharadita de azúcar lustre en un vaso alto bien frío. Añada 1 medida de zumo de limón y remueva hasta que se disuelva el azúcar. Llene el vaso con hielo picado, añada 2 medidas de ginebra y rellene con champán frío. Decore con rodajas de naranja. **Para 1 persona**

47. Francés 75 London: Igual que el núm. 45, pero con ginebra londinense en vez de ginebra de Plymouth y zumo de limón en vez de zumo de lima. **Para 1 persona**

48. French Kiss: Agite enérgicamente 2 medidas de bourbon, 1 medida de licor de albaricoque, 2 cucharaditas de granadina y 1 de zumo de limón con hielo hasta que se forme un granizado. Sirva en una copa de cóctel bien fría. **Para 1 persona**

 ## Fizz de rubí

Este combinado de bajo contenido alcohólico resulta muy refrescante y puede elaborarse con casi cualquier jarabe dulce de fruta, especialmente bueno si es casero.

Para 1 persona
el zumo de ½ limón
2 cucharaditas de azúcar lustre
la clara de 1 huevo pequeño
2 golpes de jarabe de frambuesa
2 medidas de sloe gin
hielo
soda

1 Agite todos los ingredientes menos la soda hasta que se condense agua en el exterior de la coctelera.
2 Sirva en un vaso alto bien frío y rellene con la soda.

 ## Whizz de arándanos

La bebida larga y refrescante perfecta para quien no bebe alcohol en una ocasión festiva, o para recuperar energías entre celebración y celebración.

Para 1 persona
hielo
el zumo de ½ lima
zumo de arándanos
gaseosa
1 fresa

1 Escarche el borde de una flauta o un vaso alto con azúcar.
2 Llene hasta dos tercios con hielo y agregue los zumos de lima y arándanos.
3 Rellene con gaseosa y remueva suavemente.
4 Decore con la fresa.

 ## Seda salvaje

Un cóctel descaradamente afrutado, coronado por un mar de burbujas, que requiere que el champán esté bien helado.

Para 2 personas
½ medida de nata líquida
½ medida de frambuesas
1 medida de framboise o de jarabe de frambuesa
un poco de hielo triturado
champán helado

1 Reserve 2-3 frambuesas de buen aspecto.
2 Pase los tres primeros ingredientes con hielo por la batidora hasta obtener un granizado.
3 Sirva en una flauta y rellene con champán. Decore con las frambuesas, que deben flotar sobre la superficie.

Cherry Kiss

Este combinado hipocalórico y sin alcohol es el acompañante perfecto para quienes están a dieta o simplemente no quieran ingerir alcohol.

Para 2 personas
8 cubitos de hielo triturados
2 cucharadas de jarabe de cereza
500 ml de soda
2-3 golpes de zumo de lima recién exprimido
cerezas marrasquino insertadas en palillos de cóctel

1 Divida el hielo entre dos vasos y añada el jarabe de cereza a partes iguales.
2 Agregue el zumo de lima y rellene con la soda.
3 Decore con las cerezas y sirva.

Queen Mary 2

¡Un nuevo barco merece un nuevo cóctel! No le quepa duda de que a bordo de este majestuoso transatlántico se prepararán y consumirán muchos combinados.

Para 8 personas
el zumo de 1 lima
azúcar lustre
$^1/_2$ medida de jarabe de azúcar
2 medidas de Drambuie
200 ml de soda
1 botella de vino espumoso tinto o rosado
cerezas marrasquino

1 Sumerja el borde de las flautas en el zumo de lima, introdúzcalas en el azúcar para escarcharlas y póngalas a enfriar.
2 Mezcle el resto del zumo con el hielo, el jarabe de azúcar, el Drambuie y la soda.
3 Divida la mezcla equitativamente entre las copas, rellene con el vino espumoso y añada algunas cerezas a cada copa.
4 Sirva con una pajita decorativa.

(54) Ponche de San Joaquín

Un fabuloso ponche burbujeante, enriquecido con frutos secos remojados en brandy.

Para 4 personas

1 cucharada de pasas o
ciruelas pasas picadas
6 cucharaditas de brandy
300 ml de vino blanco espumoso
o champán
300 ml de zumo de arándanos y
uva blancos
hielo

1 Ponga los frutos secos y el brandy en un cuenco pequeño y deje en remojo durante 1-2 horas.
2 En una jarra, mezcle el vino, el zumo y los frutos secos empapados en brandy.
3 Sirva en vasos llenos de hielo.

(55) El lacayo

Si tiene previsto preparar varias raciones, elabore la base de ginebra con antelación y asegúrese de que esté bien fría.

Para 1 persona

$^1/_2$ medida de ginebra
1 medida de zumo de naranja
1 rodaja de melocotón
1 cubito de hielo
champán frío
1 rodaja de melocotón, para decorar

1 Pase por la batidora todos los ingredientes excepto el champán, hasta obtener una mezcla suave.
2 Vierta en una flauta y rellene con champán.
3 Decore con la rodaja de melocotón.

(56) San Remo

Cuando corte algún cítrico, guarde las rodajas sobrantes en el congelador. De este modo obtendrá cubitos de hielo de excelente sabor.

Para 1 persona

$^1/_2$ medida de zumo de pomelo
$^1/_4$ de medida de triple seco
$^1/_4$ de medida de licor de mandarina
hielo
champán
rodajas de cítricos congeladas

1 Remueva los tres primeros ingredientes con hielo en un vaso alto o una flauta.
2 Rellene con champán y decore con la fruta congelada.

Cóctel navideño

Preparar este alegre y brillante combinado para un gran número de invitados resulta muy sencillo. ¡Y no hace falta que sea Navidad para disfrutarlo!

Para 1 persona
1 terrón de azúcar
1 golpe de brandy
1 golpe generoso de zumo de arándanos, frío
champán frío
algunas frambuesas, para decorar

1 Ponga el terrón de azúcar en una copa de cava bien fría.
2 Añada el brandy y espere a que el azúcar lo absorba. Incorpore entonces el zumo de arándanos.
3 Rellene con champán justo antes de servir. Decore con una o dos frambuesas, que quedarán flotando en la superficie.

58

Lluvia de oro

Si se trata de una ocasión muy especial, por ejemplo unas bodas de oro, puede añadir pequeñas hojuelas doradas comestibles en cada vaso.

Para 1 persona
1 medida de ron dorado
1/2 medida de Cointreau
champán frío

1 Vierta el ron y el licor en una flauta o una copa alta helada y rellene con champán.

Shangri-la

Ésta es la mezcla idónea para animar cualquier espumante insulso, además de un combinado poco frecuente que puede preparar en grandes cantidades para una fiesta.

Para 1 persona
1/2 medida de ginebra
1/4 de medida de aguardiente de albaricoque
1/2 medida de zumo de naranja
unas gotas de granadina
hielo
Asti Spumante seco u otro espumante
rodajas de naranja y limón

1 Mezcle los cuatro primeros ingredientes con hielo en un vaso tipo *highball* o en una copa de vino bien fríos.
2 Rellene con el vino espumoso y decore con la fruta.

Valencia

Las mejores naranjas provienen de Valencia, y esta variación del *Buck's Fizz* es una de las mejores maneras de aprovecharlas.

Para 1 persona
4 golpes de amargo de naranja
1 cucharadita de sirope de albaricoque
1/3 de medida de zumo de naranja
1/3 de medida de aguardiente
de albaricoque
hielo
champán frío

1 Agite enérgicamente los cuatro primeros ingredientes con hielo hasta que se condense agua en el exterior de la coctelera.
2 Sirva en una flauta helada y rellene con champán al gusto.

Slammer de tequila

(61)

Los *slammers* o *shooters* son combinados en los que los ingredientes se mezclan directamente en el vaso, sin remover. Cubra el vaso con una mano para evitar que el líquido se derrame, golpéelo contra una mesa y ¡bébase el cóctel de un trago! Eso sí, asegúrese de que sus vasos sean resistentes.

Para 1 persona
1 medida de tequila blanco, frío
1 medida de zumo de limón
vino espumoso frío

1 Sirva el tequila y el zumo de limón en un vaso bien frío.
2 Rellene con vino espumoso.
3 Cubra el vaso con la mano, golpéelo contra la mesa y beba.

62. Slammer de Alabama: Mezcle 1 medida de Southern Comfort, 1 de amaretto y $^1/_2$ de sloe gin con hielo en un vaso mezclador. Sirva en un vaso pequeño y añada $^1/_2$ cucharadita de zumo de limón. Cubra con la mano y golpee. **Para 1 persona**

63. B-52: Sirva 1 medida de crema de cacao oscura bien fría en un vaso pequeño. Con pulso firme y mucho cuidado, vierta una segunda capa con 1 medida de Baileys bien frío, y una tercera con 1 medida de Grand Marnier bien frío. Cubra con la mano y golpee. **Para 1 persona**

64. B-52 (segunda versión): Sirva 1 medida de Kahlúa bien frío en un vaso pequeño. Con pulso firme y mucho cuidado, vierta una segunda capa con 1 medida de Baileys bien frío, y una tercera con 1 medida de Grand Marnier bien frío. Cubra con la mano y golpee. **Para 1 persona**

65. Banana slip: Sirva 1 medida de crema de plátano bien fría en un vaso pequeño. Con pulso firme y mucho cuidado, vierta una segunda capa con 1 medida de Baileys bien frío. Cubra con la mano y golpee. **Para 1 persona**

Sabrina

(66)

Un cóctel perfecto para los amantes de las bebidas dulces y afrutadas.

Para 1 persona
$^1/_2$ medida de ginebra
$^1/_8$ de medida de aguardiente de albaricoque
$^1/_2$ medida de zumo de naranja recién hecho
1 cucharadita de granadina
$^1/_4$ de medida de Cinzano
hielo
vino espumoso dulce
rodajas de naranja y limón

1 Agite los cinco primeros ingredientes con hielo.
2 Sirva en un vaso alto y rellene con el espumante.
3 Decore con las rodajas de naranja y limón.

Vientos alisios

Ya soplen vientos fríos o cálidos, los combinados con champán se ajustan a cada
ocasión, especialmente si son tan refrescantes y llenos de color como éste.

Para 1 persona
1 medida de ginebra
$^{1}/_{2}$ medida de aguardiente de cereza
$^{1}/_{2}$ medida de zumo de limón
1-2 golpes de jarabe de goma
$^{1}/_{2}$ cuchara de hielo triturado
champán frío
cerezas, para decorar

1 Agite con hielo todos los ingredientes
menos el champán hasta que se condense
agua en el exterior de la coctelera. Sirva en
una flauta.
2 Rellene con champán y decore con
cerezas frescas.

Gotas de pera

La pera confiere un sabor muy
intenso que recuerda al alcohol
y, cuando se cocina, libera todo su
aroma. En este cóctel proporciona
una fragancia rica y embriagadora.

Para 1 persona
1 medida de schnapps de pera
sidra de pera (perry) fría
1 rodaja de pera o 1 cereza

1 Vierta el schnapps en una flauta
bien fría y añada lentamente la sidra
de pera.
2 Decore con una cereza.

 # Bentley
CLASSIC

Los cócteles de champán tienden a mejorar cuanto más se beben.

Para 1 persona
1/2 medida de coñac o brandy
1/2 medida de licor, schnapps o
aguardiente de melocotón
el zumo de 1 granadilla, bien colado
1 cubito de hielo
champán

1 Mezcle suavemente los tres primeros
ingredientes en una copa de champán
bien fría.
2 Añada 1 cubito de hielo y rellene
lentamente con champán al gusto.

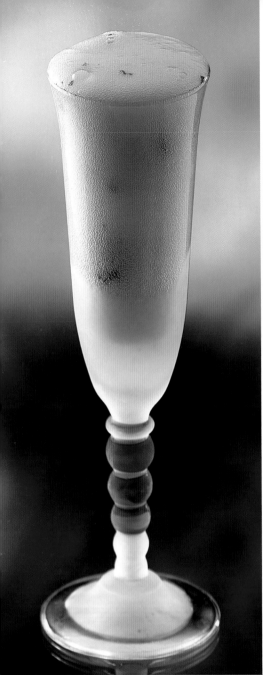

 # Julepe espumoso

El vino espumoso es una bebida que se puede disfrutar en cualquier momento, y esta propuesta resulta especialmente refrescante.

Para 1 persona
1 terrón de azúcar
2 ramitas de menta
vino blanco espumoso frío

1 Ponga el azúcar y una de las ramitas de menta majada en una flauta bien fría.
2 Añada el espumante, la otra ramita de menta y cualquier fruta de temporada.

71. Cabeza de diamante: Agite enérgicamente 4 medidas de ginebra, 2 medidas de zumo de limón, 1 medida de aguardiente de albaricoque, 1 cucharadita de azúcar y 1 clara de huevo con hielo hasta que se condense agua en el exterior de la coctelera. Sirva en dos copas de cóctel bien frías. **Para 2 personas**

72. Fizz de diamante: Agite 2 medidas de ginebra, $^1/_2$ medida de zumo de limón y 1 cucharadita de jarabe de azúcar con hielo hasta que se condense agua en el exterior de la coctelera. Sirva en una flauta bien fría y rellene con champán helado.
Para 1 persona

73. Martini zafiro: Coloque 4-6 cubitos de hielo picado en un vaso mezclador. Agregue 2 medidas de ginebra y $^1/_2$ medida de curaçao azul. Mezcle bien y sirva en una copa de cóctel bien fría. Decore con una guinda azul. **Para 1 persona**

74. Martini topacio: Coloque 4-6 cubitos de hielo picado en un vaso mezclador. Agregue 2 medidas de ginebra y $^1/_2$ medida de curaçao naranja. Mezcle bien y sirva en una copa de cóctel bien fría. Decore con una rodaja de limón. **Para 1 persona**

 # Sparkler

La bebida sin alcohol más sencilla y más ingeniosa de todas. Tiene la apariencia de un *Gin Tonic* o un *Spritzer,* y su sabor es excelente.

Para 1 persona
unas gotas de angostura
hielo
soda
1 cereza o 1 rodaja de limón
zumo de limón o de naranja, opcional

1 Vierta la angostura en un vaso tipo *highball* lleno de hielo.
2 Rellene con soda y decore con la cereza o la rodaja de limón.
3 También puede añadir unas gotas de zumo de limón o de naranja al gusto.

Monte Carlo

En el mundo de la Fórmula 1 las victorias se celebran con champán, especialmente en Monte Carlo, de ahí el nombre de este combinado.

Para 1 persona
$^1/_2$ medida de ginebra
$^1/_4$ de medida de zumo de limón
hielo
champán o vino blanco espumoso
$^1/_4$ de medida de crema de menta
1 hoja de menta

1 Mezcle bien los dos primeros ingredientes con hielo hasta que se condense agua en el exterior del vaso mezclador.
2 Vierta en una flauta bien fría y rellene con champán.
3 Finalmente, deje gotear la crema de menta por encima del cóctel y decore con una hoja de menta.

77

Jersey Lily

Esta refrescante bebida recibe su nombre de Lillie Langtry (1852-1929), la bella actriz que iluminó la época eduardiana. Si el Príncipe de Gales (futuro rey Eduardo VII de Inglaterra), su amante más famoso, también lo disfrutó, no ha quedado registrado.

Para 1 persona
1 vaso de zumo de manzana con gas
azúcar al gusto
1 golpe de angostura
cubitos de hielo
1 cereza marrasquino y unas rodajas
de manzana

1 Mezcle el zumo con un poco de azúcar, añada la angostura y algunos cubitos de hielo, y remueva hasta que se condense agua en el exterior del vaso mezclador.
2 Sirva en una copa bien fría. Ensarte unas rodajitas de manzana en un palillo y deje caer la cereza hasta el fondo de la copa.

Fizz de manzana

La sidra constituye una base excelente para diversos combinados espirituosos. Este cóctel no se puede preparar con antelación pero es ideal cuando se tiene muchos invitados. Añada un poco de sidra justo antes de servir para conseguir una efervescencia más notoria.

Para 1 persona

150 ml de sidra o 75 ml de zumo de manzana con gas
1 medida de calvados
el zumo de ½ limón
1 cucharada de clara de huevo
1 pizca generosa de azúcar
hielo
rodajas de limón y de manzana

1 Agite los cinco primeros ingredientes con hielo y vierta de inmediato en un vaso tipo *highball*.
2 Decore con una rodaja de limón, de manzana o ambas. Agregue un poco más de sidra al servirlo.

Tipple de manzana

Los *tipples* son las bebidas que se obtienen en una barrica. Si usted elabora alguna vez sidra casera, ésta sería la bebida ideal para combinarla.

Para 1 persona
cubitos de hielo
1 cucharadita de puré, jarabe o licor de zarzamora
1 medida de zumo de manzana
sidra al gusto
unas zarzamoras

1 Ponga un cubito de hielo en una copa delgada y alta.
2 Agregue el puré y el zumo de manzana, y rellene con sidra.
3 Decore con algunas zarzamoras.

Ponche de sidra

Este combinado resulta más suave de lo que parece. Además, puede añadir más soda o hielo a la base hasta obtener el sabor que desee.

Para 10 personas
500 ml de sidra seca
150 ml de coñac o brandy
150 ml de Cointreau
hielo
rodajas de manzana
300 ml de soda o dry ginger

1 Mezcle bien los tres primeros ingredientes y ponga a enfriar en la nevera hasta que vaya a servir.
2 Vierta la mezcla en un bol grande para ponches. Agregue el hielo, los rodajas de manzana y la soda o el dry ginger.
3 Sirva en tazas o copas pequeñas.

Antoinette

Este suave y burbujeante cóctel resulta ideal para cualquier ocasión. Agregue más calvados si lo desea, o hágalo más refrescante con zumo de limón o de lima adicional.

Para 1 persona
1 $^1/_2$ medidas de calvados
$^1/_2$ medida de zumo de limón recién exprimido
$^1/_2$ medida de jarabe de goma
hielo
sidra
1 espiral de cáscara de manzana

1 Agite los tres primeros ingredientes con hielo hasta que se condense agua en el exterior de la coctelera.
2 Sirva en un vaso tipo *highball* o en una copa de cóctel alta y rellene con sidra al gusto.
3 Decore con la espiral de cáscara de manzana.

Cócteles largos

 # Alice Springs

Este combinado frutal lleva mucha ginebra, pero puede diluirla al gusto si desea obtener un resultado más suave.

Para 1 persona

3 medidas de ginebra

$^1/_2$ cucharadita de granadina

1 medida de zumo de naranja

1 medida de zumo de limón

hielo

soda

3 gotas de angostura

1 Agite los cuatro primeros ingredientes con hielo hasta que se condense agua en el exterior de la coctelera.

2 Sirva en una copa de cóctel alta bien fría y rellene con soda.

3 Añada la angostura y beba con una pajita.

(83) Gin Fizz

Es posible que este combinado sea el precursor del *Gin Tonic,* y como él resulta magnífico, largo, económico y refrescante.

Para 1 persona
1¹/₂ medidas de ginebra
1 cucharadita de azúcar
unas tiras de piel de limón
hielo triturado
soda

1 Mezcle la ginebra, el azúcar y las tiras de piel de limón hasta que el azúcar se disuelva.
2 Sirva en un vaso lleno de hielo triturado y rellene con soda bien fría.

(84) Gin Sling

Aunque haya quien afirme que el *Gin Sling* original se bebía caliente, muchas de sus variaciones frías también resultan deliciosas y refrescantes.

Para 1 persona
1 terrón de azúcar
1 medida de ginebra seca
nuez moscada recién rallada
1 rodaja de limón

1 En un vaso tipo *old-fashioned,* disuelva el azúcar en 150 ml de agua caliente.
2 Agregue la ginebra, espolvoree con nuez moscada y decore con la rodaja de limón.

85. Cóctel Gin Sling: En un vaso bajo, ponga un cubito de hielo, el zumo de ³/₄ de limón, ¹/₂ cucharada de azúcar y 1 medida de ginebra. Rellene con agua y decore con una rodaja de limón y un golpe de angostura. **Para 1 persona**

86. Gin Sling de naranja: Ponga 2 medidas de ginebra en una copa de cóctel y añada con cuidado 4 golpes de amargo de naranja. **Para 1 persona**

Salto de rana

Los amantes de la ginebra con tónica disfrutarán del apetitoso sabor de ginebra y limón de esta variación.

Para 1 persona
1 cubito de hielo
el zumo de 1/2 limón
2 medidas de ginebra
ginger ale

1 Ponga el hielo, el zumo de limón y la ginebra en un vaso tipo *tumbler* bien frío. Remueva una sola vez.
2 Rellene con ginger ale al gusto y añada una varilla agitadora.

La ginebra de la suegra

Prepare esta bebida con antelación, para que nadie llegue a saber cuánta ginebra le puso.

Para 6 personas
5 medidas de ginebra
7 medidas de zumo de naranja
7 medidas de zumo de limón
2 medidas de jarabe de goma
la clara de 1 huevo pequeño
hielo
tónica
tiras de piel de limón

1 Mezcle bien los cuatro primeros ingredientes y ponga a enfriar.
2 Cuando vaya a servir el cóctel, añada la clara de huevo y el hielo y pase por la batidora hasta obtener espuma.
3 Sirva en vasos bien fríos y rellene con tónica.
4 Decore cada vaso con una tira de piel de limón.

89

Bulldog

Una refrescante variación de la mezcla clásica de ginebra con zumo de naranja.

Para 1 persona
2 medidas de ginebra
1 medida de zumo de naranja
recién exprimido
hielo
ginger ale
1 rodaja fina de naranja

1 Sirva la ginebra, el zumo de naranja y el hielo en un vaso largo y remueva.
2 Rellene con ginger ale y decore con la rodaja de naranja.

 90

Bee's Knees

El nombre de este combinado significa «extremadamente bueno». Utilice miel de sabor intenso, como la de acacia, naranja o brezo, pues es el secreto de este cóctel.

Para 1 persona
1 medida de ginebra
$\frac{1}{3}$ de medida de zumo de limón recién exprimido
$\frac{2}{3}$ de medida de miel fluida
bíter de limón al gusto
hielo
ralladura de piel de limón

1 Agite los tres primeros ingredientes con hielo hasta que se condense agua en el exterior de la coctelera.
2 Sirva en un vaso alto bien frío y rellene con bíter de limón.
3 Decore con ralladura de piel de limón.

Tom Collins

CLASSIC

Esta refrescante bebida larga es también un clásico, que ha servido de inspiración a diversas generaciones de cócteles «Collins», de fama mundial.

Para 1 persona
3 medidas de ginebra
2 medidas de zumo de limón
$^1/_2$ medida de jarabe de azúcar
5-6 cubitos de hielo picados
soda
1 rodaja de limón, para decorar

1 Agite enérgicamente la ginebra, el zumo de limón y el jarabe de azúcar con hielo hasta que se condense agua en el exterior de la coctelera.
2 Vierta en un vaso alto bien frío y rellene con soda.
3 Decore con la rodaja de limón.

92. Belle Collins: Maje 2 ramitas de menta fresca y colóquelas en un vaso alto bien frío. Añada 4-6 cubitos de hielo triturados, 2 medidas de ginebra, 1 medida de zumo de limón y 1 cucharadita de jarabe de azúcar. Rellene con soda, remueva ligeramente y decore con una ramita de menta fresca. **Para 1 persona**

93. Juan Collins: Llene hasta la mitad un vaso alto bien frío con hielo picado y agregue 2 medidas de tequila blanco, 1 de zumo de limón y 1 cucharadita de jarabe de azúcar. Rellene con soda y remueva ligeramente. Decore con una cereza. **Para 1 persona**

94. Country Cousin Collins: Bata 2 medidas de aguardiente de manzana, 1 medida de zumo de limón y $^1/_2$ cucharadita de jarabe de azúcar con hielo triturado y un golpe de amargo de naranja a velocidad media durante unos 10 segundos. Sirva en un vaso alto bien frío y rellene con soda. Remueva con suavidad y decore con una rodaja de limón. **Para 1 persona**

Royal Grand Fizz

Un nombre grandilocuente para un cóctel baladí, aunque siempre puede añadir más ginebra al gusto.

Para 1 persona
2 medidas de ginebra
el zumo de $^1/_2$ limón
el zumo de $^1/_2$ naranja
3 golpes de jarabe de goma
$^1/_2$ medida de marrasquino
$^1/_2$ medida de nata líquida
hielo triturado

soda
1 rodaja de naranja

1 Agite los seis primeros ingredientes con hielo y sirva en un vaso lleno de cubitos.
2 Rellene con soda y decore con la rodaja de naranja.

Ojo de gato

Un ojo de gato puede ser muchas cosas además del órgano de visión de los felinos, entre las que se cuenta una piedra semi-preciosa. En este caso se trata de un cóctel de gran potencia y tan atractivo como una gema.

Para 1 persona

2 medidas de ginebra

1$^1/_2$ medidas de vermut seco

$^1/_2$ medida de kirsch

$^1/_2$ medida de triple seco

$^1/_2$ medida de zumo de limón

hielo picado

$^1/_2$ medida de agua

1 Agite la ginebra, el vermut, el kirsch, el triple seco y el zumo de limón con hielo hasta que se condense agua en el exterior de la coctelera.

2 Sirva en una copa de cóctel bien fría. Añada un toque de agua fría al servirlo.

97. Gato de Cheshire: Vierta 1 medida de brandy, 1 de vermut dulce y 1 de zumo de naranja con hielo picado en un vaso mezclador. Remueva bien y sirva en una flauta bien fría. Rellene con champán. Exprima una rodaja de naranja por encima y decore con una espiral de piel de naranja. **Para 1 persona**

98. Cola de tigre: Mezcle 2 medidas de Pernod, 4 de zumo de naranja y $^1/_4$ de cucharadita de triple seco con hielo triturado hasta obtener una mezcla homogénea. Sirva en un vaso de vino bien frío y decore con una rodaja de lima. **Para 1 persona**

99. Leche de tigre: Mezcle 2 medidas de ron dorado, 1$^1/_2$ de brandy, 1 cucharadita de jarabe de azúcar y 150 ml de leche con hielo triturado hasta que quede una mezcla homogénea. Sirva en un vaso de vino bien frío. Espolvoree con canela molida. **Para 1 persona**

100. León blanco: Agite 4-6 cubitos de hielo picado, 1 golpe de angostura y 1 de granadina, 2 medidas de ron blanco, 1 de zumo de limón y 1 cucharadita de jarabe de azúcar hasta que se forme un granizado. Sirva en una copa de cóctel fría. **Para 1 persona**

 (101)

Oasis

Este brillante cóctel de tonos aguamarina es tan refrescante como aparenta, gracias a la abundante cantidad de hielo y a la soda.

Para 1 persona
hielo
1 medida de curaçao azul
2 medidas de ginebra
soda
1 rodaja de limón
1 ramita de menta

1 Llene un vaso tipo *highball* con cubitos de hielo, agregue el curaçao y la ginebra y remueva una vez.
2 Añada la soda y remueva.
3 Decore con una rodaja de limón y con la ramita de menta.

(102)

Burbujas del paraíso

Este maravilloso cóctel largo también resulta estupendo si se prepara con ron blanco. Recuerde emplear grandes cantidades de hielo para asegurarse de que esté bien frío.

Para 1 persona
1 medida de ginebra
el zumo de $^1/_2$ lima
1 cucharadita de azúcar lustre
$^1/_2$ medida de licor de melón
$^1/_2$ clara de huevo
hielo
soda
tiras de piel de limón

1 Agite los cinco primeros ingredientes con hielo hasta que se condense agua en el exterior de la coctelera.
2 Sirva en un vaso alto bien frío y rellene con soda al gusto.
3 Decore con las tiras de piel de limón y beba con una pajita.

 (103)

Bleu Bleu Bleu

Con uno de éstos se le nublará la vista, así que piénselo bien antes de preparar otro.

Para 1 persona
1 medida de ginebra
1 medida de vodka
1 medida de tequila
1 medida de curaçao azul
1 medida de zumo de limón recién exprimido
2 golpes de clara de huevo
hielo triturado
soda

1 Agite con hielo todos los ingredientes excepto la soda hasta que se condense agua en el exterior de la coctelera.
2 Sirva en un vaso alto lleno de hielo y rellene con soda al gusto.

Gin Rickey

La versión clásica de este cóctel requiere ginebra, pero también lo puede probar con otros espirituosos, mezclados con zumo de limón o de lima y soda, sin edulcorantes.

Para 1 persona

2 medidas de ginebra

1 medida de zumo de lima

hielo picado

soda

una rodaja de limón

1 Mezcle el cóctel directamente en un vaso alto tipo *highball* bien frío lleno de hielo.

2 Agregue la ginebra y el zumo de lima.

3 Rellene con soda.

4 Mezcle suavemente y decore con la rodaja de limón.

105. Whiskey Rickey: Sustituya la ginebra por whisky «American blended» y decore con una rodaja de lima. **Para 1 persona**

106. Sloe Gin Rickey: Sustituya la ginebra por sloe gin. Decore con una rodaja de lima. **Para 1 persona**

107. Rickey de ron de manzana: Agite enérgicamente 1 medida de aguardiente de manzana, $1/2$ medida de ron blanco y $1/2$ medida de zumo de lima con hielo hasta que se condense agua en el exterior de la coctelera. Llene por la mitad un vaso tipo *tumbler* bien frío con hielo picado y sirva el combinado. Rellene con soda y decore con una rodaja de lima. **Para 1 persona**

108. Kirsch Rickey: Ponga 2 medidas de kirsch y 1 cucharada de zumo de lima en un vaso tipo *tumbler* bien frío lleno hasta la mitad de hielo picado. Rellene con soda y revuelva suavemente. Decore con cerezas frescas deshuesadas. **Para 1 persona**

Sangre azul

No se deje intimidar por la apariencia un tanto siniestra de este cóctel: su sabor es muy agradable, ligero y afrutado.

Para 1 persona
1 medida de ginebra
1 medida de néctar de granadilla
4 dados de melón o mango
1 cucharada grande de hielo triturado
1-2 cucharaditas de curaçao azul

1 Pase todos los ingredientes por la batidora excepto el curaçao azul hasta obtener una escarcha suave.
2 Sirva en una copa alta con más hielo y agregue el curaçao, de modo que se escurra por el cóctel como si realmente se tratase de sangre azul.

Gimlet

El fresco y aromático aroma de la lima combina mucho mejor con la ginebra que el tradicional limón, hecho que se demuestra especialmente en este cóctel.

Para 1 persona
1 medida de ginebra o vodka
$^1/_2$ medida de zumo de lima recién exprimido
soda o tónica
1 rodaja de lima

1 Ponga la ginebra y el zumo de lima en un vaso tipo *old-fashioned* bien frío y con algunos cubitos.
2 Rellene con tónica y decore con la rodaja de lima.

1001 cócteles

(111) Déjamelo a mí

Un cóctel vistoso y muy práctico para fiestas, pues resulta muy fácil preparar varios a la vez. No subestime su fuerza.

Para 1 persona
$^1/_2$ medida de ginebra
$^1/_4$ de medida de vermut seco
$^1/_4$ de medida de aguardiente de albaricoque
1 golpe de zumo de limón
1 golpe de granadina
hielo triturado
1 tira de piel de limón

1 Agite bien los cuatro primeros ingredientes con hielo y sirva en una copa de cóctel.
2 Añada la granadina justo antes de servir y decore con la tira de piel de limón.

(112) Daisy

El *Daisy* es un cóctel largo y dulce, edulcorado con jarabe de frutas, que contiene una alta proporción de alcohol.

Para 1 persona
3 medidas de ginebra
1 medida de zumo de limón
1 cucharada de granadina
1 cucharadita de jarabe de azúcar
hielo picado
soda
1 rodaja de naranja, para decorar

1 Agite enérgicamente la ginebra, el zumo de limón, la granadina y el jarabe de azúcar con hielo hasta que se condense agua en el exterior de la coctelera.
2 Sirva en un vaso tipo *highball* bien frío y rellene con soda.
3 Remueva suavemente y decore con la rodaja de naranja.

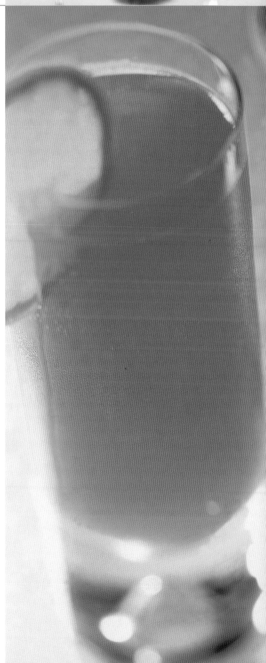

113. Star Daisy: Agite enérgicamente 2 medidas de ginebra, 1$^1/_2$ medidas de aguardiente de manzana, 1$^1/_2$ de zumo de limón, 1 cucharadita de jarabe de azúcar y $^1/_2$ de triple seco con hielo hasta que se condense agua en el exterior de la coctelera. Sirva en un vaso tipo *tumbler* bien frío y rellene con soda. **Para 1 persona**

114. Rum Daisy: Agite 2 medidas de ron dorado, 1 de zumo de limón, 1 cucharadita de jarabe de azúcar y $^1/_2$ de granadina con hielo hasta que se condense agua en el exterior de la coctelera. Vierta en un vaso pequeño bien frío lleno de hielo picado hasta la mitad. Decore con una rodaja de naranja. **Para 1 persona**

St. Clement's Gin

Este combinado puede ser bastante fuerte o muy refrescante, dependiendo de la cantidad de soda que emplee en su preparación.

Para 1 persona
el zumo de $^1/_2$ naranja
el zumo de $^1/_2$ limón
1 cucharadita de azúcar lustre
2 medidas de ginebra
hielo
soda
espirales de piel de limón y naranja

1 Mezcle bien los zumos, el azúcar y la ginebra con hielo y sirva en un vaso tipo *highball*.
2 Rellene con soda y decore con las espirales de piel de naranja y limón.

Pimm's Nº 1

El *Pimm's Nº 1* es una deliciosa bebida larga, seca y afrutada que contiene ginebra y hierbas. Su inventor fue James Pimm, un célebre cocinero londinense de finales del siglo XIX. Es posible que el *Gin Sling* original fuera idéntico a éste.

Para 1 persona
hielo
1 medida de Pimm's Nº 1
limonada
tiras de cáscara de pepino,
ramitas de menta o de borraja
rodajas de naranja y limón

1 Llene con hielo las dos terceras partes de un vaso grande bien frío y agregue el Pimm's.
2 Rellene con limonada y remueva suavemente.
3 Decore con la cáscara de pepino, la ramita de menta fresca y las rodajas de naranja y limón.

Fizz de cereza

Los *fizzes* se solían tomar por la mañana, tal vez debido a lo refrescantes que son. Alargue este cóctel a su gusto añadiendo más soda.

Para 1 persona
$^3/_4$ de medida de ginebra
$^1/_4$ de medida de aguardiente de cereza
3 golpes de kirsch
el zumo de $^1/_2$ lima
1 cucharadita de jarabe de goma
hielo
soda

1 Agite con hielo todos los ingredientes excepto la soda hasta que se condense agua en el exterior de la coctelera.
2 Sirva en un vaso tipo *highball* lleno de hielo y rellene con soda al gusto.

Singapore Sling

En las colonias del Imperio Británico, las clases acomodadas se reunían al fresco de la tarde en clubes exclusivos para cotillear acerca de los sucesos de la jornada. Esos días ya pasaron a la historia, si bien un *Singapore Sling* sigue siendo el remedio más eficaz contra la sed en las calurosas tardes de verano.

Para 1 persona
2 medidas de ginebra
1 medida de aguardiente de cereza
1 medida de zumo de limón
1 cucharadita de granadina
hielo picado
soda
piel de lima y guindas

1 Agite enérgicamente la ginebra, el aguardiente, el zumo de limón y la granadina con hielo hasta que se condense agua en el exterior de la coctelera.
2 Llene hasta la mitad un vaso tipo *highball* bien frío con hielo y vierta el cóctel.
3 Rellene con soda y decore con la piel de lima y las guindas.

119. Singapore Sling dulce: Agite enérgicamente 1 medida de ginebra, 2 de aguardiente de cereza y un golpe de zumo de limón con hielo hasta que se condense agua en el exterior de la coctelera. Llene hasta la mitad un vaso tipo *tumbler* bien frío con hielo y vierta el cóctel. Rellene con soda y decore con guindas. **Para 1 persona**

120. Gin Slinger: Mezcle 1 cucharadita de azúcar, 1 de agua y 1 medida de zumo de limón hasta que se disuelva el azúcar. Añada 2 medidas de ginebra y mezcle. Llene hasta la mitad un vaso tipo *tumbler* bien frío con hielo y vierta el cóctel. Decore al gusto. **Para 1 persona**

121. Whiskey Sling: Mezcle 1 cucharadita de azúcar, 1 medida de zumo de limón y 1 cucharadita de agua hasta que se disuelva el azúcar. Agregue 2 medidas de whisky «American blended» y mezcle bien. Llene hasta la mitad un vaso tipo *tumbler* bien frío con hielo y vierta el cóctel. Decore con una espiral de piel de naranja. **Para 1 persona**

122. Raffles Knockout: Agite enérgicamente 1 medida de triple seco, 1 de kirsch y un golpe de zumo de limón con hielo hasta que se condense agua en el exterior de la coctelera. Sirva en una copa de cóctel bien fría. **Para 1 persona**

Loco de dolor

Decida usted mismo si este cóctel es la cura para el dolor de cabeza, o si por el contrario constituye la causa de los dolores de cabeza venideros.

Para 1 persona

1 cucharada de angostura
hielo picado
2 medidas de ginebra
1^1/$_2$ medidas de brandy
^{1}/$_2$ medida de zumo de lima
1 cucharadita de jarabe de azúcar
cerveza de jengibre
1 rodaja de pepino y otra de lima
1 ramita de menta fresca

1 Vierta la angostura en un vaso alto bien frío y gírelo hasta que todo el interior del vaso esté bien recubierto.
2 Retire el exceso y descarte. Llene el vaso con hielo hasta la mitad.
3 Agregue la ginebra, el brandy, el zumo de lima y el jarabe de azúcar sobre el hielo.
4 Remueva bien.
5 Rellene con cerveza de jengibre y remueva con suavidad.
6 Decore con las rodajas de pepino y lima y la ramita de menta.

124. Tobillo roto: Agite 2 medidas de ron negro, 1 de aguardiente de cereza, 1 de zumo de lima y 1 cucharadita de jarabe de azúcar con hielo hasta que se condense agua en el exterior de la coctelera. Sirva en un vaso tipo *tumbler* bien frío. **Para 1 persona**

125. Tercer grado: Ponga varios cubitos de hielo en un vaso mezclador. Agregue 1 golpe de Pernod, 2 medidas de ginebra y 1 de vermut seco. Mezcle bien y sirva en una copa de cóctel bien fría. **Para 1 persona**

126. Autodestrucción: Agite 3 medidas de vodka, ^{1}/$_2$ cucharadita de zumo de lima y ^{1}/$_2$ de triple seco con hielo hasta que se condense agua en el exterior de la coctelera. Sirva en una copa de cóctel bien fría y decore con una rodaja de lima. **Para 1 persona**

127. Alambre de púas: Agite 3 medidas de vodka, 1 cucharadita de vermut dulce, ^{1}/$_2$ cucharadita de Pernod y ^{1}/$_2$ medida de jerez seco con hielo hasta que se condense agua en el exterior de la coctelera. Sirva en una copa de cóctel bien fría y decore con una espiral de piel de limón. **Para 1 persona**

128

Londoner

 CLASSIC

El delicioso sabor de este trago largo de ginebra se debe al toque de las frutas silvestres y al aroma de hierbas del vermut.

Para 1 persona

2 medidas de ginebra seca London
$^1/_2$ medida de jarabe de fresa o de rosa
2 medidas de zumo de limón
$^1/_2$ medida de vermut seco
hielo
soda
1 tira de piel de limón

1 Mezcle los cuatro primeros ingredientes con hielo en un vaso alto.
2 Rellene con soda y decore con la tira de piel de limón.

 129

Gin Fizz de Nueva Orleans

Este cóctel forma parte de la vida social de Nueva Orleans y su presentación siempre debe resultar soberbia, así que tire la casa por la ventana cuando lo prepare.

Para 1 persona

el zumo de $^1/_2$ limón
2 cucharaditas de azúcar lustre, o al gusto
la clara de 1 huevo pequeño
2 medidas de ginebra
2 golpes de agua de azahar
1 cucharada de nata líquida
hielo
soda
tiras de piel de naranja y una flor

1 Agite los seis primeros ingredientes con hielo hasta que se condense agua en el exterior de la coctelera.
2 Sirva en un vaso tipo *tumbler* bien frío y rellene con soda al gusto.
3 Decore con una flor y las tiras de piel de naranja.

 130

Mediterráneo

Esta vistosa bebida transportará su imaginación a las azules aguas y el despejado cielo del Mediterráneo. El intenso color resulta tan exótico que no requiere ningún adorno especial.

Para 1 persona

cubitos de hielo
2 medidas de ginebra
1 medida de curaçao azul
gaseosa

1 Ponga el hielo en un vaso y agregue la ginebra y el curaçao azul.
2 Rellene con gaseosa.

131

Gordon Bennett

Le sorprenderá saber que, en este cóctel, el todo es más que la suma de sus ingredientes.

Para 1 persona
1 medida de ginebra helada
1 medida de Cointreau helado
hielo picado
1 rodaja de lima
soda

1 Sirva la ginebra, el Cointreau y el hielo en un vaso tipo *highball* bien frío y remueva hasta que se condense agua en el exterior del vaso.
2 Exprima la rodaja de lima sobre el cóctel y agréguela al vaso. Rellene con soda al gusto.

132

Sloe Kiss

El sloe gin constituye una buena base para tragos largos.

Para 1 persona
$^1/_2$ medida de sloe gin
$^1/_2$ medida de Southern Comfort
1 medida de vodka
1 cucharadita de amaretto
hielo
1 golpe de galliano
zumo de naranja
espirales de piel de naranja

1 Agite los cuatro primeros ingredientes con hielo hasta que se condense agua en el exterior de la coctelera.
2 Sirva en un vaso alto bien frío lleno de hielo.
3 Agregue el galliano y rellene con un poco de zumo de naranja.
4 Decore con espirales de piel de naranja y añada una varilla agitadora.

(133) Angélico

Su aspecto puede parecer angélico, pero, a menos que sea muy generoso con el zumo de fruta, este cóctel no resultará nada suave.

Para 1 persona
 medida de galliano
 medida de Southern Comfort
1 medida de vodka
1 golpe de clara de huevo
hielo
zumo de naranja o de piña al gusto
1 rodaja de piña

1 Agite los cuatro primeros ingredientes con hielo hasta que se condense agua en el exterior de la coctelera.
2 Sirva en un vaso alto bien frío lleno de hielo y rellene con zumo de naranja o de piña al gusto.
3 Decore con una rodaja de piña fresca.

(134) Long Island Iced Tea

Este combinado de nombre irónico se bebía en taza durante los días de la «ley seca», con la ingenua intención de birlar la vigilancia del FBI. Su versión primigenia consistía apenas en la combinación de vodka con un golpe de cola.

Para 1 persona
2 medidas de vodka
1 medida de ginebra
1 medida de tequila blanco
1 medida de ron blanco
1/2 medida de crema de menta blanca
2 medidas de zumo de limón
1 cucharadita de jarabe de azúcar
hielo picado
cola
1 gajo de lima o de limón

1 Agite enérgicamente el vodka, la ginebra, el tequila, el ron, la crema de menta, el zumo de limón y el jarabe de azúcar con hielo hasta que se condense agua en el exterior de la coctelera.
2 Sirva en un vaso tipo *highball* lleno de hielo y rellene con cola.
3 Decore con un gajo de lima o limón.

135. Ponche de artillero: Ponga 1 litro de bourbon, 1 litro de vino tinto, 1 litro de té fuerte, 475 ml de ron negro, 250 ml de ginebra, 250 ml de aguardiente de albaricoque, 4 medidas de zumo de limón, 4 medidas de zumo de lima y 4 cucharadas de jarabe de azúcar en un recipiente grande. Ponga a enfriar durante 2 horas. Para servir, coloque un bloque grande de hielo dentro de un bol y vierta el cóctel por encima. Decore con rodajas finas de limón. **Para 30 personas**

Brisa de la bahía

Los zumos de arándanos de color claro resultan perfectos para este combinado. No son tan intensos como los arándanos rojos, pero su afrutado sabor resulta delicioso.

Para 1 persona

2 medidas de zumo de arándanos claro y de manzana

2 medidas de zumo de piña

2 medidas de vodka

hielo

tónica

rodajas de lima o de piña

1 Agite bien los tres primeros ingredientes con hielo hasta que se condense agua en el exterior de la coctelera.

2 Sirva en un vaso alto y rellene con tónica al gusto.

3 Decore con las rodajas de piña o lima.

Sonrisa forzada

Si usted es amante de las bebidas secas, agregue poco zumo de piña cuando prepare este cóctel.

Para 1 persona

1 medida de Cinzano extra seco

1 medida de vodka de mandarina

$^1/_2$ medida de curaçao naranja

el zumo de $^1/_2$ limón

1 cucharada de jarabe de fresa

hielo

zumo de piña

1 fresa

1 Agite bien los cinco primeros ingredientes con hielo.

2 Sirva en un vaso alto y rellene con zumo de piña al gusto.

3 Decore con media o una fresa.

Kamikaze

Con este combinado no hay vuelta atrás. Es tan delicioso que no podrá dejar de beberlo.

Para 1 persona
1 medida de vodka
1 medida de triple seco
1/2 medida de zumo de lima recién exprimido
1/2 medida de zumo de limón recién exprimido
hielo
vino blanco seco, bien frío
1 rodaja de lima y otra de pepino

1 Agite los cuatro primeros ingredientes con hielo hasta que se condense agua en el exterior de la coctelera.
2 Sirva en una copa bien fría y rellene con vino.
3 Decore con las rodajas de lima y pepino.

 (139)

Tornado

El zumo y las rodajas de lima se remueven para crear este combinado un tanto agrio, aunque largo y refrescante a la vez.

Para 1 persona
2 medidas de vodka
el zumo de 1/2 lima fresca
1/2 lima fresca cortada en rodajas
hielo
gaseosa

1 Ponga el vodka, el zumo y las rodajas de lima en un vaso tipo *tumbler* lleno de hielo.
2 Rellene con gaseosa al gusto.

CLASSIC

Perro salado

Cuando este cóctel hizo su aparición, los combinados de ginebra se encontraban en auge. En cambio, hoy día, se suele preparar con vodka. Elija la alternativa que desee, pero no olvide que su sabor será distinto en cada caso.

Para 1 persona

1 cucharada de azúcar granulado
1 cucharada de sal gruesa
1 gajo de lima
6-8 cubitos de hielo picados
2 medidas de vodka
zumo de pomelo

1 Mezcle el azúcar y la sal en un plato llano. Frote el borde de un vaso tipo *Collins* bien frío con el gajo de lima y escárchelo con la mezcla de azúcar y sal.
2 Agregue el hielo al vaso y a continuación, el vodka.
3 Rellene con el zumo de pomelo, remueva y sirva. Beba con una pajita.

141. Madre de la novia: Agite 1^1/$_2$ medidas de sloe gin, 1 de ginebra, 2^1/$_2$ de zumo de pomelo y ^{1}/$_2$ de jarabe de azúcar con hielo hasta que se condense agua. Sirva en un vaso de cóctel frío. **Para 1 persona**

142. A. J.: Agite 1 medida de zumo de pomelo y 1^1/$_2$ de applejack con hielo hasta que se condense agua. Sirva en un vaso de cóctel frío. **Para 1 persona**

143. Blinker: Agite 2 medidas de whisky de centeno (rye), 2^1/$_2$ de zumo de pomelo y 1 cucharadita de granadina con hielo hasta que se condense agua. Sirva en un vaso de cóctel frío. **Para 1 persona**

Destornillador

Prepare siempre este refrescante cóctel
con zumo de naranja recién exprimido,
pues no resulta igual de bueno si
emplea zumo envasado. Esta sencilla
y clásica bebida ha dado lugar a
numerosas variaciones, algunas de
ellas muy elaboradas.

Para 1 persona
hielo picado
2 medidas de vodka
zumo de naranja
1 rodaja de naranja

1 Llene un vaso tipo *highball* bien frío con
el hielo.
2 Agregue el vodka y rellene con el zumo
de naranja.
3 Remueva bien y decore con la rodaja
de naranja.

145. Destornillador lento: Sustituya
el vodka por sloe gin. **Para 1 persona**

146. Destornillador inalámbrico:
Ponga 2 medidas de vodka frío en
un vaso tipo *shot*. Bañe una rodaja
de naranja en azúcar lustre. Bébase
el vodka de un solo trago y succione
la rodaja de naranja. **Para 1 persona**

147. Destornillador cremoso: Pase
por la batidora 2 medidas de vodka,
6 de zumo de naranja, 1 yema de
huevo, hielo triturado y $^1/_2$ cucharadita de jarabe de azúcar hasta obtener
una mezcla suave. Llene un vaso alto
de hielo hasta la mitad y vierta el
cóctel sin colar. **Para 1 persona**

Mula de Moscú

En los años treinta, un norteamericano propietario de un bar disponía de un exceso de cerveza de jengibre, y el comercial de una compañía de bebidas gaseosas inventó el cóctel para ayudarlo a acelerar su consumición.

Para 1 persona
2 medidas de vodka
1 medida de zumo de lima
hielo picado
cerveza de jengibre
1 rodaja de lima

1 Agite enérgicamente el vodka y el zumo de lima con hielo hasta que se condense agua en el exterior de la coctelera.
2 Llene hasta la mitad un vaso tipo *highball* bien frío con hielo y vierta el cóctel.
3 Rellene con cerveza de jengibre y decore con la rodaja de lima.

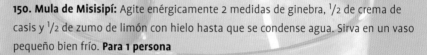

149. Burro de Delft: Prepare una Mula de Moscú, pero sustituya el vodka por ginebra. **Para 1 persona**

150. Mula de Misisipí: Agite enérgicamente 2 medidas de ginebra, $^1/_2$ de crema de casis y $^1/_2$ de zumo de limón con hielo hasta que se condense agua. Sirva en un vaso pequeño bien frío. **Para 1 persona**

151. Pata trasera de la mula: Agite enérgicamente $^1/_2$ medida de aguardiente de albaricoque, $^1/_2$ de aguardiente de manzana, $^1/_2$ de bénédictine, $^1/_2$ de ginebra y $^1/_2$ de jarabe de arce con hielo hasta que se condense agua. Sirva en una copa de cóctel bien fría. **Para 1 persona**

152. Mula de Jamaica: Agite enérgicamente 2 medidas de ron blanco, 1 de ron negro, 1 de ron dorado, 1 de Falernum (jarabe de frutas y especias) y 1 de zumo de lima con hielo hasta que se condense agua. Sirva en un vaso alto bien frío. Rellene con cerveza de jengibre y decore con rodajas de piña y jengibre cristalizado. **Para 1 persona**

Días lluviosos

Un buen combinado para alegrar cualquier día lluvioso, especialmente por su espléndido y cálido aspecto. Añada casis al gusto.

Para 1 persona
2 medidas de vodka
$^1/_2$ medida de zumo de lima
hielo
zumo de naranja
casis

1 Mezcle el vodka y el zumo de lima con hielo.
2 Vierta en un vaso tipo *highball* lleno de hielo.
3 Rellene con zumo de naranja y añada un golpe de casis justo antes de servir.

Laguna azul

Deje volar la imaginación mientras bebe este suntuoso cóctel y disfruta de su refrescante toque de limón.

Para 1 persona
1 medida de curaçao azul
1 medida de vodka
1 golpe de zumo de limón recién exprimido
gaseosa

1 Ponga el curaçao y el vodka en un vaso tipo *highball* o en una copa de cóctel.
2 Añada el zumo de limón y rellene con gaseosa al gusto.

Leñador

Tras una dura jornada de trabajo se merece algo que le anime y le refresque al final de la tarde.

Para 1 persona
2 medidas de vodka
2 medidas de applejack
(aguardiente de manzana)
1 medida de zumo de limón
$^1/_2$ medida de jarabe de goma
6 cerezas deshuesadas
1 cucharada grande de hielo triturado
soda
1 cereza, para decorar

1 Pase por la batidora todos los ingredientes salvo la soda hasta obtener un granizado.
2 Sirva en un vaso alto bien frío.
3 Rellene con soda y decore con una cereza.

156 · Ocaso de medianoche

El Punt e Mes es un vermut inusual, tan amargo como el Campari pero con la textura de un jerez dulce, y resulta la base perfecta para este combinado.

Para 1 persona

1 medida de Cinzano Rosso
1/2 medida de zumo de lima
1/2 medida de Punt e Mes
hielo
zumo de piña
1 rodaja de piña

1 Agite bien los tres primeros ingredientes con hielo hasta que se condense agua en el exterior de la coctelera.
2 Sirva en un vaso tipo *highball* bien frío con hielo y rellene con zumo de piña.
3 Decore con la rodaja de piña, colocándola en el borde del vaso o dentro del mismo.

157 · Doncella de hielo

El zumo de naranja congelado tiene muchas ventajas, pues puede emplearse en la elaboración de numerosos cócteles.

Para 1 persona

2 cucharadas de zumo de naranja congelado
2 cucharadas de hielo triturado
1 medida de vermut seco
gaseosa
2 medidas de marsala
1 rodaja de lima o limón

1 Pase por la batidora el zumo de naranja, el hielo y el vermut hasta obtener un granizado.
2 Sirva en una copa de vino bien fría y rellene con gaseosa.
3 Agregue el marsala y decore con la rodaja de lima o limón.

158 · Fizz de la viuda alegre

El Dubonnet, un aperitivo parecido al vermut que se elabora añadiendo quinina y otras esencias a un vino dulce, constituye un versátil ingrediente para muchos cócteles.

Para 1 persona

3 medidas de Dubonnet
1 medida de zumo de limón recién hecho
1 medida de zumo de naranja recién hecho
1 clara de huevo
hielo picado
soda

1 Agite los cuatro primeros ingredientes con hielo hasta que se condense agua en el exterior de la coctelera.
2 Sirva en un vaso bien frío y rellene con soda.

Addington

El vermut es un vino aromatizado con diversas hierbas, especias y flores, de modo que resulta una bebida refrescante y aromática.

Para 1 persona

1 medida de vermut rojo
1 medida de vermut seco
hielo
soda
1 rodaja de naranja

1 Remueva ligeramente los dos vermuts con hielo en un vaso.
2 Rellene con soda al gusto y decore con la rodaja de naranja.

Country Club

En el mercado se puede adquirir una amplia gama de vermuts que va desde el extra seco hasta el dulce, pasando por el rojo. Varíe sus proporciones en esta receta hasta descubrir su combinación favorita.

Para 1 persona

2 medidas de vermut seco
1 cucharadita de granadina
hielo
soda

1 Ponga el vermut y la granadina en un vaso tipo *tumbler* bien frío con hielo.
2 Rellene con soda al gusto.

 161 # Paso largo

Parece zumo de naranja, pero este combinado esconde mucho más que eso.

Para 1 persona

$^1/_2$ medida de vermut blanco dulce

$^1/_4$ de medida de ginebra

$^1/_4$ de medida de Campari

$^1/_4$ de medida de licor de naranja

zumo de naranja dulce

hielo

soda

1 tira de piel de naranja

1 Mezcle bien los cinco primeros ingredientes y sirva en un vaso alto lleno de hielo.

2 Rellene con un chorrito de soda al gusto, y decore con la tira de piel de naranja.

 162 # Americano

Un cóctel ligero y refrescante para los amantes del sabor entre dulce y amargo del Campari. Resulta perfecto para cualquier ocasión, y puede prepararlo muy fuerte o muy suave.

Para 1 persona

1 medida de Campari

1 medida de vermut dulce

hielo

soda

1 tira de piel de naranja o de limón

1 Ponga el Campari y el vermut en un vaso tipo *highball* lleno de hielo.

2 Remueva bien y rellene con soda.

3 Decore con la tira de piel de naranja o de limón.

 163 # Explosión en Marte

Un poco de imaginación basta para asociar este cóctel con el planeta rojo.

Para 1 persona

2 medidas de zumo de naranja frío

1 medida de vodka helado

$^1/_4$ de medida de ron blanco helado

1 golpe de granadina fría

1 cereza y 1 espiral de piel de naranja

1 Mezcle el zumo de naranja y el vodka con hielo hasta que se condense agua.

2 Sirva en una copa de vino bien fría.

3 Añada el ron y la granadina a un tiempo en el centro de la copa, y remueva lentamente para que el color rojo se extienda desde el centro del cóctel hacia fuera.

4 Decore con la cereza y la espiral de piel de naranja.

Cóctel de grosella

Si tiene niños pequeños que insisten en beber lo mismo que usted, prepare un sucedáneo de este cóctel sustituyendo el casis y el vermut por zumo de grosellas.

Para 1 persona

2 medidas de vermut seco

1 medida de casis

hielo

soda

grosellas, zarzamoras o arándanos

1 Agite los dos licores con hielo hasta que se condense agua en el exterior de la coctelera.

2 Vierta en un vaso de tamaño medio y rellene con soda al gusto.

3 Añada algunas frutas del bosque justo antes de servir.

Bloody Mary

Este clásico cóctel fue concebido en 1921 en el legendario Harry's Bar de París. Existen numerosas versiones, algunas más picantes y condimentadas que otras. Los ingredientes pueden incluir salsa de rábano además o en lugar del tabasco.

Para 1 persona

1 golpe de salsa Worcestershire
1 golpe de tabasco
hielo picado
2 medidas de vodka
1 golpe de jerez seco
6 medidas de zumo de tomate
el zumo de $1/2$ limón
1 pizca de sal de apio
1 pizca de cayena molida
1 tallo de apio con hojas
1 rodaja de limón

1 Ponga la salsa Worcestershire y el tabasco con hielo en una coctelera. Añada el vodka, el golpe de jerez seco, el zumo de tomate y el de limón.

2 Agite enérgicamente hasta que se condense agua en el exterior de la coctelera.

3 Sirva en un vaso alto y bien frío, añada una pizca de sal de apio y una pizca de cayena molida y decore con un tallo de apio sin deshojar y una rodaja de limón.

Especial de almejas

El zumo de tomate y almejas combina a la perfección con un jerez seco afrutado.

Para 1 persona

1 medida de schnapps
1 medida de jerez seco
$1/2$ medida de zumo de tomate y almejas
3-4 golpes de zumo de limón
2 golpes de salsa Worcestershire
hielo
cayena molida, sal de apio y pimienta negra
ralladura de piel de limón

1 Mezcle todos los ingredientes con hielo y sirva en un vaso tipo *old-fashioned* o *tumbler* bien frío lleno de hielo.

2 Decore con la ralladura de limón y espolvoree un poco de pimienta negra por encima.

Visiones

Vaya añadiendo el zumo de naranja a esta combinación verde-azulada, y creerá que tiene visiones mientras su color cambia continuamente.

Para 1 persona

1 medida de vodka
1 medida de Malibú
1/2 medida de midori
1/2 medida de curaçao azul
hielo
zumo de naranja recién exprimido
una rodajita de sandía

1 Agite los cuatro primeros ingredientes con hielo hasta que se condense agua en el exterior de la coctelera.

2 Sirva en un vaso alto o una copa de cóctel bien fríos y rellene con hielo y zumo de naranja al gusto.

3 Decore con la rodajita de sandía.

Verano indio

El licor de café es el ingrediente clave de esta deliciosa mezcla, si bien puede prepararla también con crema de noyeau (licor de almendra) o con crema de cacao.

Para 1 persona

1 medida de vodka
2 medidas de Kahlúa
1 medida de ginebra
2 medidas de zumo de piña
hielo
tónica

1 Agite bien los cuatro primeros ingredientes con hielo hasta que se condense agua en el exterior de la coctelera.

2 Sirva en una copa de cóctel o de vino de tamaño medio y rellene con tónica al gusto.

Hoyo 19

Una interesante variación con whisky ideal para días fríos, y un acompañante perfecto para una jornada de golf.

Para 1 persona
1¹/₂ medidas de whisky irlandés
1 medida de curaçao verde
hielo
dry ginger

1 Ponga el whisky y el curaçao en un vaso tipo *tumbler* con hielo.
2 Rellene con dry ginger.

(170)

Cooler de menta

El whisky y la menta producen una combinación perfecta para después de cenar, pero si se alarga con soda resulta deliciosa a cualquier hora.

Para 1 persona
2 medidas de whisky
3 golpes de crema de menta
hielo
soda

1 Ponga el whisky en un vaso tipo *tumbler* con hielo y agregue la crema de menta.
2 Rellene con soda al gusto.

Dimple verde

(171)

Este combinado, creado en los días del whisky Haig Dimple, se complementa con otra gran bebida: el chartreuse verde de hierbas.

Para 1 persona

^{1}/$_2$ medida de whisky

^{1}/$_2$ medida de zumo de manzana

1 golpe generoso de chartreuse verde

soda

1 ramita de menta

1 Mezcle los tres primeros ingredientes con hielo y sirva en un vaso tipo *highball* lleno de cubitos.

2 Rellene con soda y decore con la ramita de menta.

Julepe de menta

Los julepes son combinados que se endulzan con jarabe. Probablemente se empezaron a elaborar en Estados Unidos, y se han convertido en la bebida oficial del Derby de Kentucky.

Para 1 persona
las hojas de 1 ramita de menta fresca
1 cucharada de jarabe de azúcar
hielo picado
3 medidas de bourbon
1 ramita de menta fresca, para decorar

1 Ponga las hojas de menta y el jarabe de azúcar en un vaso pequeño bien frío y májelas con una cucharilla.
2 Añada hielo picado hasta llenar el vaso y luego agregue el bourbon.
3 Decore con la ramita de menta.

173. Julepe de menta helado: Ponga en la batidora 2 medidas de bourbon, 1 medida de zumo de limón, 1 medida de jarabe de azúcar, 6 hojas de menta fresca y hielo triturado, y bata despacio hasta obtener un granizado. Sirva en un vaso pequeño bien frío y decore con una ramita de menta fresca. **Para 1 persona**

174. Julepe festivo: Pase por la batidora 3 medidas de bourbon, 1 medida de crema de menta verde, 1^1/$_2$ medidas de zumo de lima, 1 cucharadita de jarabe de azúcar, 5 hojas de menta fresca y 4-6 cubitos de hielo picados hasta obtener una mezcla homogénea. Sirva en un vaso pequeño bien frío con hielo picado. Rellene con soda y remueva ligeramente. Decore con una ramita de menta fresca. **Para 1 persona**

175. Julepe de brandy: Llene un vaso tipo *tumbler* bien frío con hielo picado. Añada 2 medidas de brandy, 1 cucharadita de jarabe de azúcar y 4 hojas de menta fresca. Remueva bien, decore con una ramita de menta fresca y una rodaja de limón, y sirva con una pajita. **Para 1 persona**

CLASSIC

1001 cócteles

Bruno

La mezcla de whisky con vermut es muy conocida, pero la adición del licor de plátano confiere un toque inusual y muy exótico a este combinado.

Para 1 persona
1 medida de whisky
¹/₂ medida de vermut rojo
¹/₂ medida de crema de plátano
hielo
ginger ale
rodajas de plátano

1 Mezcle los tres primeros ingredientes y sirva en un vaso tipo *tumbler* lleno de cubitos de hielo.
2 Rellene con ginger ale y decore con unas rodajas de plátano.

En la cima

La angostura esperará en la superficie de este combinado hasta que se decida a dar el primer sorbo.

Para 1 persona
1 medida de whisky
hielo
sidra
2 golpes de angostura

1 Sirva el whisky en un vaso alto lleno de cubitos de hielo.
2 Rellene con sidra al gusto y añada unos golpes de angostura.

Sangre y arena

 CLASSIC

Puede preparar este cóctel con cualquier aguardiente, aunque el de cereza le confiere un intenso sabor frutal.

Para 1 persona
1 medida de whisky escocés
1 medida de aguardiente de cereza
1 medida de vermut rojo
hielo
zumo de naranja

1 Agite los tres primeros ingredientes con hielo hasta que se condense agua en el exterior de la coctelera.
2 Sirva en un vaso de tamaño medio y rellene con zumo de naranja.

⟨179⟩ Cooler de las Tierras Altas

El whisky mezclado con otros sabores, como el jengibre, el limón y la angostura, siempre producirá un excelente combinado.

Para 1 persona
1 cucharadita de azúcar lustre
el zumo de $1/2$ limón
2 golpes de angostura
2 medidas de whisky escocés
hielo
ginger ale

1 Mezcle los cuatro primeros ingredientes con hielo en un vaso tipo *tumbler* bien frío.
2 Rellene con ginger ale al gusto.

⟨180⟩ Invasor de las Tierras Altas

Este cóctel consiste en una extraordinaria mezcla de las tres grandes bebidas escocesas. Decórelo con unas frambuesas frescas para darle un toque de color.

Para 1 persona
1 medida de Drambuie
1 medida de whisky
1 medida de Glayva
hielo
soda
unas frambuesas

1 Mezcle los tres primeros ingredientes con hielo hasta que se condense agua en el exterior del vaso mezclador.
2 Sirva en un vaso alto lleno de cubitos y rellene con soda al gusto.
3 Decore con unas frambuesas.

1001 cócteles

Fuera del valle

El intenso sabor de las frambuesas combina a la perfección con los licores más fuertes.

Para 1 persona

$^1/_2$ medida de whisky escocés

$^1/_3$ de medida de brandy

el zumo de $^1/_2$ limón

2 golpes de jarabe de goma

4 golpes de jarabe de frambuesa

$^1/_2$ clara de huevo

hielo

soda

1 Agite todos los ingredientes excepto la soda con hielo hasta que se condense agua en el exterior de la coctelera.

2 Sirva en un vaso tipo *highball* lleno de cubitos y rellene con soda.

¡Oh, Henry!

Los amantes del whisky sienten predilección por este cóctel cuando desean algo un poco más dulce y largo.

Para 1 persona
1 medida de bénédictine
1 medida de whisky
2 cubitos de hielo
ginger ale

1 Remueva ligeramente el bénédictine y el whisky en un vaso mediano lleno de hielo.
2 Rellene con ginger ale al gusto.

Samba

Si prefiere un trago fuerte e intenso de whisky, no dude en acortar este combinado.

Para 1 persona
¹/₂ medida de whisky escocés
¹/₄ de medida de ron dorado
¹/₄ de medida de vermut rojo dulce
¹/₈ de medida de aguardiente de albaricoque
hielo
soda
1 cereza marrasquino

1 Mezcle los cuatro primeros ingredientes en un vaso grande con hielo y rellene con soda al gusto.
2 Decore con la cereza.

Isobella

Añada soda para aplacar los efectos de esta combinación de licores fuertes.

Para 1 persona

$^1/_2$ medida de whisky Canadian Club

$^1/_4$ de medida de brandy

$^1/_4$ de medida de vermut rojo

$^1/_8$ de medida de galliano

$^1/_8$ de medida de licor de mandarina

el zumo y unas tiras de la piel de 1 naranja

cubitos de hielo

soda fría

1 Remueva con hielo los seis primeros ingredientes salvo las tiras de piel de naranja en un vaso mezclador.

2 Sirva en un vaso mediano bien frío con hielo, y agregue una varilla agitadora.

3 Decore con las tiras de piel de naranja y rellene con soda al gusto.

Mammy

La piel de los cítricos posee un sabor aromático muy intenso, y si emplea un rallador de cítricos podrá separarla de la corteza blanca y amarga de la fruta.

Para 1 persona

el zumo y la ralladura de 1 lima

2 medidas de whisky

hielo

ginger ale

1 Ralle unas tiras de piel de lima.

2 Ponga el zumo de lima y el whisky en un vaso tipo *highball* con hielo, y rellene con ginger ale.

3 Decore con las tiras de piel de lima.

Perry Highball

El sabor de las bebidas de pera es mucho más suave y dulce que el de las de manzana. Aunque la sidra de pera no se parece a la de manzana, en este combinado resulta excelente.

Para 1 persona
2 medidas de whisky
hielo
sidra de pera (perry) o de manzana

1 Ponga el whisky en un vaso tipo *highball* con hielo y rellene con sidra de pera o de manzana.

187

Black Watch

Una versión inusitada del combinado de whisky y soda, cuyo nombre hace honor a un cuerpo de infantería del ejército escocés. Perfecto a cualquier hora y en cualquier lugar.

Para 1 persona
$^2/_3$ de medida de whisky escocés
$^1/_3$ de medida de Kahlúa o licor de café
hielo
soda

1 Mezcle el whisky y el licor en un vaso grande con hielo.
2 Rellene con soda al gusto.

1001 cócteles

188 Campeón

Cuatro grandes bebidas se unen para producir el campeón de los combinados. Si no lo cree, ¡pruébelo!

Para 1 persona
1/2 medida de vermut seco
1/2 medida de whisky escocés
1/4 de medida de bénédictine
1/4 de medida de curaçao blanco
hielo
soda

1 Agite los cuatro primeros ingredientes con hielo hasta que se condense agua en el exterior de la coctelera.
2 Sirva en un vaso pequeño lleno de hielo y rellene con un poco de soda.

189 Sling tailandés

Un trago largo y bastante fuerte de whisky: es la variación tailandesa de un clásico.

Para 1 persona
2 cucharadas de whisky
1 cucharada de aguardiente de cereza
1 cucharada de licor de naranja
1 cucharada de zumo de lima
1 cucharadita de melaza de caña de azúcar
1 golpe de angostura
2 cubitos de hielo
125 ml de zumo de piña
1 rodajita de piña

1 Agite bien los seis primeros ingredientes con hielo hasta que se condense agua en el exterior de la coctelera.
2 Ponga los cubitos de hielo en un vaso grande.
3 Vierta el cóctel y rellene con el zumo de piña.
4 Decore el borde del vaso con la rodaja de piña.

190 Atardecer en Barbados

Este cóctel irradia un cálido brillo que recuerda a una calurosa tarde caribeña, y aún lo puede hacer más rosado agregando jarabe de fresa.

Para 1 persona
1 1/2 medidas de ron dorado
1 medida de ron de coco
2 medidas de zumo de naranja
2 medidas de zumo de piña
1 golpe de jarabe de fresa
hielo
una cereza y rodajas de naranja y lima

1 Agite enérgicamente los cinco primeros ingredientes con hielo y sirva en un vaso bien frío.
2 Añada más hielo al gusto, y decore con la fruta.

(191)

Cooler jamaicano

Un cóctel largo, refrescante y muy sencillo, especialmente concebido para los amantes del ron.

Para 1 persona

1½ medidas de ron jamaicano

hielo triturado

soda

1 rodaja de limón o de lima

1 Sirva el ron en un vaso tipo *highball* lleno de hielo.

2 Rellene con soda al gusto y decore con la rodaja de limón o de lima.

(192)

Mula jamaicana

El ron de Jamaica es oscuro y fuerte, se diluye a la perfección y sirve de base para numerosos combinados.

Para 1 persona

2 medidas de ron jamaicano

hielo

cerveza de jengibre

unas gotas de zumo de lima

1 rodaja y unas gotitas de lima

1 Sirva el ron en un vaso tipo *highball* lleno de hielo.

2 Rellene con cerveza de jengibre al gusto, agregue las gotitas de lima y decore con la rodaja de esa fruta.

Corre, corre, que te pillo

El curaçao azul le permite preparar atractivos cócteles de insólitos colores, si bien puede decantarse por un curaçao más claro.

Para 1 persona
2 medidas de ron negro
$1/2$ medida de curaçao azul
$1/2$ medida de zumo de lima
hielo triturado
ginger ale

1 Pase todos los ingredientes menos el ginger ale por la batidora a alta velocidad durante unos 10 segundos.
2 Sirva en un vaso alto lleno de hielo triturado y rellene con ginger ale.
3 Sirva con una varilla agitadora.

Sol caribeño

Este combinado logra transmitir el calor tropical y el brillo del sol de las Antillas.

Para 1 persona
1 medida de ron blanco
1 medida de aguardiente de mandarina
1 medida de zumo de naranja recién hecho
1 medida de zumo de piña
1 golpe de granadina
hielo
1 rodaja de piña fresca
1 cereza

1 Agite bien todos los ingredientes con hielo.
2 Sirva en un vaso alto y decore con la rodaja de piña y la cereza.

(195)

Tipple de Tamara

El oscuro secreto oculto en el fondo del vaso añade una deliciosa dulzura, de modo que no necesitará agregar demasiada cola.

Para 1 persona
2 medidas de ron negro
1 medida de crema de cacao
hielo
cola
1 rodaja de lima, limón o naranja

1 Mezcle los dos primeros ingredientes en un vaso alto lleno de hielo.
2 Rellene con un poco de cola y decore con 1 rodaja de fruta.

(196)

Una odisea del espacio

¿Alguna vez ha probado las guindas de colores? Pues bien, aquí encontrará una razón de peso para emplearlas: son un adorno perfecto para cualquier cóctel.

Para 1 persona
1 medida de ron dorado
2 golpes de angostura
guindas de colores
cubitos de hielo
cerveza de jengibre

1 Mezcle el ron y la angostura en un vaso tipo *highball* lleno de hielo y guindas de colores.
2 Rellene con cerveza de jengibre al gusto.

Brisa oceánica

Este cóctel, del color del océano al amanecer, se prepara en un abrir y cerrar de ojos. Sabe mejor si no lo diluye demasiado.

Para 1 persona

1 medida de ron blanco
1 medida de amaretto
$^1/_2$ medida de curaçao azul
$^1/_2$ medida de zumo de piña
hielo triturado
soda

1 Agite los cuatro primeros ingredientes con hielo.
2 Sirva en un vaso alto y rellene con soda al gusto.

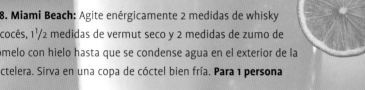

198. Miami Beach: Agite enérgicamente 2 medidas de whisky escocés, 1$^1/_2$ medidas de vermut seco y 2 medidas de zumo de pomelo con hielo hasta que se condense agua en el exterior de la coctelera. Sirva en una copa de cóctel bien fría. **Para 1 persona**

199. Grand Bahama: Agite enérgicamente 1 medida de ron blanco, $^1/_2$ medida de brandy, $^1/_2$ medida de triple seco y 1 medida de zumo de lima con hielo hasta que se condense agua. Sirva en una copa de cóctel bien fría. **Para 1 persona**

200. Costa del Sol: Agite enérgicamente 2 medidas de ginebra, 1 medida de aguardiente de albaricoque y 1 medida de triple seco con hielo hasta que se condense agua en el exterior de la coctelera. Sirva en un vaso bien frío. **Para 1 persona**

201. Palm Beach Sour: Agite $^1/_3$ de medida de ginebra, $^1/_3$ de medida de zumo de pomelo, $^1/_6$ de medida de vermut seco, 2-3 gotas de angostura, 1 cucharadita de azúcar lustre y 1 clara de huevo con hielo. Sirva en una copa de cóctel bien fría. **Para 1 persona**

Palm Beach

Si ya ha transcurrido demasiado tiempo desde sus últimas vacaciones, recree los azules cielos de la Florida y las vibrantes olas de sus aguas con este cóctel tropical.

Para 1 persona

1 medida de ron blanco
1 medida de ginebra
1 medida de zumo de piña
hielo picado

1 Agite el ron, la ginebra y el zumo de piña con hielo hasta que se condense agua en el exterior de la coctelera.
2 Sirva en un vaso tipo *highball* bien frío.

Cuba libre

Los años sesenta y setenta fueron testigo de cómo la popularidad de este trago largo ascendía meteóricamente.

Para 1 persona
hielo picado
2 medidas de ron blanco
cola
una rodaja de lima, para decorar

1 Llene hasta la mitad un vaso tipo *highball* con el hielo picado.
2 Vierta el ron por encima y rellene con cola.
3 Remueva con cuidado y decore con la rodaja de lima.

204. Brandy cubano: Ponga 1$^{1}/_{2}$ medidas de brandy y $^{1}/_{2}$ medida de zumo de lima en un vaso tipo *tumbler* lleno de hielo hasta la mitad. Rellene con cola y remueva suavemente. Decore con una rodaja de lima. **Para 1 persona**

205. Cubano: Agite enérgicamente 2 medidas de brandy, 1 medida de aguardiente de albaricoque, 1 medida de zumo de lima y 1 cucharadita de ron blanco con hielo hasta que se condense agua. Sirva en una copa de cóctel bien fría. **Para 1 persona**

206. Especial cubano: Agite 2 medidas de ron, 1 medida de zumo de lima, 1 cucharada de zumo de piña y 1 cucharadita de triple seco con hielo hasta que se condense agua. Sirva en una copa de cóctel fría y decore con una rodaja de piña. **Para 1 persona**

Old Soak

Relájese y disfrute de este reconfortante cóctel, producto de la mezcla de sabores originarios del «Deep South» (Profundo Sur) de Estados Unidos.

Para 1 persona

2 medidas de ron dorado
1 medida de Southern Comfort
1 medida de jarabe de jengibre
hielo picado
soda

1 Mezcle los tres primeros ingredientes con hielo en un vaso tipo *tumbler* o en una copa de vino grande.
2 Rellene con soda al gusto.

Bólido

Para conseguir el máximo efecto con este combinado, escarche el borde del vaso cuidadosamente y con antelación.

Para 1 persona

1 cucharadita de ralladura fina de lima
1 cucharadita de azúcar lustre
$1^1/_2$ medidas de ron blanco
$^1/_2$ medida de galliano
1 medida de zumo de lima
hielo triturado
dry ginger

1 Mezcle la ralladura de lima y el azúcar.
2 Frote el borde de una copa con un poco de ron e introdúzcalo en la mezcla de azúcar para escarcharlo.
3 Ponga a secar.
4 Agite el resto de los ingredientes con hielo hasta que se condense agua en el exterior de la coctelera.
5 Sirva en la copa escarchada y rellene con dry ginger al gusto.

 (209)

Club Mojito

El ron negro tiene un sabor inconfundible y sabe a vacaciones soleadas.

Para 1 persona
1 cucharadita de jarabe de goma
unas hojas de menta fresca
el zumo de ¹/₂ lima
hielo
2 medidas de ron jamaicano
soda
1 golpe de angostura
1 ramita de menta, para decorar

1 Ponga el jarabe de goma, la menta y el zumo de lima en un vaso tipo *highball* y maje las hojas de menta.
2 Añada el hielo y el ron, y rellene con soda al gusto.
3 Complete con un golpe angostura y decore con la ramita de menta.

 (210)

Daisy de Santa Cruz

Los *daisies* son combinados suaves y dulces que por lo general se preparan con jarabe de frambuesa, aunque puede emplear cualquier otro jarabe de fruta.

Para 1 persona
3 golpes de jarabe de goma
1 cucharadita de curaçao
el zumo de ¹/₂ limón pequeño
2 medidas de ron
hielo triturado
soda

1 Agite bien los cuatro primeros ingredientes con hielo y sirva en un vaso tipo *tumbler* o *highball*.
2 Rellene con soda.

(211) Oscuro y tormentoso

El ron dorado se caracteriza por su sabor añejo ligeramente suave, pero si desea que
este cóctel sea más oscuro y fuerte, decídase por el ron negro.

Para 1 persona

2 medidas de ron Mount Gay

1 medida de zumo de lima

1/2 medida de jarabe de azúcar

hielo

cerveza de jengibre

1 espiral de piel de lima

1 Agite los tres primeros ingredientes con
hielo hasta que se condense agua en el
exterior de la coctelera.

2 Sirva en un vaso tipo *highball* bien frío
y rellene con cerveza de jengibre al gusto.

3 Decore con la espiral de piel de lima.

212 Dragon Lady

Los intensos sabores frutales de la naranja, la granada y el limón, combinados con el ron dorado, producen este extraordinario y veraniego trago largo.

Para 1 persona

1 medida de ron dorado

1 medida de zumo de naranja

1 golpe de curaçao blanco

1 golpe de granadina

hielo

bíter de limón, bien frío

1 rodaja y 1 tira de piel de naranja

1 Mezcle bien los cuatro primeros ingredientes con hielo, sirva en un vaso tipo *highball* con hielo y rellene con bíter de limón.

2 Decore con la rodaja y la tira de piel de naranja.

213 Nirvana

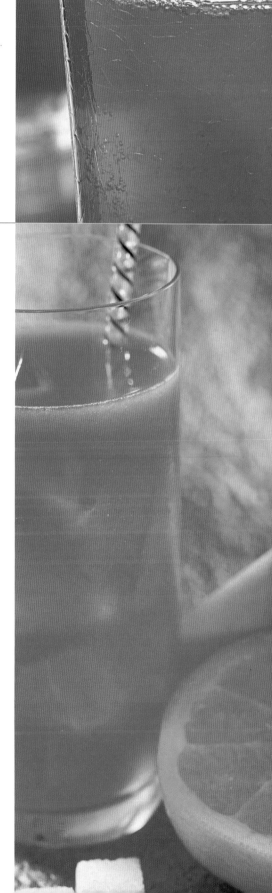

Pruebe este cóctel para verificar que sus efectos son lo más parecido al estado perfecto de armonía e iluminación.

Para 1 persona

2 medidas de ron negro

$^1/_2$ medida de granadina

$^1/_2$ medida de jarabe de tamarindo

1 cucharadita de jarabe de azúcar

hielo picado

zumo de pomelo

1 Agite enérgicamente el ron, la granadina, el jarabe de tamarindo y el jarabe de azúcar con hielo hasta que se condense agua en el exterior de la coctelera.

2 Llene hasta la mitad un vaso tipo *Collins* bien frío con hielo y vierta el cóctel.

3 Rellene con zumo de pomelo.

214. Paraíso: Agite enérgicamente 2 medidas de aguardiente de albaricoque, 1 medida de ginebra, $1^1/_2$ medidas de zumo de naranja y $^1/_2$ cucharadita de granadina con hielo hasta que se condense agua. Sirva en una copa de cóctel bien fría. **Para 1 persona**

215. Séptimo cielo: Agite enérgicamente 2 medidas de ginebra, $^1/_2$ medida de marrasquino y $^1/_2$ medida de zumo de pomelo con hielo hasta que se condense agua. Sirva en una copa de cóctel bien fría. Decore con menta fresca. **Para 1 persona**

216. Celestial: Ponga hielo picado en un vaso mezclador. Agregue $1^1/_2$ medidas de brandy, $^1/_2$ medida de aguardiente de cereza y $^1/_2$ medida de aguardiente de ciruela y remueva bien. Sirva en una copa de cóctel bien fría. **Para 1 persona**

217. Ambrosia: Agite enérgicamente $1^1/_2$ medidas de brandy, $1^1/_2$ medidas de aguardiente de manzana y $^1/_2$ cucharadita de jarabe de frambuesa con hielo hasta que se condense agua. Sirva en una copa de vino bien fría. Rellene con champán muy frío y decore con 1 frambuesa. **Para 1 persona**

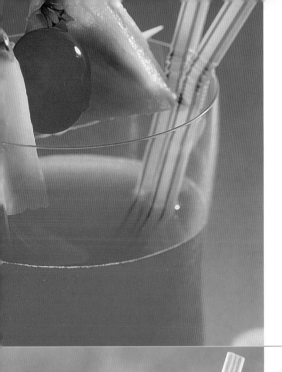

 (218)

Mai Tai

Mai Tai – Roe Ae: «de otro mundo», esa fue la descripción que de este cóctel diera el célebre cocinero y epicúreo Trader Vic, quien lo inventó en 1944.

Para 1 persona

2 medidas de ron blanco
2 medidas de ron negro
1 medida de curaçao naranja
1 medida de zumo de lima
1 cucharada de orgeat
1 cucharada de granadina
hielo picado

rodajas de piña y tiras de piel de fruta
unas guindas y pajitas

1 Agite enérgicamente los seis primeros ingredientes con hielo hasta que se condense agua en el exterior de la coctelera.
2 Sirva en un vaso tipo *Collins* bien frío y decore al gusto.

 (219)

Piña colada

Este cóctel pertenece al grupo de los primeros grandes clásicos y goza, desde los años ochenta, de gran popularidad, al igual que el célebre *Swimming pool.*

Para 1 persona

4-6 cubitos de hielo triturados
2 medidas de ron blanco
1 medida de ron negro
3 medidas de zumo de piña
2 medidas de crema de coco
rodajas de piña, para decorar

1 Ponga el hielo en una batidora y añada los dos tipos de ron, el zumo de piña y la crema de coco. Bata hasta obtener una mezcla suave y homogénea.
2 Vierta sin colar en un vaso alto bien frío, y decore con la piña.

220. Fresa Colada: Pase por la batidora 4-6 cubitos de hielo triturados, 3 medidas de ron dorado, 4 medidas de zumo de piña, 1 medida de crema de coco y 6 fresas sin el rabillo hasta obtener una mezcla suave y homogénea. Vierta sin colar en un vaso alto bien frío y decore con rodajitas de piña y fresas. **Para 1 persona**

221. Banana Colada: Pase por la batidora 4-6 cubitos de hielo triturados, 2 medidas de ron blanco, 4 medidas de zumo de piña, 1 medida de Malibú y 1 plátano pelado y troceado hasta obtener una mezcla suave y homogénea. Vierta sin colar en un vaso alto bien frío. Sirva con una pajita. **Para 1 persona**

222. Swimming pool: Pase por la batidora 4-6 cubitos de hielo triturado, 1 medida de vodka, 1 de ron blanco, 1 de crema de coco, 1 de nata líquida y 3 de zumo de piña hasta obtener un granizado suave. Vierta en un vaso alto y eche 1 o 2 golpes de curaçao azul. Decore con 1 guinda y 1 rodaja de piña. **Para 1 persona**

Ron a la grosella

Esta tradicional bebida está otra vez de moda, tanto en su versión corta como en la larga.

Para 1 persona
1 medida de ron negro
$^1/_2$ medida de jarabe de grosellas
hielo
gaseosa

1 Mezcle el ron y el jarabe de grosellas en un vaso con hielo. Rellene con gaseosa al gusto.

Viuda negra

Este cóctel no resulta en absoluto tan nocivo como su nombre sugiere, aunque, si tiene ganas de aventuras, lo puede beber puro, *on the rocks*.

Para 1 persona
$^2/_3$ de medida de ron negro
$^1/_3$ de medida de Southern Comfort
el zumo de $^1/_2$ lima
1 golpe de curaçao
hielo
soda
tiras de piel de lima

1 Agite los cuatro primeros ingredientes con hielo y sirva en un vaso bien frío.
2 Rellene con soda al gusto y decore con tiras de piel de lima.

Blues del Caribe

225

El refrescante color aguamarina de este cóctel le transportará a las tropicales aguas del Caribe mientras disfruta de su sabor.

Para 1 persona

1 medida de ron blanco
$^1/_2$ medida de curaçao azul
1 chorrito de zumo de lima
$^1/_4$ de medida de jarabe de goma
hielo
soda
3 rodajas de lima congeladas

1 Mezcle los cuatro primeros ingredientes en una copa grande de cóctel con unos cubitos de hielo.

2 Rellene con soda al gusto y decore con las rodajas de lima.

226

Blues isleño

El azul profundo de los océanos que rodean las románticas islas donde se produce el ron se refleja en este delicioso combinado.

Para 1 persona

zumo de limón
azúcar lustre
$^3/_4$ de medida de schnapps de melocotón
$^1/_2$ medida de curaçao azul
la clara de 1 huevo pequeño
1 golpe de zumo de limón recién exprimido
hielo
gaseosa

1 Humedezca el borde de una copa con el zumo de limón. Escarche con el azúcar y ponga a secar.

2 Agite bien el schnapps de melocotón, el curaçao azul, la clara de huevo y el zumo de limón con hielo.

3 Sirva en la copa escarchada.

4 Rellene con gaseosa.

Planter's Punch

El término inglés *punch*, «ponche», proviene de un término hindi que significa «cinco», debido a que, tradicionalmente, los ponches deben prepararse con cinco ingredientes diferentes, que deben incluir los cuatro sabores básicos: fuerte, suave, ácido y dulce.

Para 1 persona

2 medidas de ron blanco

2 medidas de ron negro

1 medida de zumo de limón

1 medida de zumo de lima

1 cucharadita de jarabe de azúcar

$1/4$ de cucharadita de triple seco

un golpe de granadina

hielo

agua con gas

1 rodaja de limón, 1 rodaja de lima, 1 trocito de piña y 1 guinda

1 Agite enérgicamente los dos tipos de ron, el zumo de limón y el de lima, el jarabe de azúcar, el triple seco y la granadina con hielo hasta que se condense agua en el exterior de la coctelera.

2 Llene hasta la mitad un vaso tipo *Collins* bien frío con cubitos de hielo y vierta el cóctel.

3 Rellene con el agua con gas y remueva con suavidad.

4 Decore con la fruta.

228. Planter's Punch de naranja: Mezcle 1 medida de ron, 1 medida de curaçao naranja, 2 golpes de angostura, 1 cucharadita de granadina y el zumo de $1^1/2$ limas. **Para 1 persona**

229. Ponche de la plantación: Agite enérgicamente 2 medidas de ron negro, 1 medida de Southern Comfort, 1 medida de zumo de limón y 1 cucharadita de azúcar moreno con hielo hasta que se condense agua. Sirva en un vaso alto bien frío y rellene con agua con gas casi hasta el borde. Vierta con cuidado una cucharadita de oporto Ruby Port, y decore con rodajas de limón y naranja. **Para 1 persona**

230. Planter's Cocktail: Mezcle 1 medida de ron, el zumo de $1/2$ lima, 1 cucharadita de jarabe de azúcar y 1 golpe de angostura. **Para 1 persona**

231. Planter's Punch de piña: Mezcle 1 medida de ron blanco, 1 medida de zumo de piña, el zumo de $1/2$ lima, $1/2$ medida de curaçao y 1 golpe de marrasquino. Sirva en un vaso tipo *highball* con hielo y decore con cerezas bañadas en ron. **Para 1 persona**

232. Planter's Punch refrescante: Mezcle ron y zumo de lima en cantidades iguales, 1-2 cucharaditas de granadina y 1 golpe de angostura. Rellene con soda. **Para 1 persona**

233. Planter's Tea: Mezcle 2 medidas de té fuerte, 2 medidas de ron negro, 300 ml de zumo de naranja y 150 ml de zumo de limón. Caliente, endulce al gusto y decore con rodajas de naranja. **Para 1 persona**

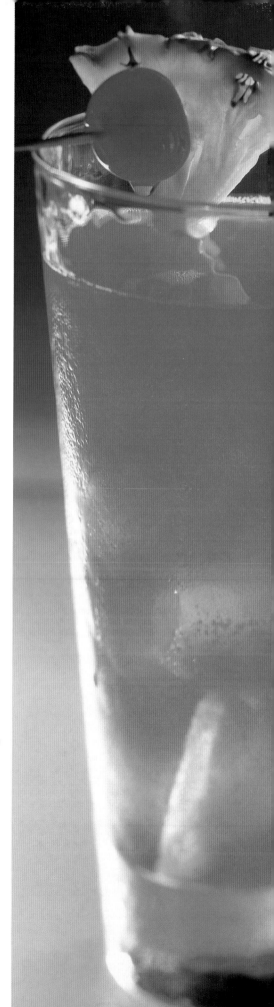

(234) Calypso Sting

Se recomienda degustar este combinado con precaución debido a sus fuertes efectos secundarios.

Para 1 persona

1 medida de ron negro

1 medida de Malibú

$1/2$ medida de curaçao naranja

$1/2$ medida de zumo de naranja

1 golpe de zumo de lima recién exprimido

hielo

tónica

angostura

1 cereza y 1 rodaja de lima

1 Agite bien los cinco primeros ingredientes con hielo.

2 Sirva en un vaso tipo *highball* y rellene con tónica.

3 Agregue 1-2 gotas de angostura y decore con la cereza y la lima.

(235) São Paulo

El ron dorado acentúa la dulzura del tomate y otorga un cálido sabor frutal a este cóctel, que se diferencia notablemente de su doble, el *Bloody Mary*.

Para 1 persona

1 medida de ron dorado

1 chorrito de zumo de lima

2 medidas de zumo de tomate

1 golpe de tabasco

sal de apio y pimienta negra al gusto

hielo

1 Mezcle bien todos los ingredientes con hielo y sirva en un vaso tipo *highball* lleno de cubitos de hielo.

Ponche del marinero

Los que vayan a las Antillas regresarán con la receta de este clásico en el bolsillo.

Para 1 persona

1 medida ácida: zumo de limón o de lima

2 medidas dulces: miel o jarabe de azúcar

3 medidas de ron fuerte (45º, si es posible)

unos golpes de angostura

4 medidas de zumo de fruta bien frío:

naranja, piña o pomelo

mucho hielo

nuez moscada molida y trocitos de fruta

1 Mezcle los cuatro primeros ingredientes de antemano y deje enfriar en la nevera.

2 Cuando vaya a servir, agregue el zumo de fruta y vierta en un vaso tipo *highball* con hielo. Espolvoree la nuez moscada por encima.

3 Decore con la fruta y sirva con 1 pajita.

Zander

El sambuca, un licor italiano anisado aromatizado con regaliz, se suele beber puro, pero también constituye un ingrediente magnífico de los cócteles largos, pues su intenso sabor combina a la perfección con los zumos de fruta.

Para 1 persona

1 medida de sambuca

1 medida de zumo de naranja

1 golpe de zumo de limón

hielo

bíter de limón

1 Agite bien los tres primeros ingredientes con hielo y sirva en un vaso tipo *highball* bien frío lleno de hielo.

2 Rellene con bíter de limón.

Café Cactus

(238)

Una seductora variante del café frapé, ideal para los días calurosos y que puede prepararse fácilmente con antelación, ¡aunque sea para una muchedumbre!

Para 1 persona
1 medida de licor de café Bols
½ medida de tequila
hielo
gaseosa

1 Mezcle el licor de café y el tequila en un vaso alto con hielo y rellene con gaseosa al gusto.

(239)

Aguas turbias

Un cóctel de café y cola con un bajo contenido de alcohol. Si lo desea, puede eliminar el licor de café, o por el contrario, si agregó demasiada cola, añadir un poco más de licor.

Para 1 persona
1 medida de licor de café
hielo triturado
cola

1 Sirva el licor de café en un vaso alto con hielo y rellene con cola al gusto.
2 Beba con una pajita.

Tempestad

Este exótico licor elaborado con semillas de alcaravea se puede combinar muy bien con la mayoría de las bebidas y sabores para preparar deliciosos cócteles largos.

Para 1 persona

1 medida de vodka

1 medida de kümmel

hielo

tónica

frutas silvestres rojas, para decorar

1 Mezcle el vodka y el kümmel en un vaso alto con hielo.

2 Rellene con tónica al gusto y decore con frutas silvestres.

Swizzle de lima

El zumo y la piel de la lima son ácidos y muy aromáticos, por lo que deberá evitar que predominen sobre la suave dulzura del Drambuie.

Para 1 persona

$1^1/_2$ medidas de Drambuie

$^1/_4$ de cucharadita de ralladura fina de lima

1 cucharadita de azúcar lustre

unas gotas de zumo de lima

hielo

soda

1 Humedezca el borde de un vaso o copa de cóctel grandes con Drambuie.

2 Combine la ralladura de piel de lima con el azúcar y escarche el borde del vaso con la mezcla.

3 Ponga todos los ingredientes, incluido el resto de ralladura de lima y azúcar, en el vaso o copa llenos de hielo y remueva.

4 Rellene con soda al gusto.

Tequila Sunrise

No prepare nunca este cóctel con prisas, pues se arruinaría el atractivo efecto similar a un amanecer que produce la granadina deslizándose lentamente por el zumo de naranja.

Para 1 persona
2 medidas de tequila blanco
hielo picado
zumo de naranja
1 medida de granadina

1 Ponga el tequila en un vaso tipo *highball* bien frío con hielo y rellene con zumo de naranja. Remueva bien.
2 Agregue la granadina lentamente y sirva con una pajita.

243. Blinding Sunrise: Agite enérgicamente 1 medida de tequila blanco, 1 de vodka, 3 de zumo de naranja y 1 cucharadita de triple seco con hielo hasta que se condense agua. Sirva en un vaso alto lleno de hielo picado hasta la mitad. Agregue lentamente 1 medida de granadina. **Para 1 persona**

244. Pacific Sunrise: Agite enérgicamente 1 medida de tequila blanco, 1 de curaçao azul, 1 de zumo de lima y 1 golpe de angostura con hielo hasta que se condense agua. Sirva en una copa de cóctel fría. **Para 1 persona**

245. Mint Sunrise: Ponga $1^1/2$ medidas de whisky escocés, $^1/2$ de brandy y $^1/2$ de curaçao blanco en un vaso alto bien frío con hielo picado y remueva suavemente. Decore con una ramita de menta fresca. **Para 1 persona**

Tequila Mockingbird

(246)

Este cóctel evoca la novela de Harper Lee *To Kill a Mockingbird (Matar a un ruiseñor)*, cuyo tema es el racismo. A pesar del humor negro implícito en su nombre, se está convirtiendo en un nuevo clásico.

Para 1 persona
2 medidas de tequila blanco
1 medida de crema de menta blanca
1 medida de zumo de lima recién exprimido
hielo picado

1 Agite enérgicamente los tres primeros ingredientes con hielo hasta que se condense agua en el exterior de la coctelera.
2 Sirva en un vaso tipo *highball* bien frío.

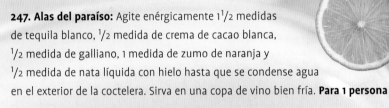

247. Alas del paraíso: Agite enérgicamente 1$\frac{1}{2}$ medidas de tequila blanco, $\frac{1}{2}$ medida de crema de cacao blanca, $\frac{1}{2}$ medida de galliano, 1 medida de zumo de naranja y $\frac{1}{2}$ medida de nata líquida con hielo hasta que se condense agua en el exterior de la coctelera. Sirva en una copa de vino bien fría. **Para 1 persona**

248. Cooler ave del paraíso: Agite enérgicamente 2 medidas de ginebra, 1 medida de zumo de limón, 1 cucharadita de granadina, 1 cucharadita de azúcar y 1 clara de huevo con hielo hasta que se condense agua en el exterior de la coctelera. Sirva en un vaso tipo *tumbler* bien frío lleno de hielo picado hasta la mitad. Rellene con agua con gas. **Para 1 persona**

249. Pájaro azul: Agite enérgicamente 3 medidas de ginebra, 1 medida de curaçao azul y 1 golpe de angostura con hielo hasta que se condense agua en el exterior de la coctelera. Sirva en una copa de cóctel bien fría. **Para 1 persona**

El Blues

(250)

Este largo y resplandeciente cóctel resultaría demasiado dulce si no fuera por el zumo de limón, de modo que sea cuidadoso con el equilibrio de los ingredientes cuando lo prepare por primera vez.

Para 1 persona
1$\frac{1}{2}$ medidas de tequila
$\frac{1}{2}$ medida de marrasquino
$\frac{1}{2}$ medida de curaçao azul
$\frac{1}{2}$ medida de zumo de limón
cubitos de hielo
bíter de limón

1 Agite bien los cuatro primeros ingredientes con hielo hasta que se condense agua en el exterior de la coctelera.
2 Sirva en un vaso tipo *highball* y rellene con bíter de limón.

Noche salvaje

Aunque el tequila ostenta la reputación de ser una bebida muy potente, la mayoría de las marcas comerciales tienen el mismo grado alcohólico que otros espirituosos, como la ginebra o el whisky. Sin embargo, el tequila «autóctono», o su pariente cercano, el mezcal, son ya otro cantar.

Para 1 persona

3 medidas de tequila blanco
2 medidas de zumo de arándanos
1 medida de zumo de lima
hielo picado
soda

1 Agite enérgicamente el tequila, el zumo de arándanos y el de lima con hielo hasta que se condense agua en el exterior de la coctelera.
2 Sirva en un vaso tipo *highball* bien frío lleno de hielo hasta la mitad.
3 Rellene con soda al gusto.

252. Buttafuoco: Agite enérgicamente 2 medidas de tequila blanco, $^{1}/_{2}$ medida de galliano, $^{1}/_{2}$ medida de aguardiente de cereza y $^{1}/_{2}$ medida de zumo de limón con hielo hasta que se condense agua. Sirva en un vaso tipo *tumbler* lleno de hielo hasta la mitad. Rellene con soda y decore con 1 cereza. **Para 1 persona**

253. Carta Magna: Humedezca el borde de una copa de vino con 1 rodaja de lima y escárchelo con azúcar lustre. Remueva 2 medidas de tequila blanco y 1 medida de triple seco con hielo en un vaso mezclador. Sirva en la copa escarchada y rellene con vino espumoso bien frío. **Para 1 persona**

254. Fizz de tequila: Agite enérgicamente 3 medidas de tequila blanco, 1 medida de granadina, 1 medida de zumo de lima y 1 clara de huevo con hielo hasta que se condense agua. Sirva en un vaso alto lleno de hielo hasta la mitad. Rellene con ginger ale. **Para 1 persona**

255. Changuirongo: Llene hasta la mitad un vaso alto bien frío con hielo picado. Agregue 2 medidas de tequila blanco y rellene con ginger ale. Remueva suavemente y decore con 1 rodaja de lima. **Para 1 persona**

(256)

Whammer de Huatusco

Aunque la receta original de este cóctel incluye Coca-Cola, puede emplear cualquier marca de cola de su preferencia, siempre y cuando esté bien fría.

Para 1 persona

1 medida de tequila blanco
$^1/_2$ medida de ron blanco
$^1/_2$ medida de vodka
$^1/_2$ medida de ginebra
$^1/_2$ medida de triple seco
1 medida de zumo de limón
$^1/_2$ cucharadita de jarabe de azúcar
hielo picado
cola

1 Agite enérgicamente el tequila, el ron, el vodka, la ginebra, el triple seco, el zumo de limón y el jarabe de azúcar con hielo hasta que se condense agua en el exterior de la coctelera.
2 Llene un vaso tipo *Collins* bien frío con hielo picado y vierta el cóctel por encima.
3 Rellene con cola, remueva suavemente y sirva con una pajita.

257. Mexicola: Llene hasta la mitad un vaso alto bien frío con hielo picado. Agregue 2 medidas de tequila y 1 de zumo de lima. Rellene con cola, remueva suavemente y decore con 1 rodaja de lima. **Para 1 persona**

258. Cherrycola: Llene un vaso alto bien frío con hielo picado hasta la mitad. Agregue 2 medidas de aguardiente de cereza y 1 de zumo de limón. Rellene con cola, remueva suavemente y decore con 1 rodaja de limón. **Para 1 persona**

259. Lagarto: Llene un vaso alto bien frío con hielo picado hasta la mitad. Agregue 2 medidas de ron negro y 1 de amaretto. Rellene con cola y remueva suavemente. **Para 1 persona**

Bésame mucho

Este combinado de aspecto brumoso fue concebido especialmente para los amantes del anís. El toque de angostura asegura un final... feliz.

Para 1 persona
2 medidas de Pernod
1 cucharadita de Cointreau
2 golpes de angostura
hielo
soda

1 Ponga hielo en un vaso tipo *tumbler* o una copa alta y agregue los tres primeros ingredientes.
2 Rellene con soda al gusto y añada unas gotas más de angostura.

Suissesse

Aunque este combinado tenga el aspecto de un inofensivo vaso de leche, sus amigos no tardarán en levantar la liebre.

Para 1 persona
1 1/2 medidas de Pernod
1 medida de zumo de limón
1/4 de medida de agua de azahar
1 clara de huevo
hielo
soda

1 Agite con hielo todos los ingredientes menos la soda hasta que se condense agua en el exterior de la coctelera.
2 Sirva en un vaso tipo *tumbler* y rellene con soda al gusto.

Iceberg

Si es amante del anís, rellene el cóctel con poca gaseosa. Sólo depende de usted.

Para 1 persona
2 medidas de Pernod o de pastis
1 chorrito de zumo de lima
hielo picado
gaseosa o cerveza de jengibre al gusto
1 espiral de piel de lima

1 Mezcle el Pernod y el zumo de lima con hielo.

2 Sirva en un vaso tipo *highball* bien frío con hielo y rellene con gaseosa al gusto.

3 Decore con la espiral de piel de lima.

Mañana nublada

En una mañana gris lo mejor es olvidarse del tiempo y disfrutar de este delicioso combinado.

Para 1 persona
1½ medidas de Pernod o Ricard
1 medida de crema de menta
hielo
rodajas de pepino
soda

1 Ponga los dos primeros ingredientes en un vaso tipo *highball* con hielo y remueva bien.

2 Agregue el pepino y rellene con soda.

 264

Puño de hierro

Basta con beberlo muy despacio, y sus preocupaciones desaparecerán pronto...

Para 1 persona

1 medida de licor de coco

1 medida de curaçao azul

$^1/_2$ medida de ron blanco

$^1/_4$ de medida de zumo de piña

hielo triturado

coco rallado

1 Pase por la batidora los cinco primeros ingredientes hasta obtener una mezcla espumosa y granizada.

2 Sirva en una copa alta bien fría, agregue más hielo y decore con el coco rallado.

 265

Barco de vapor

Cuando organice una fiesta, prepare numerosos cubitos de hielo con trocitos de fruta en su interior y escarche los vasos para dar un toque de sofisticación.

Para 10 personas

6 medidas de Southern Comfort

6 medidas de ginebra

6 medidas de curaçao

6 medidas o más de zumo de naranja

cubitos de hielo

ginger ale

pajitas o varillas agitadoras

1 Mezcle bien los cuatro primeros ingredientes y ponga a enfriar.

2 Cuando vaya a servir, divida el cóctel entre 10 vasos o copas bien fríos y escarchados llenos de hielo. Rellene con ginger ale.

3 Sirva con pajitas o varillas agitadoras.

Naranjas y demonios

No se asuste si al preparar este combinado su apariencia le parece lúgubre. Agregue mucho hielo, rellene con tónica y poco a poco mejorará su aspecto.

Para 1 persona

$^1/_2$ medida de crema de menta verde

1 medida de Dubonnet

$^1/_3$ de medida de zumo de naranja

hielo

tónica

1 rodaja de naranja

1 Mezcle los tres primeros ingredientes con hielo en un vaso tipo *old-fashioned* o *tumbler*.

2 Rellene con tónica y decore con la rodaja de naranja.

Luisita

Según su estado de ánimo puede emplear el curaçao azul, si está deprimido, o el naranja, si se siente alegre. El cambio no alterará el sabor de este combinado.

Para 1 persona

1 medida de curaçao azul

agua de cebada y limón
(lemon barley water)

unas golpes de zumo de limón

hielo

tónica

rodajas de limón o de lima

1 Sirva el curaçao, el agua de cebada y limón, y el zumo de limón en un vaso alto lleno de hielo.

2 Añada tónica al gusto y decore con unas rodajas de limón o de lima.

Le triomphe

Un cóctel refrescante con sabor afrutado, que puede alargar añadiendo soda y hielo triturado, si lo desea.

Para 1 persona
1 medida de coñac
3/4 de medida de Grand Marnier
3/4 de medida de zumo de piña
1/2 medida de zumo de pomelo
1 golpe generoso de granadina
hielo
1 cereza fresca

1 Agite bien los cinco primeros ingredientes con hielo hasta que se condense agua en el exterior de la coctelera.
2 Sirva en un vaso alto, rellene con hielo y decore con la cereza.

Napoleón

Dos intensos licores de fruta se combinan aquí para componer un espectacular cóctel largo.

Para 1 persona
1 medida de Mandarine Napoleon
1 medida de aguardiente de cereza
hielo
gaseosa

1 Ponga los licores en un vaso tipo *highball* lleno de hielo.
2 Remueva suavemente y rellene poco a poco con gaseosa.

Despertador

Un combinado muy refrescante y revitalizante que puede consumir a cualquier hora del día, no sólo por la mañana, para combatir la resaca.

Para 1 persona

$^1/_2$ medida de zumo de naranja recién exprimido

$^1/_2$ medida de Fernet Branca

hielo

soda

1 Mezcle los dos primeros ingredientes en un vaso mediano lleno de hielo y rellene con soda al gusto.

Fantasía de lima y limón

Aunque este combinado de advocaat tiene el inofensivo aspecto de un batido, el estimulante sabor del licor de ginebra, huevo y azúcar con el vodka y los cítricos desenmascara su verdadera naturaleza de inmediato.

Para 1 persona

1 medida de advocaat

$^1/_2$ medida de vodka

$^1/_2$ medida de sirope de lima

hielo

gaseosa

1 espiral de piel de lima

1 Agite bien los tres primeros ingredientes con hielo hasta que se condense agua en el exterior de la coctelera.

2 Sirva en un vaso tipo *highball* bien frío y rellene con gaseosa.

3 Decore con la espiral de piel de lima y beba con una pajita.

(272)

Bandera multicolor

Aunque este cóctel se prepara con sólo media medida de cada licor, la receta incluye siete clases distintas, de modo que resulta muy potente. Después de haber degustado un par de ellos quizás no tenga fuerzas para seguir preparando más copas.

Para 1 persona

$^1/_2$ medida de chartreuse verde bien frío

$^1/_2$ medida de triple seco bien frío

$^1/_2$ medida de aguardiente de cereza bien frío

$^1/_2$ medida de crema de violeta bien fría

$^1/_2$ medida de chartreuse amarillo bien frío

$^1/_2$ medida de curaçao azul bien frío

$^1/_2$ medida de brandy bien frío

1 Sirva el chartreuse verde en una flauta bien fría. A continuación, con pulso firme, sirva cuidadosamente una segunda capa con el triple seco.

2 De manera similar, agregue el aguardiente de cereza, la crema de violeta, el chartreuse amarillo y el curaçao azul para obtener la tercera, cuarta, quinta y sexta capas.

3 Por último, añada una capa de brandy.

273. Barras y estrellas: Sirva $^3/_4$ de medida de aguardiente de cereza bien frío en un vaso tipo *shot*, una copa de *pousse-café* o una flauta bien fríos. Con pulso firme, forme cuidadosamente una segunda capa con $1^1/_2$ medidas de nata líquida fría, y una tercera con $^3/_4$ de medida de curaçao azul bien frío. **Para 1 persona**

274. Union Jack: Sirva 1 medida de marrasquino helado en un vaso tipo *shot* bien frío. Con pulso firme, forme cuidadosamente una segunda capa con 1 medida de curaçao azul bien frío, y una tercera con 1 medida de granadina bien fría. **Para 1 persona**

275. Tricolor: Sirva 1 medida de crema de menta helada en un vaso tipo *shot* bien frío. Con pulso firme, forme cuidadosamente una segunda capa con 1 medida de Baileys bien frío, y una tercera con 1 medida de marrasquino rojo bien frío. **Para 1 persona**

(276)

Belladora

Si disfruta del efecto de la menta en los cócteles, añada un poco más de la indicada en la receta, hasta que consiga dar con la cantidad que se mejor adapta a su gusto.

Para 1 persona

$^3/_4$ de medida de coñac

$^3/_4$ de medida de Cointreau

$^3/_4$ de medida de zumo de pomelo

hielo

tónica

2 cucharaditas de crema de menta

1 Agite los tres primeros ingredientes con hielo hasta que se condense agua en el exterior de la coctelera.

2 Ponga en un vaso alto bien frío y rellene con tónica.

3 Agregue la crema de menta y sirva con una varilla agitadora.

Dubonnet frívolo

Este dulce cóctel es muy suave y refrescante.

Para 1 persona

1 medida de Dubonnet

1 medida de aguardiente de cereza

$^1/_2$ medida de zumo de limón

$^1/_2$ clara de huevo

hielo

soda

1 rodaja de limón

1 Agite el Dubonnet, el aguardiente de cereza, el zumo de limón y la clara de huevo con hielo hasta que la mezcla tenga un aspecto espumoso.

2 Sirva en un vaso alto y rellene con soda.

3 Decore con la rodaja de limón.

Celeste

El curaçao azul que se añade al final de este combinado produce un impresionante efecto visual, además de contribuir a armonizar los sabores de naranja y limón.

Para 1 persona

$1^1/_4$ medidas de coñac

$^3/_4$ de medida de Cointreau

$^3/_4$ de medida de zumo de limón

hielo

3 medidas de bíter de limón, o al gusto

1 cucharada de curaçao azul

1 rodaja de lima

1 Agite los tres primeros ingredientes con hielo hasta que se condense agua en el exterior de la coctelera.

2 Sirva en una copa de cóctel grande o de vino bien frías y rellene con bíter de limón.

3 Vierta cuidadosamente el curaçao por uno de los bordes de la copa, y deje transcurrir 1-2 minutos hasta que todo el curaçao se asiente en el fondo.

4 Decore con la lima y beba con pajita.

Rompecabezas

El sabor de la manzana se extiende suavemente, contagiando a los demás licores de un delicado aroma afrutado.

Para 1 persona

$^1/_3$ de medida de whisky

$^1/_3$ de medida de amaretto

$^1/_3$ de medida de calvados

1 golpe de granadina

1 medida de zumo de manzana

hielo

soda

1 rodaja de manzana

1 Agite los cinco primeros ingredientes con hielo hasta que se condense agua en el exterior de la coctelera.

2 Sirva en un vaso tipo *highball* lleno de hielo y rellene con un poco de soda.

3 Decore con la rodaja de manzana.

Massimo

El marsala es un delicioso vino dulce y especiado, que se calienta para añadirle un sabor añejo. Esta peculiaridad brinda una intensa profundidad a los cócteles.

Para 1 persona

2 medidas de marsala

1 medida de ginebra

hielo

1 ramita de menta

1 rodaja de naranja, 1 de limón y 1 de lima

gaseosa

1 golpe de angostura

1 Sirva el marsala y la ginebra en un vaso tipo *old-fashioned* lleno de hielo.

2 Añada la menta y las rodajas de fruta, rellene con gaseosa al gusto y complete con 1 golpe de angostura.

 281

Bola de nieve

 CLASSIC

Hay quien prefiere alargar el color amarillo de yema de huevo del advocaat con soda, tónica o zumo de limón.

Para 1 persona
1 medida de advocaat
1 golpe generoso de zumo de limón
recién exprimido
hielo
limonada
rodajas de naranja y de limón

1 Remueva el advocaat y el zumo de limón con hielo en un vaso mezclador.
2 Sirva en un vaso tipo *highball* lleno de hielo y rellene con limonada al gusto.
3 Decore con las rodajas de naranja y de limón.

282

El beso de la viuda

Un cóctel que ostenta semejante nombre ha de ser atrevido, y éste lo es, por lo menos hasta que añada la soda.

Para 1 persona
$^1/_2$ medida de bénédictine
$^1/_2$ medida de chartreuse
1 medida de calvados
hielo
1 golpe de angostura, o al gusto
soda

1 Sirva los licores en un vaso tipo *highball* lleno de hielo.
2 Remueva una sola vez, rellene con soda y agregue la angostura.

Trixie Dixie

(283)

Este combinado contiene mucha fruta y zumo, de modo que tal vez prefiera añadirle muy poca soda. Sírvalo bien frío.

Para 4 personas
3 medidas de ginebra
6 medidas de Southern Comfort
3 medidas de zumo de lima
4 rodajas de piña fresca
hielo
soda
rodajas de piña

1 Pase por la batidora los cuatro primeros ingredientes hasta obtener una mezcla espumosa.
2 Sirva en cuatro vasos llenos de hielo y rellene con soda al gusto.
3 Decore con las rodajas de piña.

Erizado

Esta inusual combinación podría erizarle los pelos, de ahí su nombre.

Para 1 persona
1 medida de Dubonnet
$^1/_2$ medida de licor de café
$^1/_2$ medida de calvados
hielo
cerveza tipo stout
piel de manzana

1 Mezcle los tres primeros ingredientes y sirva en un vaso alto lleno de hielo.
2 Rellene con la cerveza tipo stout y decore con una espiral de piel de manzana.

As de espadas

Este largo y refrescante combinado de inocente apariencia resulta perfecto para las calurosas tardes del verano, ¡aunque no es tan suave como parece!

Para 1 persona
$^1/_2$ medida de licor de café
$^1/_2$ medida de Cointreau
1 medida de Dubonnet
cubitos de hielo
$^1/_2$ botella de cerveza tipo stout o Guinness

1 Mezcle los tres primeros ingredientes en un vaso alto lleno de hielo.
2 Agregue la cerveza lentamente, para evitar que se derrame la espuma.
3 Sirva con una varilla agitadora.

Burbujas rosas

El sempiterno popular Dubonnet combina a la perfección con una gran variedad de licores. Aunque esta combinación le resulte nueva, le recomendamos que la pruebe: no quedará decepcionado.

Para 1 persona

2 medidas de Dubonnet
3 medidas de sidra
5 medidas de gaseosa
hielo
1 rodaja de manzana

1 Mezcle todos los ingredientes en un vaso tipo *highball* bien frío lleno de hielo y decore con la rodaja de manzana.

287

Rosa americana

Shakespeare dijo en boca de Julieta: «La rosa no dejaría de ser rosa, y de esparcir su aroma, aunque se llamase de otro modo». Este cóctel constituye una combinación eterna de belleza y placer.

Para 1 persona

$1^1/_2$ medidas de brandy
1 cucharadita de granadina
$^1/_2$ cucharadita de Pernod
$^1/_2$ melocotón fresco, pelado y triturado
hielo picado
vino espumoso
1 rodaja de melocotón fresco

1 Agite enérgicamente el brandy, la granadina, el Pernod y el melocotón con hielo hasta que se condense agua en el exterior de la coctelera.
2 Sirva en una copa de vino bien fría y rellene con vino espumoso.
3 Remueva con suavidad y decore con la rodaja de melocotón.

Sherwood

Puede disfrutar de este cremoso y afrutado cóctel después del almuerzo o de la cena, o incluso servirlo como postre, ya que es muy dulce.

Para 1 persona
1/2 medida de Cointreau bien frío
1/2 medida de Glayva bien frío
3/4 de medida de fraise de bois
(licor de fresa)
hielo
3/4 de medida de Baileys

1 Remueva el Cointreau, el Glayva y el licor de fresa en un vaso mezclador con un poco de hielo.

2 Sirva en una copa de cóctel bien fría y agregue el Baileys poco a poco para que forme una capa en la superficie.

Kitsch de cereza

Un cóctel suave como el terciopelo, afrutado y con un toque de aguardiente de cereza. Un poco de marrasquino al final también le sienta de maravilla.

Para 1 persona
1 medida de aguardiente de cereza
2 medidas de zumo de piña
1/2 medida de kirsch
1 clara de huevo
1 cucharada grande de hielo triturado
1 cereza marrasquino congelada

1 Agite bien todos los ingredientes con hielo hasta que se condense agua en el exterior de la coctelera.

2 Sirva en un vaso alto y estrecho bien frío y decore con la cereza marrasquino.

Escocés en Filadelfia

Applejack o *calvados* son los nombres que recibe el aguardiente de manzana en Estados Unidos y Francia respectivamente. No utilice la marca más cara cuando prepare este cóctel.

Para 1 persona
2 medidas de aguardiente de manzana
2 medidas de oporto
el zumo de 1 naranja
hielo
ginger ale

1 Mezcle bien los tres primeros ingredientes en un vaso tipo *highball* bien frío.

2 Rellene con ginger ale y hielo, y sirva con una varilla agitadora.

⑨ Belleza de las Bermudas

La granadina, elaborada con granadas, confiere un delicioso aroma y un afrutado sabor a los cócteles, además de contribuir al bello color rosado de éste en particular.

Para 1 persona
2 orejones de albaricoque
1 medida de aguardiente de albaricoque
1 medida de ginebra
$^1/_4$ de medida de granadina
hielo
soda

1 Ponga los orejones a remojar en $^1/_2$ medida de aguardiente 15 minutos y píquelos.
2 Agite la ginebra, el resto del aguardiente y la granadina con hielo hasta que se condense agua.
3 Sirva en una copa de cóctel alta, rellene con un poco de soda y, finalmente, añada los orejones y unas gotas de aguardiente.

 # Tarde de siesta

Para esas perezosas tardes de domingo al sol no hay nada mejor que este cóctel largo y con sabor a fruta.

Para 1 persona
1 medida de coñac
$^1/_2$ medida de bénédictine
$^1/_2$ medida de zumo de piña
$^1/_4$ de medida de zumo de limón
hielo
ginger ale
1 tira de piel de limón

1 Agite bien los cuatro primeros ingredientes con hielo.
2 Sirva en un vaso alto y rellene con ginger ale.
3 Decore con la tira de piel de limón.

 # Piñadora

Esta deliciosa mezcla de piña y melón le hará desconectar de la rutina y se sentirá como si estuviera de vacaciones.

Para 1 persona
1 medida de brandy
$^1/_3$ de medida de midori
$^1/_3$ de medida de ron blanco
$^1/_5$ de medida de crema de menta
hielo
zumo de piña bien frío
soda bien fría
1 rodaja de melón, para decorar

1 Agite bien los cuatro primeros ingredientes con hielo.
2 Sirva en un vaso tipo *highball*, añada el zumo de piña y rellene con soda al gusto.
3 Decore con la rodaja de melón.

 # Clásico de manzana

Los amantes de la manzana y la sidra colocarán este cóctel a la cabeza de sus favoritos, especialmente si lo preparan con sidra dulce en vez de seca.

Para 1 persona
$^1/_2$ medida de ginebra
$^1/_2$ medida de brandy
$^1/_2$ medida de calvados
hielo
sidra dulce
1 rodaja de manzana

1 Agite bien los tres primeros ingredientes con hielo hasta que se condense agua en el exterior de la coctelera.
2 Sirva en un vaso mediano o alto y rellene con sidra al gusto.
3 Decore con la rodaja de manzana.

Cuello de caballo

(295)

Este refrescante combinado también se puede elaborar con ginebra o bourbon, en cuyo caso debe agregar unas gotas de angostura. También existe una mezcla de brandy y champán que recibe el mismo nombre.

Para 1 persona

1 espiral de piel de limón
cubitos de hielo
1 medida de brandy
ginger ale seco

1 Ponga la espiral de limón en un vaso alto y agregue los cubitos.
2 Incorpore el brandy y rellene con el ginger ale.

(296)

A la cama

Como su nombre indica, este es el cóctel ideal antes de irse a la cama, por lo que no precisa hielo.

Para 1 persona

2 medidas de brandy
1 tira de piel de naranja
3-4 hojas de menta
ginger ale

1 Mezcle el brandy, la tira de piel de naranja y la menta en un vaso mediano tipo *tumbler*.
2 Rellene con ginger ale al gusto.

²⁹⁷ Ponche italiano de verano

Un toque de brandy italiano y unas ramitas de albahaca lo transportarán en un abrir y cerrar de ojos a las colinas de la Toscana.

Para 2 personas
300 ml de vino blanco seco
3 medidas de Tuaca o brandy italiano
zumo de limón, de lima y de naranja
hielo
rodajas de cítricos
unas ramitas de albahaca
soda

1 Agite bien los tres primeros ingredientes con hielo.
2 Coloque la mezcla en una jarra y añada la fruta y las ramitas de albahaca.
3 Sirva en vasos y rellene con soda hasta el tope.

²⁹⁸ Kir

Alrededor de la ciudad francesa de Dijon, además de la mostaza, se produce un delicioso licor de grosella llamado «crema de casis». El nombre de este cóctel es un homenaje a Félix Kir, un partisano que fue alcalde de la ciudad.

Para 1 persona
hielo picado
2 medidas de crema de casis
vino blanco bien frío
1 tira de cáscara de limón

1 Ponga el hielo en una copa de vino bien fría.
2 Vierta la crema de casis por encima.
3 Rellene con vino blanco y remueva bien.
4 Decore con la tira de cáscara de limón.

299. Osborne: Mezcle 3 medidas de clarete y 1 medida de whisky escocés en una copa de vino y sirva. **Para 1 persona**

300. Bellinitini: Agite enérgicamente 2 medidas de vodka, 1 medida de schnapps de melocotón y 1 medida de zumo de melocotón con hielo hasta que se condense agua en el exterior de la coctelera. Sirva en una copa de vino bien fría y rellene con champán helado. **Para 1 persona**

301. Rikki-Tikki-Tavi: Ponga 1 terrón de azúcar y 1 golpe de angostura en una flauta bien fría, hasta que el terrón se haya coloreado de rojo pero sin que pierda su forma. Agregue 1 cucharadita de brandy y 1 de curaçao blanco. Rellene con champán helado. **Para 1 persona**

302. Pick-me-up de champán: Agite enérgicamente 2 medidas de brandy, 1 medida de zumo de naranja, 1 medida de zumo de limón y 1 golpe de granadina con hielo hasta que se condense agua en el exterior de la coctelera. Sirva en una copa de vino y rellene con champán helado. **Para 1 persona**

Sangría

CLASSIC

Una bebida larga y refrescante, perfecta para una fiesta con los amigos al aire libre.

Para 6 personas
el zumo de 1 naranja
el zumo de 1 limón
2 cucharadas de azúcar lustre
hielo
1 naranja, cortada en rodajas finas
1 limón, cortado en rodajas finas
1 botella de vino tinto, bien frío
gaseosa

1 Mezcle los zumos de naranja y limón con el azúcar en un bol grande.

2 Cuando el azúcar se haya disuelto, añada unos cubitos de hielo, las rodajas de fruta y el vino.

3 Deje marinar durante al menos 1 hora y añada gaseosa al gusto y más hielo.

304

Sangría rubia

Al igual que su pariente elaborada con vino tinto, esta sangría resulta perfecta para animar una fiesta en cualquier época del año.

Para 10 personas
4 medidas de miel de acacia o de almendras, fluida
2 limones
2 naranjas
2-2,5 litros de vino blanco
hielo
soda

1 Caliente un poco la miel para que se diluya mejor.

2 Póngala en un bol grande o una jarra.

3 Corte 2-3 rodajas de naranja y limón, exprima el resto de la fruta y agregue todo al bol.

4 Añada el vino lentamente y mezcle.

5 Sirva en vasos llenos de hielo y rellene con soda.

6 Agregue las rodajas y una pajita.

Cañonero

Cuando lo vean bebiendo este misterioso cóctel, nadie adivinará lo que es, pero seguro que todos querrán probarlo.

Para 1 persona
unos cubitos de hielo
1 medida de zumo de lima
2-3 golpes de angostura, o al gusto
200 ml de cerveza de jengibre
200 ml de gaseosa

1 Mezcle todos los ingredientes en un vaso grande. No olvide utilizar cantidades idénticas de cerveza de jengibre y gaseosa.
2 Añada más angostura, si lo desea.

---

(306)

Vino con ponche de té

Un ponche ligero y afrutado ideal para una fiesta al aire libre. Sírvalo en un bol de hielo relleno de pétalos para obtener un efecto espectacular.

Para 20 personas
225 g de azúcar lustre
5 botellas de vino del Rin
1,2 litros de soda
2 medidas de brandy
2 medidas de marrasquino
2 cucharadas de té, en bolsitas
rodajas de fruta del tiempo

1 Forre un bol grande con hielo picado.
2 Añada todos los ingredientes y deje macerar durante 10 minutos.
3 Retire el té y agregue las rodajas de fruta del tiempo.

---

(307)

Salto largo

Una mezcla poco frecuente de una bebida cremosa con otra espumante. La segunda debe estar helada, pero no así el licor, pues de otro modo no se mezclaría bien.

Para 1 persona
1 medida de licor de amarula
champán o vino blanco espumoso,
bien frío

1 Sirva el licor de amarula en una copa alta bien fría y rellene poco a poco con champán.
2 Beba de inmediato.

Bellini

Esta deliciosa bebida fue compuesta hacia 1943 por Giuseppe Cipriani en el célebre Harry's Bar de Venecia.

Para 1 persona

1 medida de zumo de melocotones dulces
y maduros, recién exprimido
azúcar lustre
3 medidas de champán frío

1 Humedezca el borde de una flauta con un poco de zumo de melocotón y escárchelo con el azúcar lustre. Ponga a secar.
2 Sirva el zumo de melocotón en la flauta helada.
3 Rellene con el champán y remueva cuidadosamente.

(309)

Ginger Fizz

Este refrescante cóctel, ideal para los días calurosos, resulta más sencillo de preparar con la batidora.

Para 1 persona

ginger ale
ramitas de menta fresca
hielo picado
unas frambuesas y 1 ramita de menta
fresca, para decorar

1 Pase por la batidora el ginger ale con varias ramitas de menta.
2 Llene con hielo las dos terceras partes de un vaso tipo *highball* bien frío y vierta la mezcla de ginger ale.
3 Decore con unas frambuesas y la ramita de menta.

Prost

Para obtener el mejor resultado al preparar este cóctel alemán, utilice los vinos del Rin, por su sabor más dulce y afrutado. El nombre de este combinado equivale a «chinchín».

Para 1 persona
$^1/_2$ medida de aguardiente de cereza
4 medidas de vino blanco
1 cucharada grande de hielo triturado
soda
2 cerezas marrasquino

1 Agite el aguardiente y el vino con hielo hasta que se condense agua en el exterior de la coctelera.
2 Sirva en una copa alta, rellene con soda y decore con las cerezas marrasquino.

311

Largo barco

Un cóctel largo y agradable al paladar, con un ligero toque de jengibre.

Para 1 persona
hielo
1 medida de sirope de lima
cerveza de jengibre
1 rodaja de lima y 1 ramita de menta, frescas

1 Llene con hielo las dos terceras partes de un vaso tipo *highball* o de una copa alta bien fríos. Agregue el sirope de lima.
2 Rellene con cerveza de jengibre y remueva suavemente.
3 Decore con la rodaja de lima y la ramita de menta.

 Shirley Temple

Éste es uno de los cócteles clásicos sin alcohol más famosos que existen. Shirley Temple Black se convertiría en una reputada diplomática, pero el combinado data de los días en que era una niña prodigio del cine, durante la década de los treinta.

Para 1 persona
2 medidas de zumo de limón
$^1/_2$ medida de granadina
$^1/_2$ medida de jarabe de azúcar
ginger ale
hielo picado
1 rodaja de naranja
1 guinda

1 Agite enérgicamente el zumo de limón, la granadina y el jarabe de azúcar con hielo hasta que se condense agua en el exterior de la coctelera.
2 Sirva en un vaso pequeño y bien frío lleno de hielo hasta la mitad.
3 Rellene con ginger ale.
4 Decore con la rodaja de naranja y la guinda.

313. St. Clements: Llene un vaso bien frío con hielo picado. Agregue 2 medidas de zumo de naranja y 2 de bíter de limón. Remueva con cuidado y decore con 1 rodaja de naranja y otra de limón. **Para 1 persona**

314. Negro y bronceado: Ponga 150 ml de ginger ale y 150 ml de cerveza de jengibre bien fríos en un vaso helado. No remueva. Decore con 1 rodaja de lima. **Para 1 persona**

315. Días celestiales: Agite enérgicamente 2 medidas de jarabe de avellana, 2 de zumo de limón y 1 cucharadita de granadina con hielo hasta que se condense agua. Sirva en un vaso lleno hasta la mitad de hielo picado. Rellene con soda. Remueva suavemente y decore con 1 rodaja de naranja. **Para 1 persona**

 Soda italiana

En Italia se elaboran jarabes de una gran variedad de frutas y frutos secos, que se pueden adquirir en tiendas especializadas y algunos supermercados. Los jarabes franceses son de calidad similar. Sustituya el sabor de avellana empleado aquí por su favorito, y varíe las proporciones al gusto.

Para 1 persona
hielo picado
$1^1/_2$ medidas de jarabe de avellana
soda
1 rodaja de lima

1 Llene un vaso tipo *Collins* con hielo picado.
2 Agregue el jarabe de avellana y rellene con soda.
3 Remueva suavemente y decore con la rodaja de lima.

(317)

Isla de sol

El secreto de este cóctel es sin duda el anís, cuyo sabor combina a la perfección con el de las frutas.

Para 1 persona

1 naranja de piel gruesa

1 medida de ouzo o algún otro licor de anís

3 golpes de granadina

cubitos de hielo

soda

1 rodaja de naranja

1 cereza marrasquino

1 Corte 1 rodaja de naranja. Ralle la piel y exprima la naranja.

2 Remueva 1 medida del zumo, $^1/_2$ cucharadita de ralladura, el ouzo y la granadina con hielo hasta que se condense agua.

3 Sirva en un vaso alto lleno de hielo, rellene con soda y decore con la rodaja de naranja y la cereza marrasquino.

Pimm abstemio

Recurra a este combinado cuando sus amigos conductores o los miembros más jóvenes de la familia deseen acompañarle en el disfrute de un verdadero *Pimm*.

Para 6 personas
600 ml de gaseosa bien fría
450 ml de cola bien fría
450 ml de dry ginger bien frío
el zumo de 1 naranja
el zumo de 1 limón
unas gotas de angostura
rodajas de fruta y ramitas de menta
hielo

1 Mezcle bien los seis primeros ingredientes en una jarra o bol grandes.
2 Agregue las rodajas de fruta y las ramitas de menta, ponga a enfriar y añada el hielo justo antes de servir.

Pom Pom

En este cóctel, la gaseosa adquiere un extravagante color rojizo como por arte de magia, que termina siendo coronado por una espuma ligera.

Para 1 persona
el zumo de $^1/_2$ limón
1 clara de huevo
1 golpe de granadina
hielo triturado
gaseosa
1 rodaja de limón

1 Agite el zumo de limón, la clara de huevo y la granadina con hielo, y sirva en un vaso alto lleno de hielo.
2 Rellene con gaseosa y decore el borde del vaso con la rodaja de limón.

138 1001 cócteles

(320) Slush Puppy

Rosado, vistoso y refrescante: incluso después de consumir varias raciones de este combinado podrá conducir a casa tranquilamente.

Para 1 persona

el zumo de 1 limón o $^1/_2$ pomelo rosa

$^1/_2$ medida de granadina

hielo

tiras de piel de limón

2-3 cucharaditas de jarabe de frambuesa

soda

1 cereza marrasquino

1 Ponga el zumo de limón y la granadina en un vaso alto bien frío lleno de hielo.

2 Añada las tiras de piel de limón, el jarabe de frambuesa y la soda al gusto. Decore con la cereza.

(321) Cóctel de frutas tailandés

Esta combinación de sabores y aromas orientales se convertirá con toda seguridad en uno de sus cócteles favoritos.

Para 1 persona

1 medida de zumo de piña

1 medida de zumo de naranja

$^1/_2$ medida de zumo de lima

1 medida de zumo de granadilla

2 medidas de zumo de guayaba

hielo triturado

1 flor, para decorar

1 Agite todos los zumos con hielo triturado.

2 Sirva en un vaso alto bien frío y decore con la flor.

(322) Domingo sobrio

Una interesante versión sin alcohol, destinada a los abstemios o a aquellos que deban conducir.

Para 1 persona

1 medida de granadina

1 medida de zumo de limón o de lima recién exprimido

hielo

gaseosa

rodajas de limón y lima

1 Ponga la granadina y el zumo de limón o de lima en un vaso tipo *highball* lleno de hielo.

2 Rellene con gaseosa y decore con las rodajas de limón y lima.

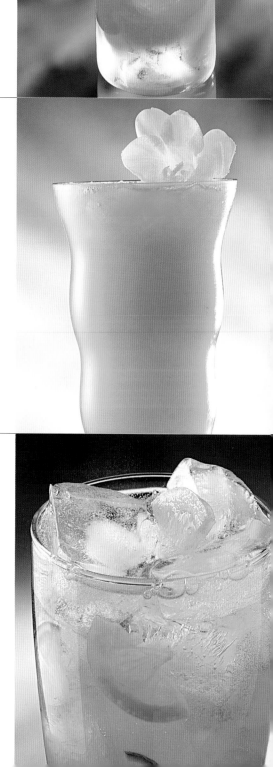

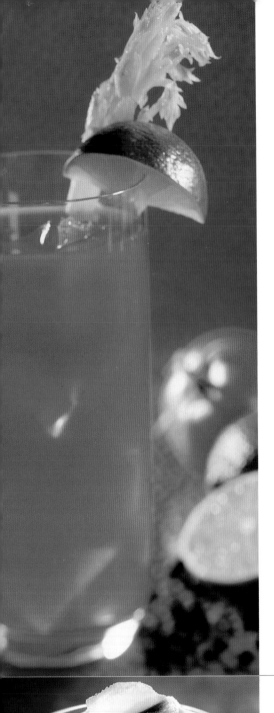

Clam Digger

Este cóctel resulta ideal para un almuerzo de domingo, un momento en el que apetece estimular el paladar pero una bebida alcohólica podría resultar demasiado soporífera y echar a perder el resto del día.

Para 1 persona

hielo picado
tabasco
salsa Worcestershire
4 medidas de zumo de tomate
4 medidas de zumo de almejas
1/4 de cucharadita de salsa de rábano
cubitos de hielo
sal de apio
pimienta negra recién molida
1 rama de apio
1 gajo de lima

1 Agite enérgicamente el tabasco, la salsa Worcestershire, el zumo de tomate y el de almejas, y la salsa de rábano con hielo hasta que se condense agua en el exterior de la coctelera.

2 Sirva en un vaso tipo *Collins* bien frío lleno de hielo.

3 Salpimiente al gusto y decore con la rama de apio y el gajo de lima.

---

324. Fiesta en Nueva Inglaterra: Pase por la batidora un poco de hielo triturado, 1 golpe de tabasco, 1 golpe de salsa Worcestershire, 1 golpe de zumo de limón, 1 zanahoria mediana picada, 2 ramas de apio picadas, 300 ml de zumo de tomate y 150 ml de zumo de almejas hasta obtener una mezcla suave. Sirva en una jarra, cubra con film transparente y ponga a enfriar durante 1 hora. Sirva en 2 vasos tipo *tumbler* bien fríos, salpimiente al gusto y decore con olivas ensartadas en palillos de cóctel. **Para 2 personas**

Cocobella

Si tiene un pulso firme podrá crear atractivos remolinos de color en los lados del vaso. ¡Los más jóvenes estarán encantados de ayudarle!

Para 1 persona

3 medidas de leche fría
1 medida de crema de coco
2 bolas de helado de vainilla
3-4 cubitos de hielo
unos golpes de granadina
hojuelas de coco, tostadas

1 Pase por la batidora los cuatro primeros ingredientes hasta obtener una mezcla suave.

2 Ponga unos golpes de granadina en los lados de un vaso alto bien frío.

3 Vierta el batido lentamente, para que las figuras de color en los lados del vaso no se disuelvan de inmediato. Espolvoree con las hojuelas de coco tostadas.

(326) La isla del coco

Si este cóctel resulta demasiado fuerte para su gusto, dilúyalo con un poco de soda.

Para 4 personas

1 piña
4 medidas de zumo de piña
4 cucharadas de crema de coco
4 medidas de leche
2 cucharadas de piña triturada
3 cucharadas de coco rallado
hielo
cerezas

1 Corte la parte superior de la piña y retire la pulpa. Guarde un poco de la pulpa para el cóctel y reserve el resto para una ensalada.
2 Pase por la batidora todos los ingredientes menos las cerezas, 30-40 segundos, hasta obtener un granizado suave.
3 Sirva en la cáscara de la piña, decore con las cerezas o las hojas de la piña y beba con pajitas.

(327) Virgen María

Aunque este combinado no es más que un *Bloody Mary* sin vodka, el tabasco y la salsa Worcestershire se encargarán de alegrar su paladar.

Para 1 persona

3 medidas de zumo de tomate
1 medida de zumo de limón
2 golpes de salsa Worcestershire
1 golpe de tabasco
hielo picado
1 pizca de sal de apio
pimienta negra
1 rodaja de limón y 1 rama de apio

1 Agite enérgicamente los cuatro primeros ingredientes con hielo y salpimiente al gusto.
2 Sirva en un vaso tipo *old-fashioned* bien frío.
3 Decore con la rodaja de limón y la rama de apio.

328. Fernando del Toro: Agite 4 medidas de zumo de tomate, 4 medidas de caldo de ternera bien frío, 1 medida de zumo de lima, 1 golpe de salsa Worcestershire y 1 golpe de tabasco con hielo hasta que se condense agua en el exterior de la coctelera. Sirva en un vaso alto bien frío lleno de hielo picado hasta la mitad. Salpimiente al gusto y decore con 1 rodaja de lima. **Para 1 persona**

329. Virgen texana: Agite 1 medida de zumo de lima, 1 medida de salsa para barbacoas, 1 golpe de salsa Worcestershire y 1 golpe de tabasco con hielo hasta que se condense agua en el exterior de la coctelera. Sirva en un vaso alto bien frío, rellene con zumo de tomate y remueva. Decore con 1 rodaja de lima y 1 guindilla jalapeña en conserva.
Para 1 persona

Sangría suave

He aquí una versión inocua de la célebre sangría española, cuya fuerza continúa pillando por sorpresa a tantos turistas despistados. Sin embargo, con esta variación no corre ningún riesgo de embriagarse, y resulta igualmente refrescante y sabrosa. Prepárela con todos los ingredientes bien fríos.

Para 4 personas

1,5 litros de zumo de uva roja
300 ml de zumo de naranja
3 medidas de zumo de arándanos
2 medidas de zumo de limón
2 medidas de zumo de lima
4 medidas de jarabe de azúcar
hielo
rodajas de limón, naranja y lima

1 Ponga todos los zumos y el jarabe de azúcar en un bol para ponches bien frío y remueva bien.
2 Añada el hielo y las rodajas de cítricos.
3 Sirva en vasos bien fríos.

331. Sangría seca: Mezcle 475 ml de zumo de tomate, 250 ml de zumo de naranja, 3 medidas de zumo de lima, $1/2$ medida de tabasco y 2 cucharaditas de salsa Worcestershire en una jarra. Añada 1 guindilla jalapeña sin pepitas y finamente picada. Salpimiente al gusto con sal de apio y pimienta blanca recién molida, y remueva bien. Cubra con film transparente y ponga a enfriar durante 1 hora. Sirva en vasos bien fríos llenos de hielo hasta la mitad.
Para 6 personas

Fizz de cítricos

Este combinado es una refrescante e ingeniosa variación del clásico *Buck's Fizz,* apta para todas las edades.

Para 1 persona

2 medidas de zumo de naranja recién exprimido, bien frío

azúcar lustre

unas gotas de angostura

1 chorrito de zumo de lima

2-3 medidas de agua con gas bien fría

1 Humedezca el borde de una flauta con zumo de naranja y escárchelo con el azúcar.

2 Mezcle todos los zumos con la angostura y sirva en la flauta escarchada.

3 Rellene con agua con gas al gusto.

Lassi

Originalmente, el *Lassi* es una bebida de yogur especiada, algo agria pero de intenso sabor, procedente de la India. A partir de ésta puede crear numerosas combinaciones, todas ellas deliciosas.

Para 2 personas

150 ml de yogur natural

450 ml de leche

1 cucharada de agua de rosas

3 cucharadas de miel

1 mango maduro, pelado y cortado en dados

6 cubitos de hielo

pétalos de rosa (opcional)

1 Pase por la batidora el yogur y la leche hasta obtener una mezcla homogénea.

2 Añada el agua de rosas, la miel, el mango y el hielo, y continúe batiendo hasta que obtenga una textura suave.

3 Sirva en vasos bien fríos y decore con pétalos de rosa, si lo desea.

Slush de moca

Un sueño de chocolate exclusivo para los amantes del dulce que hará las delicias tanto de los adultos como de los niños.

Para 1 persona

hielo triturado
2 medidas de jarabe de café
1 medida de jarabe de chocolate
4 medidas de leche
virutas de chocolate

1 Pase por la batidora el hielo, los dos jarabes y la leche hasta obtener una textura homogénea.

2 Sirva en una copa ancha bien fría y espolvoree con las virutas de chocolate.

Batido californiano

El secreto de un batido (con o sin alcohol) consiste en prepararlo a velocidad media en la batidora, hasta obtener una textura muy suave.

Para 1 persona

1 plátano, pelado y cortado en rodajas finas
60 g de fresas
90 g de dátiles deshuesados
4$^{1}/_{2}$ cucharaditas de miel fluida
250 ml de zumo de naranja
4-6 cubitos de hielo triturados

1 Pase por la batidora el plátano, las fresas, los dátiles y la miel hasta obtener una mezcla suave.

2 Añada el zumo de naranja y el hielo, y siga batiendo hasta que la textura sea suave y homogénea.

3 Sirva en un vaso tipo *Collins* bien frío.

Crema de moca

Aunque a simple vista no lo parezca, este cóctel resulta muy ligero y delicado.

Para 2 personas

200 ml de leche
50 ml de nata líquida
1 cucharada de azúcar moreno
2 cucharadas de cacao en polvo
1 cucharada de jarabe de café
6 cubitos de hielo
un poco de nata montada
virutas de chocolate

1 Pase por la batidora los tres primeros ingredientes hasta que se combinen bien.

2 Añada el cacao en polvo y el jarabe de café, y siga batiendo.

3 Agregue el hielo y continúe batiendo hasta obtener una textura suave.

4 Sirva en copas bien frías, decore con la nata montada y espolvoree unas virutas de chocolate por encima.

 Huevomanía

No hace falta que espere hasta Pascua para disfrutar de esta deliciosa combinación de chocolate y menta. Sírvala sola, o, si desea darse un pequeño capricho, acompañada con huevos de chocolate.

Para 1 persona

1 medida de licor de chocolate y menta
1 medida de advocaat
$^1/_2$ medida de whisky
$^1/_2$ bola de helado de vainilla

1 Pase todos los ingredientes por la batidora a velocidad baja durante unos 10 segundos.
2 Sirva en una copa de cóctel bien fría y beba con una pajita.

Cócteles cortos

Gin Fix

Un buen *fix* debe contener alcohol, azúcar, fruta y casi siempre muchas burbujas. Como da un resultado excelente se suele optar por la ginebra, pero también puede probar con otras bebidas espirituosas.

Para 1 persona

2$\frac{1}{2}$ medidas de ginebra
1 medida de zumo de limón
1 cucharadita de jarabe de goma
hielo triturado
1 rodaja de limón

1 Ponga la ginebra, el limón y el jarabe de goma en un vaso bajo lleno de hielo y remueva una vez.
2 Decore con la rodaja de limón.

Pink Gin

Aunque parezca increíble, el *Pink Gin* fue adoptado como remedio medicinal por la Armada Británica, pues originalmente se empleaba como antídoto contra los dolores estomacales.

Para 1 persona

1 medida de ginebra de Plymouth
unas gotas de angostura
1 medida de agua helada
1 cereza marrasquino

1 Remueva los tres primeros ingredientes en un vaso mezclador.
2 Sirva en una copa de cóctel y decore con la cereza marrasquino.

Desayuno

(340)

Especial para aquellos que tengan suficiente estómago como para desayunar con un cóctel. También para quienes se pasan la noche de fiesta y duermen de día, de modo que, para ellos, la hora de los cócteles coincide con la del desayuno.

Para 1 persona
2 medidas de ginebra
1 medida de granadina
hielo picado
1 yema de huevo

1 Agite enérgicamente la ginebra, la granadina y la yema de huevo con hielo hasta que se condense agua en el exterior de la coctelera.
2 Sirva en un vaso bien frío.

Correcaminos

(341)

No queda claro si el nombre de este cóctel hace referencia al ave real o al enemigo del coyote, pero lo que sí es seguro es que ha sido concebido para relajarle al final del día, y no para que eche a correr.

Para 1 persona
2 medidas de ginebra
$^1/_2$ medida de vermut seco
$^1/_2$ medida de Pernod
1 cucharadita de granadina
hielo picado

1 Agite enérgicamente la ginebra, el vermut, el Pernod y la granadina con hielo hasta que se condense agua en el exterior de la coctelera.
2 Sirva en una copa de vino bien fría.

342. Correcaminos (segunda versión): Agite enérgicamente 1 medida de vodka, $^1/_2$ medida de Malibú y $^1/_2$ medida de amaretto con hielo hasta que se condense agua en el exterior de la coctelera. Sirva en una copa de cóctel bien fría. **Para 1 persona**

343. Fin del camino: Mezcle 3 medidas de ginebra, 1 medida de crema de menta y 1 medida de pastis con hielo. Sirva en un vaso alto lleno de hielo y decore con 1 ramita de menta. Puede alargarlo con soda al gusto. **Para 1 persona**

344. El alce: Agite enérgicamente 2 medidas de whisky de centeno (rye), 1 de oporto Ruby Port, $^1/_2$ de zumo de limón, 1 cucharadita de jarabe de azúcar y 1 clara de huevo con hielo hasta que se condense agua. Sirva en una copa de cóctel bien fría y decore con 1 rodajita de piña. **Para 1 persona**

345. Cascabel: Sirva 1 medida de Baileys helado en un vaso tipo *shot* bien frío. Con pulso firme, forme cuidadosamente una segunda capa con 1 medida de crema de cacao oscura bien fría, y una tercera con 1 medida de Kahlúa bien frío. No remueva. **Para 1 persona**

 ## Gloom Chaser

Este espléndido y alegre combinado es capaz de levantar cualquier ánimo melancólico.

Para 1 persona
1 medida de vermut seco
1½ medidas de ginebra
½ cucharadita de granadina
2 golpes de Pernod
hielo

1 Agite todos los ingredientes con hielo y sirva en una copa de cóctel.

Cobbler rojo

Aunque los *cobblers* son por lo general bebidas cortas, puede hacerlos más largos
y refrescantes y diluirlos un poco agregando hielo triturado.

Para 1 persona

1 rodaja de naranja y otra de limón
1 medida de oporto
1 medida de ginebra
unas gotas de jarabe de fresa
hielo

1 Ponga las rodajas de naranja y limón en
la coctelera, y cháfelas con una cuchara.
2 Agregue el oporto, la ginebra, el jarabe
de fresa y el hielo y agite bien hasta que
se condense agua.
3 Sirva en una copa de Martini bien fría
con las rodajas de fruta chafadas.

Luz de luna

Elaborar este ligero combinado de
vino blanco para varias personas
resulta muy sencillo.

Para 4 personas

3 medidas de zumo de pomelo
4 medidas de ginebra
1 medida de kirsch
4 medidas de vino blanco
$1/2$ cucharadita de ralladura de limón
hielo

1 Agite bien todos los ingredientes
con hielo y sirva en copas de cóctel
bien frías.

Ángel caído

Pruebe esta insólita combinación de ginebra con menta y limón. Sobre todo no prescinda del licor de menta verde o no obtendrá el extraordinario efecto visual.

Para 1 persona

1 golpe de angostura
el zumo de 1 limón o 1 lima
2 medidas de ginebra
hielo
2 golpes de crema de menta verde

1 Agite bien los tres primeros ingredientes con hielo y vierta en una copa de cóctel.
2 Agregue la crema de menta cuando lo vaya a servir.

Alaska

Como el chartreuse amarillo empleado en este combinado es ligeramente más dulce que el verde, asegúrese de que esté bien frío y obtendrá el mejor resultado.

Para 1 persona

1/2 medida de ginebra
1/2 medida de chartreuse amarillo
hielo

1 Agite la ginebra y el chartreuse con hielo hasta que se condense agua en el exterior de la coctelera.
2 Sirva en una copa de cóctel bien fría.

 351

Charleston

Este cóctel combina una multitud de sabores y aromas, que lo hacen muy alegre.
No lo prepare si tiene mucha sed, ¡puede que acabe bebiendo demasiado!

Para 1 persona

¹/4 de medida de ginebra
¹/4 de medida de vermut seco
¹/4 de medida de vermut dulce
¹/4 de medida de Cointreau
¹/4 de medida de kirsch
¹/4 de medida de marrasquino
hielo y 1 espiral de piel de limón

1 Agite bien con hielo todos los ingredientes menos el limón y sirva en una copa de cóctel pequeña bien fría.

2 Decore con la espiral de piel de limón.

 (352) # El rubor de la doncella

El nombre de este cóctel describe acertadamente su bello color. Pero si abusan de él, las doncellas corren el riesgo de perder su proverbial recato, y de ruborizarse por ello al día siguiente.

Para 1 persona
hielo picado
2 medidas de ginebra
¹/₂ cucharadita de triple seco
¹/₂ cucharadita de granadina
¹/₂ cucharadita de zumo de limón

1 Agite enérgicamente la ginebra, el triple seco, la granadina y el zumo de limón con hielo hasta que se condense agua en el exterior de la coctelera.

2 Sirva en una copa de cóctel o en un vaso tipo *highball* pequeño, bien fríos.

353. Doncella ruborizada: Mezcle 2 medidas de ginebra y 1 de Pernod con hielo, y sirva en una copa de cóctel bien fría. **Para 1 persona**

354. La oración de la doncella: Agite enérgicamente 1 medida de ginebra, 1 de triple seco, 1 cucharadita de zumo de naranja y 1 de zumo de limón con hielo hasta que se condense agua. Sirva en una copa de cóctel bien fría. **Para 1 persona**

355. La oración de la virgen: Agite enérgicamente 1 medida de ron blanco y 1 de negro, 1 de Kahlúa, 1 cucharadita de zumo de limón y 2 de naranja con hielo hasta que se condense agua. Sirva en un vaso bien frío y decore con 1 rodaja de lima. **Para 1 persona**

356. Novia: Agite 2 medidas de ginebra, 2 de Dubonnet, 1 de aguardiente de cereza y 1 de zumo de naranja con hielo hasta que se condense agua. Sirva en una copa de cóctel. **Para 1 persona**

357. El deseo de la viuda: Agite enérgicamente 2 medidas de bénédictine y 1 huevo con hielo hasta que se condense agua. Sirva en un vaso pequeño bien frío. Rellene con nata líquida. **Para 1 persona**

 (358) # Cóctel de absenta

La absenta, un digestivo elaborado a partir del ajenjo, fue base de muchos cócteles, pero dejó de producirse en 1915, cuando se prohibió porque se creía que al combinarla con otras bebidas alcohólicas producía daños cerebrales. Si lo desea, puede sustituirla por cualquier pastis, como el Pernod o el Ricard.

Para 1 persona
1 medida de ginebra
1 medida de Pernod
1 golpe de angostura
1 golpe de jarabe de azúcar
4-6 cubitos de hielo picados

1 Agite enérgicamente todos los ingredientes con hielo hasta que se condense agua en el exterior de la coctelera.

2 Sirva en un vaso o copa medianos bien fríos.

Naranja en flor

Algunos zumos de naranja dejan un sabor muy amargo en la boca. Evítelos en los cócteles, ya que potencian demasiado el sabor de las espirituosas.

Para 1 persona
1 medida de ginebra
1/2 medida de zumo de naranja recién exprimido
1/2 medida de Cointreau
1/4 de medida de vermut seco
hielo picado

1 Agite enérgicamente todos los ingredientes con hielo hasta que se condense agua en el exterior de la coctelera.
2 Sirva en una copa de cóctel bien fría.

Estrella azul

Un combinado de notable belleza, especial para los amantes del Lillet, un aperitivo francés elaborado a base de vino blanco o rosado, Armagnac, hierbas y frutas.

Para 2 personas
2/3 de medida de curaçao azul
2/3 de medida de ginebra
1 medida de Lillet
hielo triturado
rodajas de lima

1 Agite los tres licores con hielo hasta que se condense agua en el exterior de la coctelera.
2 Sirva en copas de cóctel poco profundas y decore con las rodajas de lima.

Bronx

Al igual que la isla de Manhattan, el barrio neoyorquino del Bronx (así como el río homónimo) ha sido inmortalizado en los bares de cócteles de todo el mundo.

Para 1 persona
2 medidas de ginebra
1 medida de zumo de naranja
1/2 medida de vermut seco
1/2 medida de vermut dulce
hielo picado

1 Ponga todos los ingredientes con el hielo en un vaso mezclador.
2 Remueva bien. Sirva en una copa de cóctel bien fría.

Azahar

Durante los años de la «ley seca» en Estados Unidos, la ginebra se producía literalmente en bañeras caseras, y posteriormente se le solía agregar zumo de naranja fresco con el fin de disimular su pésimo sabor. Elaborado con ginebra de primera calidad, este combinado resulta delicioso y refrescante.

Para 1 persona
2 medidas de ginebra
2 medidas de zumo de naranja
cubitos de hielo picado
1 rodaja de naranja, para decorar

1 Agite enérgicamente la ginebra y el zumo de naranja con hielo hasta que se condense agua en el exterior de la coctelera.
2 Sirva en una copa de cóctel bien fría y decore con la rodaja de naranja.

363. Flor de azahar hawaiana: Agite enérgicamente 2 medidas de ginebra, 1 de triple seco, 2 de zumo de naranja y 1 de zumo de piña con hielo hasta que se condense agua. Sirva en una copa de vino bien fría. **Para 1 persona**

364. Flor de azahar de Kentucky: Agite enérgicamente 2 medidas de bourbon, 1 de zumo de naranja y $^1/_2$ de triple seco con hielo hasta que se condense agua. Sirva en una copa de cóctel bien fría y decore con una rodaja de naranja. **Para 1 persona**

365. Flor de magnolia: Agite enérgicamente 2 medidas de ginebra, 1 de zumo de limón y 1 de nata líquida con hielo hasta que se condense agua. Sirva en una copa de cóctel bien fría. **Para 1 persona**

366. Flor de manzano: Remueva 2 medidas de brandy, 1$^1/_2$ de zumo de manzana y $^1/_2$ cucharadita de zumo de limón con hielo en un vaso mezclador. Sirva en un vaso pequeño bien frío lleno de hielo y decore con una rodaja de limón. **Para 1 persona**

(367) # Carga de profundidad

El anís se vuelve turbio cuando se mezcla con agua, pero mantiene su transparencia cuando se combina con cualquier bebida alcohólica. Si bebe este cóctel despacio, podrá ser testigo del cambio cuando el hielo empiece a derretirse.

Para 1 persona

1 medida de ginebra
1 medida de Lillet
2 golpes de Pernod
hielo

1 Agite enérgicamente todos los ingredientes con hielo hasta que se condense agua en el exterior de la coctelera.
2 Sirva en una copa de cóctel pequeña bien fría.

(368)

Good Night Ladies

Este combinado se caracteriza por su suave aroma de albaricoque y granada, y resulta ideal para beberlo justo antes de acostarse.

Para 1 persona

$^1/_2$ medida de ginebra
$^1/_6$ de medida de aguardiente de albaricoque
$^1/_6$ de medida de granadina
$^1/_6$ de medida de zumo de limón
hielo
1 rodaja de albaricoque o melocotón, frescos

1 Agite enérgicamente con hielo todos los ingredientes salvo la fruta y sirva en una copa de cóctel.
2 Decore con la rodaja de albaricoque o melocotón ensartada en un palillo de cóctel.

Dorado amanecer

Como la dorada luz del sol naciente, el rojo brillante de la granadina se expande en este combinado a través del color naranja resultado de la primera mezcla.

Para 1 persona
$^1/_2$ medida de ginebra
$^1/_2$ medida de calvados
$^1/_2$ medida de aguardiente de albaricoque
$^1/_2$ medida de zumo de mango
hielo
1 golpe de granadina

1 Mezcle bien los cuatro primeros ingredientes con hielo.
2 Sirva en una copa de cóctel y añada la granadina lentamente, de modo que el color se extienda poco a poco.

Altos vuelos

La combinación de dos licores poco frecuentes da como resultado un cóctel muy aromático y afrutado.

Para 1 persona
$^2/_3$ de medida de ginebra
$^1/_2$ medida de strega
$^1/_2$ medida de Van der Hum
(licor sudafricano) o de triple seco
hielo
1 tira de piel de naranja o limón

1 Mezcle bien los tres primeros ingredientes con hielo y sirva en un vaso pequeño.
2 Decore con la tira de piel de naranja o limón.

Dama rosada

(371)

Los bellos tonos rosa de este combinado apenas constituyen el prólogo de su exquisito sabor.

Para 1 persona

1 medida de ginebra

1 medida de Cointreau

1/2 medida de zumo de limón

1 golpe de granadina

hielo

1 trozo de piel de mandarina

1 Agite bien con hielo todos los ingredientes excepto la piel de mandarina hasta que se condense agua en el exterior de la coctelera. Sirva en una copa alta de cóctel bien fría con un cubito de hielo en su interior.

2 Decore con la piel de mandarina.

(372)

Júpiter I

En este cóctel podrá apreciar el delicado perfume del Parfait Amour, pero no su característico color púrpura.

Para 1 persona

2 cucharaditas de Parfait Amour

2 cucharaditas de zumo de naranja

1 medida de vermut seco

1 medida de ginebra

hielo

1 espiral de piel de limón

1 Agite bien con hielo todos los ingredientes excepto la espiral de piel de limón y sirva en una copa de cóctel.

2 Decore con la ralladura de limón.

(373)

Club

Groucho Marx afirmaba que nunca pertenecería a un club que aceptara como socio a alguien como él. En cambio, entre los numerosos afiliados de este *Club* nunca se han producido bajas.

Para 1 persona
1 golpe de chartreuse amarillo
hielo picado
2 medidas de ginebra
1 medida de vermut dulce

1 Ponga el hielo en un vaso mezclador y agregue el chartreuse amarillo, la ginebra y el vermut. Remueva bien.
2 Sirva en una copa de cóctel bien fría.

374. Clover Club: Agite enérgicamente 2 medidas de ginebra, 1 medida de zumo de lima, 1 medida de granadina y 1 clara de huevo con hielo hasta que se condense agua en el exterior de la coctelera. Sirva en una copa de cóctel bien fría. **Para 1 persona**

375. Grand Royal Clover Club: Prepare un Clover Club y sustituya el zumo de lima por zumo de limón. **Para 1 persona**

376. Racquet Club: Ponga hielo en un vaso mezclador y agregue 1 golpe de amargo de naranja, 1 medida de ginebra y 1 medida de vermut seco. Remueva bien y sirva en una copa de cóctel bien fría. **Para 1 persona**

378. Fifty-fifty: Martini con igual cantidad de ginebra y vermut. **Para 1 persona**

379. Gibson: Martini, pero en lugar de con una aceituna rellena decórelo con cebollitas de cóctel. **Para 1 persona**

380. Tequini: Ponga 3 medidas de tequila blanco y $^1/_2$ de vermut seco en un vaso mezclador con hielo. Eche 1 golpe de angostura y remueva bien. Sirva en una copa de cóctel bien fría y decore con 1 espiral de piel de limón. **Para 1 persona**

381. Dirty Martini: Agite enérgicamente 3 medidas de ginebra, 1 de vermut seco y $^1/_2$ de salmuera de un tarro de aceitunas rellenas con hielo hasta que se condense agua. Sirva en una copa de cóctel bien fría y decore con 1 aceituna rellena. **Para 1 persona**

382. Saketini: Agite enérgicamente 3 medidas de ginebra y $^1/_2$ de sake con hielo hasta que se condense agua. Sirva en una copa de cóctel bien fría y decore con 1 espiral de piel de limón. **Para 1 persona**

383. Bellini Martini: Agite 1 medida de ginebra, $^1/_2$ de brandy, $^1/_2$ de puré de melocotón y 1 golpe de vermut dulce con hielo hasta que se condense agua. Sirva en una copa de Martini bien fría y decore con 1 rodaja de melocotón. **Para 1 persona**

384. Martini de chocolate: Agite 2 medidas de vodka, $^1/_4$ de crema de cacao y 2 golpes de agua de azahar con hielo hasta que se condense agua. Sirva en una copa escarchada con cacao en polvo. **Para 1 persona**

385. Montgomery: Mezcle 3 medidas de ginebra y 1 cucharadita de vermut con hielo. Sirva en 1 copa de cóctel y decore con 1 aceituna. **Para 1 persona**

(377)

Martini

Muchos consideran que el *Martini* es el cóctel perfecto. Debe su nombre a su creador, Martini de Anna de Toggia, y no a la célebre marca de vermut. Sus variaciones son infinitas, desde el original (esta misma receta) hasta el ultra seco, que se prepara enjuagando apenas la copa con vermut antes de añadir la ginebra.

Para 1 persona

3 medidas de ginebra
1 cucharadita de vermut seco, o al gusto
hielo picado
1 aceituna rellena

1 Remueva bien la ginebra y el vermut con hielo en un vaso mezclador.
2 Sirva en una copa de cóctel bien fría y decore con la aceituna.

CLASSIC

Dry Martini

Al contrario que el clásico *Martini,* este combinado contiene muy poco vermut. ¡Un purista se limitaría a balancear la botella de vermut encima de la copa!

Para 1 persona

1 medida de ginebra London Dry
1 golpe de vermut seco
1 aceituna o 1 espiral de piel de limón

1 Ponga la ginebra y el vermut en un vaso mezclador con hielo.
2 Remueva y sirva en una copa de cóctel.
3 Decore con la aceituna o con la espiral de piel de limón.

387. Martini clásico definitivo: Ponga 1 golpe de vermut helado en una copa de Martini bien fría, extiéndalo bien por toda la copa y tírelo. Añada la ginebra o el vodka. **Para 1 persona**

388. Martini legendario: Agite bien 2 medidas de vodka helado, 1 medida de crème de mure (licor de zarza-mora), 1 medida de zumo de lima recién exprimido y 1 golpe de jarabe de azúcar con hielo hasta que se condense agua. Sirva en una copa de Martini bien fría. **Para 1 persona**

389. Martinis modernos: En la actualidad, se tienden a elaborar con vodka y zumos de fruta. Por ejemplo, Martini de granada: Ponga la pulpa de 1 granada madura en la coctelera y tritúrela bien. Añada hielo, 2 medidas de vodka o ginebra, 1 golpe de jarabe de azúcar y agite bien. Sirva en una copa de Martini bien fría. También lo puede elaborar con kiwi, arándanos, pera o sandía. **Para 1 persona**

Martínez

CLASSIC

La receta original de este combinado data de 1849 y se elaboraba con Old Tom, una ginebra estadounidense, que se caracterizaba por su sabor ligeramente dulce.

Para 1 persona

2 medidas de ginebra helada
1 medida de vermut italiano
1 golpe de angostura
1 golpe de marrasquino
cubitos de hielo
1 rodaja o una espiral de piel de limón

1 Agite con hielo todos los ingredientes excepto la rodaja de limón hasta que se condense agua en el exterior de la coctelera.
2 Sirva en una copa de Martini bien fría y decore con la rodaja o la espiral de limón.

El periodista

El equilibrio entre los sabores dulces y secos es la cualidad más importante de este cóctel. Si no le saliera bien a la primera, recuerde que la práctica hace al maestro.

Para 1 persona

$1^1/_2$ medidas de ginebra
1 golpe de vermut dulce
1 golpe de vermut seco
1-2 golpes de zumo de limón recién exprimido
2 golpes de triple seco
2 golpes de angostura
hielo
1 guinda

1 Agite bien todos los ingredientes con hielo hasta que se condense agua en el exterior de la coctelera.
2 Sirva en una copa de Martini bien fría y decore con la guinda.

Karina

En este cóctel, el suave aroma cítrico del licor de mandarina predomina sobre los demás sabores.

Para 1 persona
1 medida de ginebra
$^1/_2$ medida de Dubonnet
$^1/_2$ medida de licor de mandarina
el zumo de $^1/_2$ limón
hielo

1 Mezcle bien todos los ingredientes en un vaso grande lleno de hielo hasta que se condense agua en el mismo.

Dubarry

La condesa Du Barry, amante del rey Luis XV de Francia, era célebre por su extraordinaria belleza. Así como la guillotina puso fin a su vida de manera abrupta, usted deberá tener cuidado de no perder la cabeza cuando pruebe esta deliciosa bebida.

Para 1 persona
1 golpe de Pernod
1 golpe de angostura
2 medidas de ginebra
1 medida de vermut seco
hielo
1 espiral de piel de limón

1 Remueva bien el Pernod, la angostura, la ginebra y el vermut con hielo en un vaso mezclador.
2 Sirva en una copa de cóctel bien fría y decore con la espiral de piel de limón.

394. Nell Gwynn: Remueva bien 1 medida de triple seco, 1 de schnapps de melocotón y 1 de crema de menta blanca con hielo en un vaso mezclador. Sirva en una copa de cóctel bien fría y decore con 1 espiral de piel de naranja. **Para 1 persona**

395. Wallis Simpson: Ponga 1 medida de Southern Comfort y 1 cucharadita de azúcar lustre en una flauta bien fría, y remueva bien hasta que se disuelva el azúcar. Añada 1 golpe de angostura y rellene con champán helado. Decore con 1 rodaja de naranja. **Para 1 persona**

396. Esta noche no, Josefina: Mezcle bien 1 medida de Mandarine Napoleón, 1 de Campari y 1 de brandy con hielo. Sirva en una flauta bien fría y rellene con champán helado. **Para 1 persona**

397. Mrs. Fitzherbert: Mezcle 1 medida de oporto blanco y 1 de aguardiente de cereza con hielo. Sirva en una copa de cóctel bien fría. **Para 1 persona**

Bartender

Mezclar diferentes bebidas para obtener un buen cóctel es ciertamente todo un arte. Este clásico ha permitido exhibir su talento a muchas generaciones de bármanes.

Para 1 persona

$^1/_4$ de medida de vermut seco

$^1/_4$ de medida de Dubonnet

$^1/_4$ de medida de jerez

$^1/_4$ de medida de ginebra

1 golpe de Grand Marnier

hielo

1 rodajita de mango o de piña

1 Agite bien todos los ingredientes con mucho hielo hasta que se condense agua en el exterior de la coctelera.

2 Sirva en una copa de cóctel y decore con la fruta.

Inca

Los incas, adoradores del sol, llamaban al oro «sudor del sol». El legendario oro perdido de ese pueblo inspiró el nombre de esta dorada bebida.

Para 1 persona

1 medida de ginebra

1 medida de vermut dulce

1 medida de jerez seco

1 golpe de orgeat

1 golpe de amargo de naranja

1 Ponga todos los ingredientes en una copa y remueva bien. No es necesario servir este cóctel demasiado frío.

(400)

Fantasma rosa

Esta clásica combinación de ginebra con Noilly Prat (vermut francés muy seco) se endulza con granadina y posee un fuerte toque a absenta.

Para 1 persona

$^1/_2$ medida de ginebra seca

$^1/_2$ medida de Noilly Prat

2 golpes de granadina

2 golpes de absenta

hielo

zumo de limón

1 Mezcle los cuatro primeros ingredientes con hielo, sirva en una copa de cóctel y agregue un chorrito de zumo de limón.

Salomé

Un oscuro y misterioso cóctel, igual que una bailarina árabe.

Para 1 persona
¹/₃ de medida de ginebra
¹/₃ de medida de Dubonnet
¹/₃ de medida de vermut seco
1 cereza o 1 pacana

1 Mezcle los tres primeros ingredientes y sirva en una copa de cóctel bien fría.
2 Decore con la cereza o con la pacana.

402

Negroni

Este aristocrático cóctel fue inventado por el conde Negroni en el bar Giacosa de Florencia, aunque desde entonces han variado las proporciones de ginebra y Campari.

Para 1 persona
6 cubitos de hielo picados
1 medida de ginebra
1 medida de Campari
¹/₂ medida de vermut dulce
un espiral de piel de naranja

1 Ponga el hielo en un vaso mezclador.
2 Añada la ginebra, el Campari y el vermut, y remueva bien.
3 Sirva en un vaso bien frío y decore con la espiral de naranja.

403. Garañón italiano: Ponga 4-6 cubitos de hielo en un vaso mezclador. Añada 1 golpe de angostura, 2 medidas de bourbon, 1 de Campari y ¹/₂ de vermut dulce. Remueva bien, sirva en una copa de cóctel bien fría y decore con 1 tira de piel de limón. **Para 1 persona**

404. Vodka genovés: Agite enérgicamente 2 medidas de vodka, 1 de Campari y 3 de zumo de naranja con hielo hasta que se condense agua en el exterior de la coctelera. Sirva en un vaso pequeño bien frío. Decore con 1 rodaja de naranja. **Para 1 persona**

405. Rosita: Ponga 4-6 cubitos de hielo en un vaso mezclador. Agregue 2 medidas de Campari, 2 de tequila blanco, ¹/₂ de vermut seco y ¹/₂ de vermut dulce. Remueva bien, sirva en un vaso pequeño bien frío y decore con 1 tira de piel de limón. **Para 1 persona**

Mah-Jong

Si bebe demasiadas copas de este cóctel no será capaz de jugar ni a las damas chinas, ¡ni a ninguna otra cosa!

Para 1 persona

1 medida de ginebra
$1/4$ de medida de Cointreau
$1/4$ de medida de ron blanco
hielo
1 espiral de piel de naranja

1 Remueva todos los ingredientes con hielo en un vaso mezclador y sirva en una copa de cóctel pequeña y bien fría.
2 Decore con la espiral de piel de naranja.

407 # Corazón de naranja

Así como el pájaro americano llamado «azulillo» posee un plumaje azul y naranja, puede preparar este cóctel de sabor agridulce y no demasiado fuerte con curaçao azul o naranja, para variar su color.

Para 1 persona

1 medida de ginebra
3-4 golpes de angostura
1-2 cucharaditas de curaçao azul o naranja
1 cereza marrasquino con el rabillo

1 Agite todos los ingredientes con hielo y sirva en una copa de cóctel pequeña.
2 Decore con la cereza.

(408) # Especial Jockey Club

Un cóctel muy corto que deja un fuerte sabor en la boca, aunque también puede alargarlo sirviéndolo *on the rocks.*

Para 1 persona
1 medida de ginebra
$^1/_2$ medida de crema de noyeau
(licor de almendra)
1 chorrito de zumo de limón
2 golpes de amargo de naranja
2 golpes de angostura
hielo

1 Mezcle bien todos los ingredientes con hielo y sirva en una copa de cóctel.

 # Relax

Un cóctel con mucho hielo que le servirá para relajarse y para combatir el estrés de la jornada.

Para 1 persona
1 medida de ginebra helada
¹/₂ medida de chartreuse verde helado
¹/₂ medida de zumo de lima frío
1 golpe de absenta helada
jarabe de goma al gusto
hielo
1 rodaja de lima

1 Mezcle bien todos los ingredientes con hielo hasta que se condense agua en el exterior del vaso mezclador.
2 Sirva en una copa de cóctel pequeña llena de hielo triturado y decore con la rodaja de lima.

 # Aires de primavera

La primavera está al caer y con este cóctel se contagiará de la energía que caracteriza a esta época del año.

Para 1 persona
1 medida de ginebra
1 medida de sirope de lima
¹/₂ medida de chartreuse verde
1 cubito de hielo
1 espiral de piel de lima

1 Remueva todos los ingredientes con hielo en un vaso mezclador y sirva en una copa de cóctel bien fría.
2 Añada 1 cubito de hielo y decore con la espiral de piel de lima.

 # Luciérnaga

Una bebida ligera y espumosa que presenta una apariencia delicada e inocente...
Pero no se deje engañar por su aspecto, pues contiene tres espirituosos diferentes.

Para 1 persona
1 medida de ginebra
¹/₂ medida de tequila
¹/₂ medida de curaçao naranja seco
¹/₂ medida de zumo de limón
1 golpe de clara de huevo
hielo
1 tira de piel de limón o naranja

1 Agite bien todos los ingredientes con hielo hasta que se condense agua en el exterior de la coctelera.
2 Sirva en una copa de cóctel bien fría y decore con la tira de piel de cítrico.

413. Dama verde: Agite enérgicamente 2 medidas de ginebra, 1 de chartreuse verde y 1 golpe de zumo de lima con hielo hasta que se condense agua. Sirva en una copa de cóctel bien fría. **Para 1 persona**

414. Dama criolla: Remueva 2 medidas de bourbon, 1$^1\!/_2$ de madeira y 1 cucharadita de granadina con hielo en un vaso mezclador. Sirva en una copa de cóctel bien fría y decore con guindas. **Para 1 persona**

415. Dama: Agite 2 medidas de ginebra, 1 de aguardiente de melocotón, 1 de zumo de limón y 1 cucharadita de clara de huevo con hielo hasta que se condense agua. Sirva en una copa de cóctel bien fría. **Para 1 persona**

416. Dama azul: Agite 2$^1\!/_2$ medidas de curaçao azul, 1 de crema de cacao blanca y 1 de nata líquida con hielo hasta que se condense agua. Sirva en una copa de cóctel bien fría.
Para 1 persona

417. Dama sospechosa: Agite 3 medidas de tequila, 1 de aguardiente de manzana, 1 de zumo de arándano y 1 golpe de zumo de lima con hielo hasta que se condense agua. Sirva en una copa de cóctel bien fría. **Para 1 persona**

418. Dama alegre: Agite enérgicamente 2 medidas de ginebra, 1 de zumo de naranja, 1 de zumo de lima, 1 clara de huevo y 1 golpe de licor de fresa con hielo. Sirva en una copa de cóctel bien fría. **Para 1 persona**

(412)

Dama blanca

CLASSIC

Simple, elegante, sutil y mucho más potente de lo que aparenta, éste es el combinado más indicado para servir en una cena veraniega al aire libre.

Para 1 persona
2 medidas de ginebra
1 medida de triple seco
1 medida de zumo de limón
hielo picado

1 Agite enérgicamente la ginebra, el triple seco y el zumo de limón con hielo hasta que se condense agua en el exterior de la coctelera.
2 Sirva en una copa de cóctel bien fría.

(419)

Alexander

Una cremosa bebida a base de ginebra, con sabor a chocolate y cubierta con nuez moscada molida.

Para 1 persona

1 medida de ginebra
1 medida de crema de cacao
1 medida de nata líquida
hielo picado
nuez moscada recién molida, para decorar

1 Agite enérgicamente todos los ingredientes con hielo hasta que se condense agua en el exterior de la coctelera.
2 Sirva en una copa de cóctel bien fría y espolvoree un poco de nuez moscada por encima.

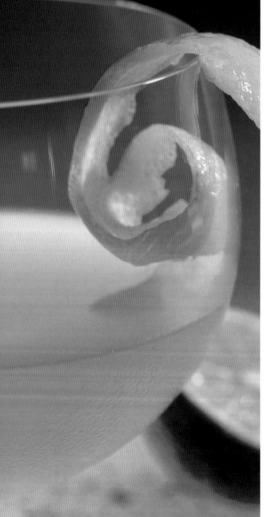

(420)

¡Qué diablos!

Esta sencilla pero deliciosa pócima le levantará el ánimo cuando se encuentre en un callejón sin salida o cuando parezca que todo va mal.

Para 1 persona

hielo picado
1 golpe de zumo de lima
1 medida de ginebra
1 medida de aguardiente de albaricoque
1 medida de vermut seco
1 espiral de piel de limón

1 Ponga el hielo en un vaso mezclador.
2 Agregue el zumo de lima, la ginebra, el aguardiente de albaricoque y el vermut.
3 Remueva bien.
4 Sirva en una copa de cóctel bien fría y decore con la espiral de piel de limón.

421. ¿Por qué no?: Ponga hielo picado en un vaso mezclador. Agregue 1 golpe de zumo de limón, 2 medidas de ginebra, 1 de aguardiente de melocotón y 1 de Noilly Prat. Remueva bien y sirva en una copa de cóctel bien fría. **Para 1 persona**

422. ¿Eso es todo?: Agite 2 medidas de vodka de limón, 1 de triple seco, 1 de zumo de limón y 1 clara de huevo con hielo hasta que se condense agua en el exterior de la coctelera. Sirva en una copa de cóctel bien fría. **Para 1 persona**

423. ¡Qué diantre!: Ponga 2 medidas de ginebra en un vaso bajo resistente al calor y agregue 1$^{1}/_{2}$ cucharaditas de azúcar lustre. Rellene con agua caliente. **Para 1 persona**

424. Así es: Agite enérgicamente 2 medidas de ginebra, 1 de triple seco, 1 de zumo de limón y 1 clara de huevo con hielo hasta que se condense agua en el exterior de la coctelera. Sirva en una copa de cóctel bien fría. **Para 1 persona**

Relámpago

Puede preparar este combinado con ginebra o con vodka, pero en cualquier caso los licores deben estar bien fríos. Sugerencia: no lo remueva, deje que el kümmel se vaya hundiendo lentamente en la ginebra.

Para 1 persona

1 medida de ginebra o vodka, helados
1 medida de kümmel helado

1 Llene un vaso tipo *old-fashioned* o *tumbler* con hielo y agregue la ginebra o el vodka.
2 Incorpore el kümmel lentamente y beba el combinado antes de que este último licor se mezcle demasiado con el primero.

Vísperas

Una receta especial para disfrutar en soledad y sin prisas.

Para 1 persona

1¹/₂ medidas de ginebra helada
1 medida de vodka helado
¹/₂ medida de vermut seco o Lillet
hielo
1 tira de piel de limón

1 Agite los tres primeros ingredientes con hielo hasta que se condense agua en el exterior de la coctelera.
2 Sirva en una copa de Martini helada.
3 Decore con la tira de piel de limón.

 Balalaika

En este refrescante combinado puede variar las proporciones de limón y adaptarlas a su gusto.

Para 1 persona
$^1/_2$ medida de vodka bien frío
$^1/_4$ de medida de Cointreau bien frío
$^1/_4$ de medida de zumo de limón recién exprimido
1 rodaja de limón
1 cubito de hielo

1 Vierta los tres primeros ingredientes en una copa de cóctel pequeña.
2 Remueva suavemente y añada la rodaja de limón y el cubito.

 Vodkatini

Para elaborar sus Martinis, James Bond, el agente 007, empleaba vodka en lugar de ginebra. Desde entonces, el delicioso *Vodkatini* se ha convertido en una célebre y glamurosa bebida.

Para 1 persona
1 medida de vodka
hielo
1 golpe de vermut seco
1 aceituna o 1 tira de piel de limón

1 Vierta el vodka en un vaso mezclador lleno de hielo.
2 Añada el vermut, remueva bien y sirva en una copa de cóctel.
3 Decore con la aceituna o la tira de piel de limón.

 Caipirinha y Caipiroska

Los «caipis» resultan muy refrescantes y figuran entre los cócteles más populares de todo el mundo. La *Caipirinha* brasileña es la original, pero con posterioridad surgieron incontables variantes. Si la encuentra demasiado agria, añada más azúcar.

Para 1 persona
1 lima dividida en 6 gajos
3 cucharaditas de azúcar lustre
2 medidas de vodka (para la Caipiroska)
o de cachaça (para la Caipirinha)
hielo triturado o picado

1 Ponga los gajos de lima y el azúcar en el fondo de un vaso y cháfelos de modo que el zumo de lima y el azúcar se mezclen bien.
2 Agregue el vodka o la cachaça y rellene con hielo. Si desea aumentar su fuerza, beba con una pajita.

(430)

Peach Floyd

En el vaso adecuado, este cóctel tiene una apariencia extraordinaria. Sin embargo, se trata de un *shot,* y como tal ha de ingerirse de un solo trago, de modo que utilice vasos pequeños y bebidas bien frías.

Para 1 persona

1 medida de schnapps de melocotón frío

1 medida de vodka frío

1 medida de zumo de arándanos blancos y melocotón, frío

1 medida de zumo de arándanos frío

1 Mezcle bien todos los ingredientes con hielo y sirva en un vaso tipo *shot.*

(431)

Vodka Zip

Este combinado debe servirse bien frío, sobre hielo preferiblemente.

Para 1 persona

2 medidas de vodka

1 medida de zumo de limón recién exprimido

1 cucharada grande de hielo triturado

1 tira de piel de limón

1 Agite el vodka y el zumo de limón con la mitad del hielo triturado hasta que se condense agua en el exterior de la coctelera.

2 Sirva en una copa de vino o una de cóctel grande bien fría, llena de hielo triturado

3 Decore con la tira de piel de limón.

 # Metropolitan

El *Metropolitan* original se elaboraba con ginebra, pero desde hace unos años se ha sustituido por vodka. El zumo de arándanos es también una adición reciente.

Para 1 persona
2 medidas de vodka Absolut Kurrant
1 medida de triple seco
1 medida de zumo de lima recién exprimido
1 medida de zumo de arándanos
1 tira de piel de naranja

1 Agite bien todos los ingredientes con hielo hasta que se condense agua en el exterior de la coctelera.
2 Sirva en una copa de cóctel bien fría.
3 Decore con la tira de piel de naranja.

 # Ruso negro y Ruso blanco

Prepare estos cócteles con un licor de café, como Tia Maria o Kahlúa. El *Ruso blanco*, al que se le agrega nata líquida o leche, se ha convertido en un clásico desde que «El Nota» lo consumiera a litros en la película *El Gran Lebowski*.

Para 1 persona
2 medidas de vodka
1 medida de licor de café
4-6 cubitos de hielo picado
$^1/_2$ medida de nata líquida o 1 medida de leche (sólo para el Ruso blanco)

1 Vierta el vodka y el licor de café en un vaso pequeño tipo *highball* bien frío lleno de hielo.
2 Para el Ruso blanco, agregue la nata líquida o la leche cuidadosamente sobre el dorso de una cuchara.
3 Remueva despacio.

Rule Britannia

Un cóctel pequeño e ingenioso, que destaca por los cubitos de hielo azul. Eso sí, necesitará prepararlos con algunas horas de antelación.

Para 1 persona
curaçao azul
$^1/_4$ de medida de Campari
$^1/_2$ medida de vodka
$^1/_4$ de medida de zumo de pomelo rosado
hielo

1 Prepare dos cubitos de hielo mezclando 1-2 cucharadas de agua con 1-2 cucharaditas de curaçao azul.
2 Ponga en el congelador con suficiente antelación.
3 Agite el resto de ingredientes con hielo.
4 Sirva en una copa de cóctel bien fría y añada un cubito en el último momento.

El ausente

(435)

Como su nombre indica, no tardará usted mucho en ausentarse si bebe demasiadas copas de este combinado durante la noche.

Para 1 persona
1 medida de licor de melón helado
¹/₂ medida de zumo de lima bien frío
¹/₂ medida de vodka helado
¹/₂ medida de ron blanco helado
hielo

1 Mezcle brevemente todos los ingredientes con hielo y sirva en una copa de cóctel bien fría.

Spray

(436)

Si no encuentra vodka de frambuesa, puede prepararlo usted mismo macerando unas 10 frambuesas en una botella de vodka durante aproximadamente 12 horas. Retire la fruta y ya tendrá listo el vodka.

Para 1 persona
1 medida de vodka de frambuesa
¹/₂ medida de jarabe de frambuesa
¹/₂ medida de Cointreau
³/₄ de medida de zumo de arándanos
2 golpes de angostura
1 golpe de sirope de lima
hielo
1 frambuesa fresca

1 Agite todos los ingredientes con hielo hasta que se condense agua en el exterior de la coctelera.
2 Sirva en una copa de Martini bien fría.
3 Decore con la frambuesa.

Frambuesa plateada

(437)

Esta bebida resulta perfecta para una ocasión muy especial, aunque su potencia no le permitirá ingerir grandes cantidades.

Para 1 persona
1 medida de vodka de frambuesa helado
1 medida de crema de casis helada
1 medida de Cointreau helado
hojuelas plateadas comestibles,
o 1 frambuesa congelada

1 En un vaso tipo *shot* bien frío, sirva cuidadosamente tres capas con los tres licores en el orden dado. (Deben estar muy fríos, y puede que requieran de un poco de tiempo para asentarse bien.)
2 Decore con las hojuelas o la frambuesa.

Thunderbird

Déjese llevar por el perfume embriagador de los ingredientes de esta deliciosa y helada bebida.

Para 1 persona
2 medidas de vodka helado
1 golpe de Parfait Amour
1 golpe de casis
1 tira de piel de naranja
1 pétalo de rosa o de violeta

1 Vierta el vodka en una copa de Martini bien fría.
2 Agregue el resto de los ingredientes y remueva sólo una vez.
3 Decore con la piel de naranja y el pétalo de flor.

Full Monty

La expresión inglesa *full monty,* que dio nombre a la célebre película británica, significa algo así como «ir a por todas». No es necesario que haga un *striptease* al preparar este cóctel, aunque allá cada cual.

Para 1 persona
1 medida de vodka
1 medida de galliano
hielo picado
raíz de ginseng rallada, para decorar
(utilice raíz de jengibre si no tiene ginseng)

1 Agite enérgicamente el vodka y el galliano con hielo hasta que se condense agua en el exterior de la coctelera.
2 Sirva en una copa de cóctel bien fría y espolvoree con el ginseng rallado.

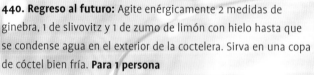

440. Regreso al futuro: Agite enérgicamente 2 medidas de ginebra, 1 de slivovitz y 1 de zumo de limón con hielo hasta que se condense agua en el exterior de la coctelera. Sirva en una copa de cóctel bien fría. **Para 1 persona**

441. Guerra de las Galaxias: Agite enérgicamente 2 medidas de ginebra, 2 de zumo de limón, 1 de galliano y 1 de crema de noyeau (licor de almendra) con hielo hasta que se condense agua. Sirva en una copa de cóctel bien fría. **Para 1 persona**

442. Titanic: Agite enérgicamente 3 medidas de licor de mandarina y 2 de vodka con hielo hasta que se condense agua en el exterior de la coctelera. Sirva en un vaso bien frío lleno de hielo picado y rellene con agua con gas. **Para 1 persona**

443. El último mango en París: Pase por la batidora 2 medidas de vodka, 1 de framboise (jarabe de frambuesa), 1 de zumo de lima, $1/2$ mango pelado y deshuesado, y 2 fresas cortadas por la mitad, hasta obtener una textura homogénea. Sirva en una copa de vino bien fría y decore con 1 rodaja de lima y 1 fresa. **Para 1 persona**

Belleza negra

Si desea experimentar una drástica y sutil variación en el color y sabor de este cóctel, pruébelo con uno de los vodkas negros que recientemente han salido al mercado.

Para 1 persona

2 medidas de vodka

1 medida de sambuca negro

1 aceituna negra

1 Remueva el vodka y el sambuca con hielo hasta que se condense agua en el exterior del vaso mezclador.

2 Sirva en una copa de Martini bien fría y decore con la aceituna.

Frambuesini

Este veraniego combinado le hará olvidar todas sus preocupaciones.

Para 1 persona

30 g de frambuesas

1 cucharada de azúcar lustre

1-2 gotas de zumo de limón

1 golpe de jarabe de frambuesa

cubitos de hielo

2 medidas de vodka helado

1 Reserve 2-3 frambuesas para decorar.

2 En un bol, triture el resto de las frambuesas y añada el azúcar, el zumo de limón y el jarabe de frambuesa.

3 Remueva bien.

4 Sirva el vodka en una copa de cóctel bien fría, añada el puré de frambuesa y decore con 2-3 frambuesas.

446. Fresini: Igual, pero con jarabe de fresa en vez de frambuesa y con zumo de lima. **Para 1 persona**

447. Zarzamorini: Igual, pero utilizando casis en lugar de jarabe de fresa. **Para 1 persona**

Vestido de lunares

Un nombre sugerente para un cóctel divertido. Su sabor resulta delicioso, aunque tal vez desee agregarle un poco de azúcar.

Para 1 persona

2 medidas de vodka

1 medida de ron blanco

1 medida de leche fría

el zumo de $1/2$ limón

hielo

1 granadilla madura

1 rodaja de limón

1 Agite los cuatro primeros ingredientes con hielo hasta que se condense agua en el exterior de la coctelera.

2 Sirva en una copa de cóctel de tamaño medio bien fría y añada los granos de la granadilla enteros justo antes de consumir.

3 Decore con la rodaja de limón.

Amor perfecto

El nombre de este combinado viene del delicioso y exótico licor francés de pétalos de rosa, almendras y vainilla.

Para 1 persona

1 medida de vodka

$1/2$ medida de Parfait Amour

$1/2$ medida de marrasquino

1 cucharada grande de hielo triturado

1 Agite todos los ingredientes con hielo hasta que se condense agua en el exterior de la coctelera.

2 Sirva en un vaso alto bien frío lleno de hielo.

99-Park Lane

Park Lane es el nombre de una de las calles más célebres y prestigiosas de Londres. El filántropo judío Moisés Montefiore vivió durante sesenta años en el número 99.

Para 1 persona
1 medida de vodka
1 medida de Cointreau
2 medidas de zumo de naranja
1 clara de huevo pequeño
cubitos de hielo
¹/₂ medida de crema de menta verde

1 Agite los cuatro primeros ingredientes con hielo triturado.
2 Sirva en una copa de cóctel mediana llena de hielo picado hasta la mitad.
3 Rocíe con la crema de menta verde.

Anuschka

El sambuca se elabora a partir de regaliz y, al combinarlo con un poco de licor de zarzamora y vodka helado, se obtiene un estupendo cóctel.

Para 1 persona
1 medida de vodka helado
1 golpe de sambuca negro
1 golpe de crème de mure
(licor de zarzamora)
unas zarzamoras

1 Vierta el vodka en un vaso tipo *shot* bien frío.
2 Añada el sambuca y luego el licor de zarzamora.
3 Decore con unas zarzamoras, frescas o congeladas.

 452

Cocodrilo

Éste es un cóctel muy energético y un poco mordaz. Sin embargo, parece que su nombre se debe más bien al espectacular color verde que le confiere el midori, un licor japonés con sabor a melón.

Para 1 persona

2 medidas de vodka

1 medida de triple seco

1 medida de midori

2 medidas de zumo de limón

cubitos de hielo picado

1 Agite enérgicamente el vodka, el triple seco, el midori y el zumo de limón con hielo hasta que se condense agua en el exterior de la coctelera.

2 Sirva en una copa de cóctel bien fría.

453. Caimán: Agite enérgicamente 2 medidas de vodka, 1 medida de midori, $1/2$ medida de vermut seco y $1/4$ de cucharadita de zumo de limón con hielo hasta que se condense agua en el exterior de la coctelera. Sirva en una copa de cóctel bien fría. **Para 1 persona**

454. Melon Ball: Mezcle bien 2 medidas de vodka, 2 medidas de midori y 4 medidas de zumo de piña con hielo. Sirva en un vaso tipo *tumbler* bien frío lleno de hielo hasta la mitad y decore con 1 rodajita de melón. **Para 1 persona**

455. Melon State Ball: Agite enérgicamente 2 medidas de vodka, 1 medida de midori y 2 medidas de zumo de naranja con hielo hasta que se condense agua en el exterior de la coctelera. Sirva en una copa de cóctel bien fría. **Para 1 persona**

 456

Golden Tang

Este delicioso y refrescante combinado reúne los colores del verano con los sabores de las frutas y hierbas otoñales.

Para 1 persona

2 medidas de vodka

1 medida de strega

$1/2$ medida de crema de plátano

$1/2$ medida de zumo concentrado de naranja

hielo picado

1 guinda y 1 rodaja de naranja

1 Agite los cuatro primeros ingredientes con hielo hasta que se condense agua en el exterior de la coctelera.

2 Sirva en un vaso bien frío y decore con la guinda y la rodaja de naranja.

Harvey Wallbanger

CLASSIC

(457)

Este clásico resulta espectacular en una fiesta. Hágalo fuerte al principio, alárguelo en el transcurso de la noche... o prepárelo también sin alcohol para quienes tengan que conducir... ¡Satisfará a todos por igual!

Para 1 persona
3 medidas de vodka
1 golpe de vino de jengibre, opcional
8 medidas de zumo de naranja
2 cucharaditas de galliano
cubitos de hielo
1 cereza y 1 rodaja de naranja

1 Llene un vaso tipo *highball* de hielo hasta la mitad. Añada el vodka, el zumo de naranja y el galliano. No lo remueva. (Añada vino de jengibre junto con el vodka para hacerlo más reconfortante.)
2 Decore con la cereza y la rodaja de naranja.

(458)

Pepper Pot polinesio

Preparar una bebida dulce y sazonarla con pimienta y especias puede parecer extraño, pero en la antigua tradición culinaria polinesia se realza de esta forma el sabor ligeramente acre de la piña.

Para 1 persona
2 medidas de vodka
1 medida de ron dorado
4 medidas de zumo de piña
$^{1}/_{2}$ medida de orgeat
1 cucharadita de zumo de limón
hielo picado
$^{1}/_{4}$ de cucharadita de cayena molida
1 golpe de tabasco
1 pizca de curry en polvo

1 Agite enérgicamente el vodka, el ron, el zumo de piña, el orgeat, el zumo de limón, la cayena y el tabasco con hielo hasta que se condense agua en el exterior de la coctelera.
2 Sirva en un vaso bien frío y espolvoree el curry por encima.

459. Sour polinesio: Pase por la batidora 4-6 cubitos de hielo triturados, 2 medidas de ron blanco, $^{1}/_{2}$ medida de zumo de guayaba, $^{1}/_{2}$ medida de zumo de limón y $^{1}/_{2}$ medida de zumo de naranja hasta obtener una mezcla suave. Sirva en una copa de cóctel bien fría. **Para 1 persona**

460. Polinesia: Agite 2 medidas de ron blanco, 2 medidas de zumo de granadilla, 1 medida de zumo de lima, 1 clara de huevo y 1 golpe de angostura con hielo hasta que se condense agua en el exterior de la coctelera. Sirva en una copa de cóctel bien fría. **Para 1 persona**

Affinity

CLASSIC

Algunos cócteles deben removerse y no agitarse. Para hacerlo, utilice un vaso mezclador grande con mucho hielo, que enfriará rápidamente el combinado. Después, sirva de inmediato para que los sabores se diluyan lo menos posible con el hielo derretido.

Para 1 persona
1 medida de whisky escocés
$^1/_2$ medida de vermut seco
$^1/_2$ medida de vermut rojo
2 golpes de angostura
unos cubitos de hielo

1 Ponga los ingredientes en un vaso mezclador con hielo en el orden dado.
2 Remueva con una cucharilla de mango largo.
3 Sirva en una copa de cóctel bien fría.

Loch Lomond

CLASSIC

El jarabe de goma se empleaba antes de la aparición de bebidas como la cerveza de jengibre o la tónica para alargar cócteles, de modo que tal vez sea el origen de todas ellas.

Para 1 persona
$1^1/_2$ medidas de whisky escocés
1 medida de jarabe de goma
3 golpes de angostura
hielo

1 Agite bien todos los ingredientes con hielo y sirva en una copa de cóctel o un vaso pequeño.

Barbacana

Para preparar estos cubitos de hielo especiales, basta con mezclar las semillas de la granadilla con un poco de zumo de limón y agua, y ponerlo en el congelador la noche anterior. Sin lugar a dudas, despertarán la admiración de sus invitados.

Para 1 persona
2 medidas de whisky escocés
$^1/_4$ de medida de Drambuie
el zumo de $^1/_2$ granadilla, sin las semillas
cubitos de hielo especiales con semillas de granadilla

1 Agite los tres primeros ingredientes con hielo hasta que se condense agua en el exterior de la coctelera.
2 Sirva en una copa de cóctel bien fría.
3 Decore con los cubitos de hielo.

Highland Fling

El *blended whisky* es el resultado de una combinación de diversos tipos de whisky. Es el más adecuado para elaborar cócteles. El whisky puro de malta resulta mucho mejor si se bebe solo o con un poco de agua.

Para 1 persona
hielo picado
1 golpe de angostura
2 medidas de whisky escocés
1 medida de vermut dulce
una aceituna rellena

1 Ponga el hielo en un vaso mezclador y agregue la angostura, el whisky y el vermut.
2 Remueva y sirva en un vaso bien frío.
3 Decore con la aceituna.

465. Cardo: Ponga 4-6 cubitos de hielo picado en un vaso mezclador. Agregue 1 golpe de angostura, 2 medidas de whisky escocés y 1$^1/_2$ medidas de vermut dulce. Remueva y sirva en una copa de cóctel bien fría. **Para 1 persona**

466. Beadlestone: Ponga 4-6 cubitos de hielo picado en un vaso mezclador. Agregue 2 medidas de whisky escocés y 1$^1/_2$ medidas de vermut seco. Remueva bien y sirva en una copa de cóctel bien fría. **Para 1 persona**

467. Escocés errante: Pase por la batidora 4-6 cubitos de hielo triturado, 1 golpe de angostura, 2 medidas de whisky escocés, 1 medida de vermut dulce y $^1/_4$ de cucharadita de jarabe de azúcar hasta obtener un granizado. Sirva en un vaso pequeño bien frío. **Para 1 persona**

 468 # Clavo oxidado

Uno de los grandes cócteles clásicos, muy sencillo de preparar. Siempre debe servirse *on the rocks*.

Para 1 persona
hielo picado
1 medida de whisky escocés
1 medida de Drambuie

1 Llene un vaso tipo *old-fashioned* de hielo.
2 Agregue el whisky y el Drambuie, y remueva bien.

 469

Robbie Burns

Robbie Burns, el poeta nacional de Escocia, escribió que «El whisky y la libertad van siempre cogidos de la mano». Su aniversario se celebra el 25 de enero, pero el cóctel que lleva su nombre resulta demasiado bueno como para beberlo sólo en esa fecha.

Para 1 persona
$^1/_2$ medida de vermut dulce
$^1/_2$ medida de whisky escocés
$^1/_4$ de medida de bénédictine
ralladura de piel de limón muy fina

1 Agite suavemente los líquidos y sirva en una copa o vaso pequeños a temperatura ambiente.
2 Espolvoree con un poco de ralladura de limón.

Whisky Mac

Este cóctel clásico se consume como bebida de invierno, que calienta a quien la bebe, de modo que no caiga en la tentación de añadirle hielo.

Para 1 persona
1¹/₂ medidas de whisky escocés
1 medida de vino de jengibre

1 Sirva los ingredientes con cuidado en un vaso tipo *old-fashioned*. Deje que se mezclen por sí solos, no remueva.

El Padrino

El amaretto es un licor italiano, de modo que la inspiración para este cóctel bien pudiera provenir de Don Corleone, el famoso padrino de la novela de Mario Puzo, cuyo papel fue interpretado de forma magistral por Marlon Brando para la gran pantalla.

Para 1 persona
hielo picado
2 medidas de whisky escocés
1 medida de amaretto

1 Llene un vaso tipo *highball* bien frío con hielo picado.
2 Agregue el whisky y el amaretto, y remueva bien.

472. La madrina: Ponga 4-6 cubitos de hielo en un vaso pequeño bien frío. Agregue 2 medidas de vodka y 1 medida de amaretto. Remueva bien. **Para 1 persona**

473. Los ahijados: Pase por la batidora 4-6 cubitos de hielo triturado, 1¹/₂ medidas de amaretto, 1 medida de vodka y 1 medida de nata líquida hasta obtener un granizado. Sirva en una flauta helada. **Para 1 persona**

474. La ahijada: Pase por la batidora 4-6 cubitos de hielo triturado, 2 medidas de aguardiente de manzana, 1 medida de amaretto y 1 cucharada de salsa de manzana hasta obtener un granizado. Sirva en una copa de vino bien fría, espolvoree con canela molida y beba con una pajita. **Para 1 persona**

475. El ahijado: Ponga 4-6 cubitos de hielo picado en un vaso bien frío. Agregue 2 medidas de amaretto y rellene con zumo de naranja. Mezcle bien y decore con 1 rodaja de naranja. **Para 1 persona**

 # Los Ángeles

No se sabe por qué este estimulante combinado ostenta el nombre de la ciudad californiana. ¡Tal vez cuando se beben demasiadas copas la tierra empieza a temblar!

Para 1 persona
2 medidas de whisky escocés
1 medida de zumo de limón
1 huevo
1 golpe de vermut dulce
hielo picado

1 Agite todos los ingredientes con hielo hasta que se condense agua en el exterior de la coctelera.
2 Sirva en una copa de cóctel bien fría.

 # Brooklyn

Emplee Amer Picon, un aperitivo amargo francés aromatizado con naranja y genciana, para proporcionar a este combinado su inusual sabor agridulce.

Para 1 persona
1 medida de whisky de centeno (rye)
1/2 medida de vermut dulce
1 golpe de marrasquino
1 golpe de Amer Picon o de angostura
1 guinda

1 Remueva todos los ingredientes con hielo hasta que se condense agua en el exterior del vaso mezclador y sirva en una copa de cóctel bien fría.
2 Decore con la guinda.

 # Neoyorquino

El whisky predilecto de Nueva York ha inspirado numerosos cócteles. Éste es uno de los más sabrosos y rápidos de preparar.

Para 1 persona
2 medidas de Jack Daniels
1/2 medida de zumo de lima recién exprimido
1/2 medida de granadina
hielo
1 tira de piel de naranja

1 Agite los tres primeros ingredientes con hielo hasta que se condense agua en el exterior de la coctelera.
2 Sirva en una copa de cóctel bien fría y decore con la tira de piel de naranja.

(479)

Alhambra

Incluso una cantidad mínima de aguardiente de albaricoque proporciona un suave toque afrutado a este sólido cóctel.

Para 1 persona
$^1/_2$ medida de whisky escocés
$^1/_2$ medida de ron dorado
$^1/_4$ de medida de vermut dulce
$^1/_8$ de medida de aguardiente de
albaricoque
cubitos de hielo
1 cereza

1 Remueva bien los cuatro primeros ingredientes con hielo en un vaso mezclador.
2 Sirva en un vaso mediano tipo *tumbler* lleno de hielo y decore con la cereza.

(480)

Manhattan

CLASSIC

Según se dice, fue Jennie Jerome, la madre de Winston Churchill, quien ideó este cóctel, uno de tantos bautizados con nombres relativos a Nueva York.

Para 1 persona
hielo picado
1 golpe de angostura
3 medidas de whisky de centeno (rye)
1 medida de vermut dulce
1 guinda, para decorar

1 Remueva bien todos los licores con hielo en un vaso mezclador.
2 Sirva en una copa bien fría y decore con la guinda.

481. Manhattan seco: Se prepara igual que el Manhattan, pero con vermut seco y añadiendo 2 golpes de curaçao. **Para 1 persona**

482. Harlem: Agite enérgicamente 2 medidas de ginebra, 1$^1/_2$ medidas de zumo de piña, 1 cucharadita de marrasquino y 1 cucharada de piña fresca picada con hielo hasta que se condense agua en el exterior de la coctelera. Sirva en un vaso pequeño bien frío. **Para 1 persona**

483. Sonrisas en Broadway: Ponga 1 medida de triple seco helado en un vaso pequeño bien frío. Con pulso firme, añada cuidadosamente una segunda capa con 1 medida de casis helado y una tercera con Swedish Punch. No remueva. **Para 1 persona**

484. Coney Island Baby: Agite enérgicamente 2 medidas de schnapps de menta y 1 medida de crema de cacao oscura con hielo hasta que se condense agua en el exterior de la coctelera. Sirva en un vaso pequeño lleno de hielo y rellene con soda. **Para 1 persona**

Twin Peaks

El bourbon recibe su nombre de un condado de Kentucky. En su preparación se utiliza como mínimo un 51% de maíz. Se trata del whisky más popular en EE UU, donde se preparan muchos más cócteles con esta variedad que con su pariente escocés.

Para 1 persona

2 medidas de bourbon
1 medida de bénédictine
1 medida de zumo de lima
1 golpe de triple seco
hielo picado
1 rodaja de lima

1 Agite enérgicamente el bourbon, el bénédictine, el zumo de lima y el triple seco con hielo hasta que se condense agua en el exterior de la coctelera.
2 Sirva en un vaso tipo *highball* bien frío y decore con la rodaja de lima.

Tricky Dicky

Aunque los amantes del bourbon podrían pensar que en este combinado se desaprovecha su bebida favorita, cuando lo prueben se sorprenderán de lo delicioso y distinto que resulta al paladar.

Para 1 persona

1 medida de bourbon
2 golpes de crema de menta blanca
2 golpes de curaçao blanco
1 golpe de angostura
1 golpe de jarabe de goma
cubitos de hielo
hojas de menta

1 Agite con hielo todos los ingredientes excepto las hojas de menta hasta que se condense agua en el exterior de la coctelera.
2 Sirva en una copa de cóctel bien fría.
3 Decore con la menta.

Arbusto negro

El bourbon se caracteriza por su sabor cálido, rico y con un toque de roble.

Para 1 persona

$^1/_2$ medida de bourbon
$^1/_2$ medida de sloe gin
hielo
1 cereza fresca

1 Mezcle todos los ingredientes con hielo.
2 Sirva en una copa de cóctel bien fría y decore con la cereza.

488. Ferrocarril: Agite enérgicamente 2 medidas de bourbon, 1 de Southern Comfort, 1 de zumo de naranja y 1 golpe de triple seco con hielo hasta que se condense agua. Sirva en una copa de cóctel fría y decore con 1 rodaja de naranja. **Para 1 persona**

489. Reina de Memphis: Agite enérgicamente 2 medidas de bourbon, 1 de midori, 1 de zumo de melocotón y 1 golpe de marrasquino con hielo hasta que se condense agua. Sirva en una copa de cóctel fría y decore con 1 rodajita de melón. **Para 1 persona**

490. Mujer fácil: Agite enérgicamente 2 medidas de bourbon, 1 de Pernod, 1 de zumo de manzana y 1 golpe de angostura con hielo hasta que se condense agua. Sirva en una copa de cóctel fría y decore con 1 rodaja de manzana. **Para 1 persona**

491. Pasado pisado: Agite enérgicamente 2 medidas de bourbon, 1 de Drambuie, 1 de zumo de naranja y 1 golpe de amargo de naranja con hielo hasta que se condense agua. Sirva en una copa de cóctel fría y decore con 1 rodaja de naranja. **Para 1 persona**

 Ola de zarzamora

Este cóctel ha de servirse helado. Para proporcionarle un toque muy atractivo, emplee zarzamoras congeladas en lugar de cubitos de hielo.

Para 1 persona

1 medida de bourbon

1 medida de vermut seco

$1/4$ de medida de zumo de limón

$1/4$ de medida de licor de zarzamora

hielo

zarzamoras congeladas

1 Agite bien con hielo todos los ingredientes menos las zarzamoras hasta que se condense agua en el exterior de la coctelera.

2 Sirva en una copa de cóctel y agregue unas zarzamoras congeladas.

493

Dandy

El toque de fruta que se añade al final de su preparación proporciona a este combinado una cualidad especial.

Para 1 persona

¹/₂ medida de whisky de centeno (rye)

¹/₂ medida de Dubonnet

1 golpe de angostura

3 golpes de casis

hielo

unas frutas silvestres congeladas

1 Mezcle bien los cuatro primeros ingredientes con hielo y sirva en un vaso tipo *shot* bien frío.

2 Decore con las frutas silvestres.

 494

Monárquico

La relación entre los términos *bourbon* y *Borbón* es incuestionable. A Luis XVI, de la dinastía de los borbones franceses, no se le subió este cóctel a la cabeza.

Para 1 persona

1 medida de bourbon

2 medidas de vermut seco

1 medida de bénédictine

1 golpe de amargo de pera

hielo picado

1 Remueva todos los ingredientes con hielo hasta que se condense agua en el exterior del vaso mezclador.

2 Sirva en una copa de cóctel o un vaso.

Hoja de arce

Cabe esperar que un cóctel que lleva por nombre el emblema nacional de Canadá se prepare con whisky Canadian Club. Sin embargo, el nombre se debe al jarabe de arce que forma parte de la receta.

Para 1 persona
2 medidas de bourbon
1 medida de zumo de limón
1 cucharadita de jarabe de arce
hielo triturado

1 Agite todos los ingredientes con hielo hasta que se condense agua en el exterior de la coctelera.
2 Sirva en una copa de cóctel.

Rolls-Royce

No resulta demasiado sorprendente que varios cócteles deban su nombre a la lujosa marca de automóviles inglesa. Esta versión es una creación del escritor H. E. Bates, tomada de su novela *Delicia de Mayo*.

Para 1 persona
hielo picado
un golpe de amargo de naranja
2 medidas de vermut seco
1 medida de ginebra seca
1 medida de whisky escocés

1 Ponga el hielo en un vaso mezclador y agregue el amargo de naranja.
2 Añada el vermut, la ginebra y el whisky, y remueva bien.
3 Sirva en una copa de cóctel bien fría.

497. Rolls-Royce (segunda versión): Ponga 4-6 cubitos de hielo en un vaso mezclador. Agregue 3 medidas de ginebra, 1 medida de vermut seco, 1 medida de vermut dulce y $1/4$ de cucharadita de bénédictine. Remueva bien y sirva en una copa de cóctel bien fría. **Para 1 persona**

498. Rolls-Royce americano: Agite 2 medidas de brandy, 2 medidas de zumo de naranja y 1 medida de triple seco con hielo hasta que se condense agua en el exterior de la coctelera. Sirva en un vaso bien frío. **Para 1 persona**

499. Cadillac dorado: Agite enérgicamente 1 medida de triple seco, 1 medida de galliano y 1 medida de nata líquida con hielo hasta que se condense agua en el exterior de la coctelera. Sirva en una copa de cóctel bien fría. **Para 1 persona**

500

 CLASSIC

Old Fashioned

Este cóctel, que significa «chapado a la antigua», es tan universal que el vaso achatado en el que se le suele servir ha pasado a denominarse del mismo modo.

Para 1 persona

1 terrón de azúcar
1 golpe de angostura
1 cucharadita de agua
2 medidas de bourbon o whisky de centeno (rye)
hielo picado
1 espiral de piel de limón

1 Ponga el terrón de azúcar en un vaso tipo *old-fashioned* bien frío y añada la angostura y el agua.
2 Cháfelo con una cuchara. Cuando el azúcar se haya disuelto, agregue el bourbon o el whisky, y remueva.
3 Incorpore el hielo y decore con la espiral de piel de limón.

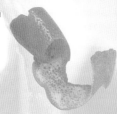

501. Old Fashioned de brandy: Siga la receta del cóctel anterior, pero sustituya el whisky por 3 medidas de brandy. **Para 1 persona**

502. Old Etonian: Remueva bien 1 golpe de crema de noyeau (licor de almendra), 1 golpe de amargo de naranja, 1 medida de ginebra y 1 medida de Lillet en un vaso mezclador con hielo picado. Sirva en una copa de cóctel bien fría y decore con 1 tira de piel de naranja. **Para 1 persona**

503. Old Pal: Agite enérgicamente 2 medidas de whisky de centeno (rye), 1^1/$_2$ medidas de Campari y 1 medida de vermut dulce con hielo hasta que se condense agua en el exterior de la coctelera. Sirva en una copa de cóctel bien fría. **Para 1 persona**

504. Old Trout: Agite enérgicamente 1 medida de Campari y 2 medidas de zumo de naranja con hielo hasta que se condense agua en el exterior de la coctelera. Sirva en un vaso alto lleno de hielo, rellene con agua con gas y decore con 1 rodaja de naranja. **Para 1 persona**

Algonquin

 (505)

 CLASSIC

Este combinado, al igual que el célebre hotel homónimo de Nueva York, destaca por su estilo y glamour.

Para 1 persona
1/2 medida de whisky de centeno (rye)
1/2 medida de vermut seco
1/4 de medida de zumo de piña
cubitos de hielo

1 Agite todos los ingredientes con hielo hasta que se condense agua en el exterior de la coctelera.
2 Sirva en un vaso tipo *old-fashioned* lleno de hielo.

Sazerac

 (506)

 CLASSIC

La mayoría de los habitantes de Nueva Orleans lo considera el mejor cóctel del mundo. Si cambia el whisky de centeno por brandy obtendrá un resultado excepcional.

Para 1 persona
cubitos de hielo
1 cucharadita de jarabe de azúcar o de azúcar granulado
3 golpes de angostura
2 medidas de whisky de centeno (rye)
1/2 cucharadita de anís
1 tira de piel de limón

1 Llene un vaso o una copa de cóctel con hielo para que se enfríe.
2 Mezcle bien el jarabe de azúcar, la angostura y el whisky.
3 Retire el hielo, agregue el anís, extiéndalo por toda la superficie del vaso y deseche el sobrante.
4 Añada la mezcla de whisky.
5 Frote el borde del vaso con la piel de limón, incorpórela al combinado y sirva.

Comodoro

 (507)

 CLASSIC

Este cóctel clásico se caracteriza por ser corto, mordaz y revivificante.

Para 1 persona
4 medidas de whisky de centeno (rye)
1 medida de zumo de lima recién exprimido
2 golpes de amargo de naranja
azúcar al gusto
hielo
1 tira de piel de lima

1 Agite con hielo todos los ingredientes menos la piel de lima hasta que se condense agua en el exterior de la coctelera.
2 Sirva en un vaso tipo *tumbler* o una copa de cóctel pequeños y decore con la tira de piel de lima.

 (508)

Vaquero

 CLASSIC

En las películas, los vaqueros beben el whisky a palo seco, a menudo después de abrir la botella con sus propios dientes. En realidad resulta difícil imaginar a John Wayne o a Clint Eastwood mezclando con delicadeza los ingredientes de un combinado en un elegante vaso.

Para 1 persona
3 medidas de whisky de centeno (rye)
2 cucharadas de nata líquida
hielo picado

1 Agite enérgicamente el whisky y la nata líquida con hielo hasta que se condense agua en el exterior de la coctelera.
2 Sirva en un vaso bien frío.

509. La oración de la vaquera: Ponga 2 medidas de tequila añejo y 1 de zumo de lima en un vaso alto lleno de hielo. Rellene con gaseosa. Remueva ligeramente y decore con rodajas de limón y lima. **Para 1 persona**

510. OK Corral: Agite enérgicamente 2 medidas de whisky de centeno (rye) 1 de zumo de pomelo y 1 cucharadita de orgeat con hielo hasta que se condense agua en el exterior de la coctelera. Sirva en una copa de cóctel bien fría. **Para 1 persona**

511. Sendero navajo: Agite enérgicamente 2 medidas de tequila blanco, 1 de triple seco, 1 de zumo de lima y 1 de zumo de arándanos con hielo hasta que se condense agua en el exterior de la coctelera. Sirva en una copa de cóctel bien fría. **Para 1 persona**

512. Cooler de Klondike: Ponga 1/2 cucharadita de azúcar lustre en un vaso alto bien frío y añada 1 medida de ginger ale. Remueva hasta que se disuelva el azúcar y llene el vaso con hielo picado. Incorpore 2 medidas de whisky «American blended» y rellene con agua con gas. Remueva despacio y decore con 1 espiral de piel de limón. **Para 1 persona**

 (513)

Toro salvaje

Una combinación sumamente interesante con un nombre muy sugerente. No permita que el hielo la diluya demasiado.

Para 1 persona
1 medida de tequila
1 medida de whisky de centeno (rye)
1 medida de Kahlúa
hielo

1 Ponga todos los ingredientes en un vaso grande lleno de hielo y remueva enérgicamente.
2 Sirva de inmediato.

Vieux Carré

Un cóctel potente para ocasiones solemnes, originario de la parte antigua de Nueva Orleans.

Para 1 persona
1 medida de whisky de centeno (rye)
1 medida de coñac
1 medida de vermut o Martini dulces
4 gotas de angostura o de peychaud
1 cucharadita de bénédictine
hielo

1 Remueva todos los ingredientes con hielo en un vaso mezclador.
2 Sirva en un vaso o copa de cóctel pequeños llenos de hielo.

 515

Baccarat

Los cócteles siempre han formado parte del ambiente de los casinos, y encajan a la perfección en ese mundo que entraña apuestas y riesgos.

Para 1 persona
1 medida de Jack Daniels
$1/2$ medida de Dubonnet
2 golpes de casis
hielo

1 Agite bien todos los ingredientes con hielo hasta que se condense agua en el exterior de la coctelera.
2 Sirva en una copa de cóctel bien fría.

Shillelagh irlandés

Shillelagh es un término irlandés (se pronuncia «shi-lei-li») que designa una porra de madera, hecha tradicionalmente de endrino. Sin lugar a dudas, este cóctel «dará el golpe».

Para 1 persona
hielo triturado
2 medidas de whisky irlandés
1 medida de zumo de limón
¹/₂ medida de sloe gin
¹/₂ medida de ron blanco
¹/₂ cucharadita de jarabe de azúcar
¹/₂ melocotón, pelado, deshuesado y finamente picado
2 frambuesas, para decorar

1 Pase por la batidora el hielo, el whisky, el zumo de limón, el sloe gin, el ron, el jarabe de azúcar y el melocotón hasta obtener una mezcla suave.

2 Sirva en un vaso tipo *highball* pequeño bien frío y decore con las frambuesas.

517. Shillelagh: Agite enérgicamente 2 medidas de whisky irlandés, 1 de jerez seco, 1 cucharadita de ron dorado, 1 de zumo de limón y una pizca de azúcar lustre con hielo hasta que se condense agua. Sirva en una copa de cóctel bien fría y decore con 1 guinda. **Para 1 persona**

518. Ojos irlandeses: Remueva bien 2 medidas de whisky irlandés y ¹/₂ de chartreuse verde con 4-6 cubitos de hielo picados. Sirva en un vaso bien frío. **Para 1 persona**

519. Colleen: Agite enérgicamente 2 medidas de whisky irlandés, 1 de Irish Mist, 1 de triple seco y 1 cucharadita de zumo de limón con hielo hasta que se condense agua. Sirva en una copa de cóctel bien fría. **Para 1 persona**

 520

Trébol

No está claro si San Patricio fue el inventor del whisky irlandés, pero de lo que no cabe duda es de que este cóctel es el favorito en su día, el 17 de marzo.

Para 1 persona
1 medida de whisky irlandés
1 medida de vermut seco
3 golpes de chartreuse verde
3 golpes de crema de menta
hielo picado

1 Remueva bien todos los ingredientes con hielo hasta que se condense agua en el exterior del vaso mezclador.

2 Sirva en una copa de cóctel bien fría.

(521) Scarlett O'Hara

Un tono rojo profundo con notas cálidas de Southern Comfort resulta muy apropiado para evocar a la protagonista de *Lo que el viento se llevó*.

Para 1 persona
2 medidas de Southern Comfort
2 medidas de zumo de arándanos
1 medida de zumo de lima
hielo
cubitos de arándanos

1 Prepare con antelación algunos cubitos de hielo con arándanos en su interior.
2 Agite bien los tres primeros ingredientes con hielo y sirva en una copa de cóctel bien fría.
3 Decore con los cubitos de arándanos.

(522) Rhett Butler

Cuando Margaret Mitchell escribió *Lo que el viento se llevó*, su extensa épica sobre la Guerra Civil Americana, creó un prototipo de héroe romántico en la figura de Rhett Butler. Su encanto y gallardía fueron magistralmente interpretados para la gran pantalla por el eterno galán del cine Clark Gable.

Para 1 persona
2 medidas de Southern Comfort
$^1/_2$ medida de curaçao blanco
$^1/_2$ medida de zumo de lima
1 cucharadita de zumo de limón
hielo picado
1 tira de piel de limón

1 Agite enérgicamente los cuatro primeros ingredientes con hielo hasta que se condense agua en el exterior de la coctelera.
2 Sirva en una copa de cóctel bien fría y decore con la tira de piel de limón.

523. Ashley Wilkes: Triture 3 ramitas de menta fresca y póngalas en un vaso bien frío. Añada 1 cucharadita de azúcar, 1 golpe de zumo de lima, 6 cubitos de hielo picados, 2 medidas de bourbon y 1 medida de aguardiente de melocotón. Remueva bien y decore con 1 ramita de menta fresca. **Para 1 persona**

524. Melanie Hamilton: Agite enérgicamente 2 medidas de triple seco, 1 medida de midori y 2 medidas de zumo de naranja con hielo hasta que se condense agua en el exterior de la coctelera. Sirva en una copa de cóctel bien fría y decore con 1 rodaja de melón cantaloupe. **Para 1 persona**

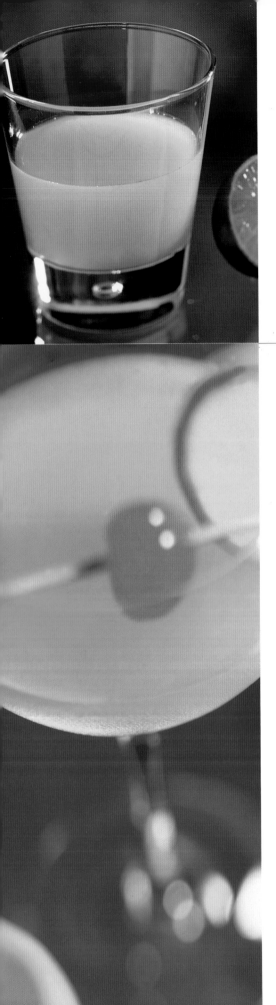

 525

Monte Etna

¡Un cóctel explosivo! A lo mejor no funciona la primera vez que lo pruebe, pero si lo hace, tenga mucha precaución.

Para 1 persona
2 medidas de whisky
2 medidas de zumo de naranja puro
el zumo y la cáscara de ¹/₂ lima
1¹/₂ medidas de Cointreau

1 Mezcle el whisky y los zumos de naranja y lima en un vaso tipo *old-fashioned*.

2 En un cazo, deje en remojo la cáscara de lima en el Cointreau unos 10 minutos.
3 Caliéntelo a fuego bajo. Sostenga la cáscara de lima con una cuchara, rellénela con Cointreau y, con cuidado, flambéela.
4 Ponga en seguida la cáscara en el cóctel. Espere a que el fuego se extinga por sí solo y el vaso se enfríe antes de beber.

526

Whiskey Sour

Para este clásico, originario del sur de Estados Unidos, puede emplear vodka, ginebra y otras bebidas en lugar del whisky americano.

Para 1 persona
1 medida de zumo de limón o de lima
2 medidas de whisky «American blended»
1 cucharadita de azúcar lustre o de jarabe de goma
hielo
1 rodaja de limón o de lima
1 cereza marrasquino

1 Agite bien los tres primeros ingredientes con hielo y sirva en una copa de cóctel.
2 Decore con la rodaja de limón o de lima y la cereza.

527. Bourbon Sour: Sustituya el whisky americano por bourbon y decore con 1 rodaja de naranja. **Para 1 persona**

528. Brandy Sour: Sustituya el whisky por 2¹/₂ medidas de brandy. **Para 1 persona**

529. Boston Sour: Prepare un Whiskey Sour, agregue 1 clara de huevo a la receta y decore con 1 guinda y 1 rodaja de limón. **Para 1 persona**

530. Sour del bombero: Agite 2 medidas de ron blanco, 1¹/₂ de zumo de lima, 1 cucharada de granadina y 1 cucharadita de jarabe de goma con hielo hasta que se condense agua. Sirva en una copa de cóctel y decore con 1 guinda y 1 rodaja de limón. **Para 1 persona**

531. Strega Sour: Agite enérgicamente 2 medidas de ginebra, 1 de strega y 1 de zumo de limón con hielo hasta que se condense agua en el exterior de la coctelera. Sirva en una copa de cóctel y decore con 1 rodaja de limón. **Para 1 persona**

Brigada antibombas

Este combinado también se puede flambear, aunque se arruinaría el sabor de los tomates macerados.

Para 1 persona
1 medida de tequila
1 medida de whisky
1 medida de vodka
unas gotas de tabasco
hielo
2 tomates cereza macerados en vodka

1 Mezcle bien los cuatro primeros ingredientes y sirva en un vaso tipo *shot* o en una copa de cóctel bien fríos.
2 Añada 1 cubito de hielo y decore con los tomates macerados ensartados en palillos de cóctel.

Whisky escarchado

Aunque los vasos tipo *tumbler* y *old-fashioned* rara vez se escarchan, cuando un combinado es corto y fuerte el escarchado da un óptimo resultado.

Para 1 persona
$^1/_2$ cucharadita de azúcar lustre
$^1/_2$ medida de zumo de limón
1 medida de whisky
1 cucharadita de jarabe de azúcar
1 cucharadita de marrasquino
1 golpe de amargo de naranja
hielo
1 rodaja de limón o de naranja

1 Frote el borde de un vaso tipo *old-fashioned* con un poco de zumo de limón y escárchelo con el azúcar.
2 Mezcle el resto del zumo de limón, el whisky, el jarabe de azúcar, el marrasquino y el amargo de naranja con hielo y sirva en el vaso escarchado.
3 Decore con la fruta.

Brisa escocesa

Este combinado es ideal para afrontar las heladas y el viento típicos de las Tierras Altas escocesas.

Para 1 persona
$1^1/_2$ medidas de whisky escocés
$^1/_2$ medida de aguardiente de albaricoque
1 medida de zumo de naranja
1 golpe de angostura
cubitos de hielo

1 Agite bien todos los ingredientes con hielo.
2 Sirva en una copa de cóctel grande llena de hielo y beba con una pajita.

(535)

Cóctel Bacardi

El ron blanco es para muchos sinónimo de Bacardi, pues con esta marca se elaboran numerosos cócteles célebres, como éste en particular.

Para 1 persona
2 medidas de ron Bacardi
2 cucharaditas de zumo de lima recién exprimido
1 golpe de granadina
azúcar lustre o jarabe de azúcar al gusto
hielo

1 Agite todos los ingredientes con hielo hasta que se condense agua en el exterior de la coctelera.
2 Sirva en una copa de cóctel poco profunda.
3 Beba con una pajita.

(536)

Bacardi escarchado

Los veteranos en cuestión de cócteles saben que la absenta es una bebida muy fuerte, que convierte a este combinado en toda una experiencia.

Para 1 persona
$^1/_2$ medida de zumo de lima
1 cucharadita de azúcar granulado
1 cucharadita de absenta
$1^1/_2$ medidas de ron blanco
1 rodaja o un gajo de lima

1 Frote el borde de una copa de cóctel con el zumo de lima y escárchelo con el azúcar granulado.
2 Ponga a secar. Mezcle bien el zumo de lima sobrante con los demás ingredientes y hielo hasta que se condense agua en el exterior del vaso mezclador.
3 Sirva en la copa escarchada y decore con la lima.

(537)

Hawaiano azul

Un combinado de sabor tropical que atrae todas las miradas a causa de su llamativo color. Prepare una decoración de lujo para las ocasiones especiales.

Para 1 persona
hielo
2 medidas de ron Bacardi
$^1/_2$ medida de curaçao azul
1 medida de zumo de piña
$^1/_2$ medida de crema de coco
1 rodajita de piña

1 Agite enérgicamente con abundante hielo todos los ingredientes menos la rodajita de piña hasta que se condense agua en el exterior de la coctelera.
2 Sirva en una copa de cóctel o de vino.
3 Decore con la piña.

Casablanca

Es muy probable que el inolvidable Humphrey Bogart, protagonista de la película de 1942 que presta el nombre a este combinado, haya disfrutado muchas veces de su delicioso sabor.

Para 1 persona

3 medidas de ron blanco
4 medidas de zumo de piña
2 medidas de crema de coco
2 cucharadas grandes de hielo triturado
1 rodajita de piña

1 Agite bien con hielo todos los ingredientes menos la rodajita de piña y sirva en una copa de cóctel grande con cubitos de hielo al gusto.
2 Decore con la rodajita de piña.

Acapulco

Este cóctel, como muchos otros, ha ido variando desde sus orígenes. Antaño se solía preparar con ron y no llevaba zumos de fruta. Hoy, en cambio, tiende a elaborarse con tequila a medida que ha ido ganando popularidad fuera de México, su país de origen.

Para 1 persona

2 medidas de ron blanco
$^1\!/_2$ medida de triple seco
$^1\!/_2$ medida de zumo de lima
1 cucharadita de jarabe de azúcar
1 clara de huevo
10-12 cubitos de hielo picados
1 ramita de menta fresca, para decorar

1 Agite bien con hielo todos los ingredientes menos la menta hasta que se condense agua en el exterior de la coctelera.
2 Sirva en un vaso tipo *highball* bien frío lleno de hielo hasta la mitad.
3 Decore con la ramita de menta.

Especial Cuba

Un combinado corto, fuerte y dulce. Sírvalo con mucho hielo, para intensificar todos los sabores, y bébalo sorbo a sorbo.

Para 1 persona

$1^1\!/_2$ medidas de ron blanco
$1^1\!/_2$ medidas de zumo de piña
el zumo de $^1\!/_2$ lima
1 medida de Cointreau
hielo triturado
cerezas y 1 rodajita de piña

1 Agite bien todos los ingredientes, menos la fruta, con hielo hasta que se condense agua en el exterior de la coctelera.
2 Sirva en un vaso o copa de cóctel medianos y decore con las cerezas y la rodajita de piña.

Cenicienta

Si la heroína del cuento de hadas hubiera estado degustando cócteles hasta la medianoche, a nadie le habría sorprendido que se olvidara de mirar la hora, no encontrara la calabaza y perdiera su zapato de camino a casa.

Para 1 persona

3 medidas de ron blanco
1 medida de oporto blanco
1 medida de zumo de limón
1 cucharadita de jarabe de azúcar
1 clara de huevo
hielo picado

1 Agite el ron, el oporto, el zumo de limón, el jarabe de azúcar y la clara de huevo con hielo hasta que se condense agua en el exterior de la coctelera.

2 Sirva en un vaso bien frío.

542. Zapatito de cristal: Agite 3 medidas de ginebra y 1 de curaçao azul con hielo hasta que se condense agua. Sirva en una copa de cóctel bien fría. **Para 1 persona**

543. Príncipe apuesto: Agite 2 medidas de vodka, 1 de aguardiente de albaricoque, 1 de aguardiente de manzana y 1 cucharadita de zumo de limón con hielo hasta que se condense agua. Sirva en una copa de cóctel bien fría. **Para 1 persona**

544. Peter Pan: Agite 1 medida de ginebra, 1 de vermut seco, 1 de aguardiente de melocotón y 1 de zumo de naranja con hielo hasta que se condense agua en el exterior de la coctelera. Sirva en una copa de cóctel bien fría. **Para 1 persona**

545. Campanilla: Agite 2 medidas de vodka, 1 de aguardiente de cereza, 1 clara de huevo y 1 golpe de granadina con hielo hasta que se condense agua en el exterior de la coctelera. Sirva en una copa de cóctel bien fría. **Para 1 persona**

Obispo

Resulta curiosa la fama que tienen los clérigos de ser amantes de las buenas cosas materiales de esta vida. Lo que sí es cierto es que la espiritualidad no está reñida con las bebidas «espirituosas».

Para 1 persona

1 golpe de zumo de limón
1 medida de ron blanco
1 cucharadita de vino tinto
una pizca de azúcar lustre
hielo picado

1 Ponga hielo en una coctelera. Agregue el zumo de limón, el ron, el vino y el azúcar.

2 Agite enérgicamente hasta que se condense agua en el exterior de la coctelera.

3 Sirva en una copa de vino bien fría.

(547) Fox Trot

Al igual que la antigua danza homónima, este sencillo y delicioso combinado debería disfrutarse más a menudo.

Para 1 persona
el zumo de $1/2$ limón o de 1 lima
2 golpes de curaçao naranja
2 medidas de ron blanco
hielo
1 tira de piel de naranja

1 Agite bien los tres primeros ingredientes con hielo y sirva en una copa de cóctel.
2 Añada más hielo al gusto y decore con la tira de piel de naranja.

(548) Daiquiri

Daiquiri es el nombre de un barrio de la ciudad cubana de El Caney, donde supuestamente se inventó este cóctel a principios del siglo XX. Un negociante agotó sus existencias de ginebra importada y se vio forzado a preparar combinados con la bebida local, el ron, cuya calidad en aquella época dejaba mucho que desear.

Para 1 persona
2 medidas de ron blanco
$3/4$ de medida de zumo de lima
$1/2$ cucharadita de jarabe de azúcar
hielo picado

1 Agite enérgicamente el ron, el zumo de lima y el jarabe de azúcar con hielo hasta que se condense agua en el exterior de la coctelera.
2 Sirva en una copa de cóctel bien fría.

549. Derby Daiquiri: Pase por la batidora 2 medidas de ron blanco, 1 de zumo de naranja, $1/2$ de triple seco, $1/2$ de zumo de lima y hielo triturado al gusto hasta obtener un granizado suave. Sirva sin colar en una copa de cóctel bien fría. **Para 1 persona**

550. Banana Daiquiri: Pase por la batidora 2 medidas de ron blanco, $1/2$ de triple seco, $1/2$ de zumo de lima, $1/2$ de nata líquida, 1 cucharadita de jarabe de azúcar y $1/4$ de plátano pelado y troceado hasta obtener una mezcla suave. Sirva sin colar en una copa de cóctel bien fría y decore con 1 rodaja de lima. **Para 1 persona**

551. Peach Daiquiri: Pase por la batidora 2 medidas de ron blanco, 1 de zumo de lima, $1/2$ cucharadita de jarabe de azúcar y $1/2$ melocotón pelado, deshuesado y troceado, hasta obtener una mezcla suave. Sirva sin colar en una copa bien fría. **Para 1 persona**

552. Daiquiri apasionado: Agite enérgicamente 2 medidas de ron blanco, 1 de zumo de lima y $1/2$ de zumo de granadilla con hielo hasta que se condense agua. Sirva en una copa de cóctel bien fría y decore con 1 guinda. **Para 1 persona**

(553)

Daiquiri granizado

El *Daiquiri* ha evolucionado en ingredientes y formas diferentes. Su receta ya no se limita a los componentes usuales, sino que ha llegado al siglo XXI enriquecida por el ascenso meteórico de popularidad que actualmente están experimentando los granizados en los bares de cócteles.

Para 1 persona
hielo triturado
2 medidas de ron blanco
1 medida de zumo de lima
1 cucharadita de jarabe de azúcar
1 rodaja de lima

1 Pase por la batidora el hielo triturado, el ron, el zumo de lima y el jarabe de azúcar hasta obtener un granizado.
2 Sirva en una flauta helada y decore con la rodaja de lima.

554. Daiquiri de piña granizado: Pase por la batidora hielo triturado, 2 medidas de ron blanco, 1 de zumo de lima, $^{1}/_{2}$ cucharadita de jarabe de piña y 60 g de pulpa de piña fresca troceada hasta obtener un granizado. Sirva en una copa de cóctel bien fría y decore con rodajas de piña. **Para 1 persona**

555. Daiquiri de fresa granizado: Pase por la batidora hielo triturado, 2 medidas de ron blanco, 1 de zumo de lima, 1 cucharadita de jarabe de azúcar y 6 fresas frescas o congeladas hasta obtener un granizado. Sirva en una copa de cóctel bien fría y decore con 1 fresa. **Para 1 persona**

556. Daiquiri de melocotón granizado: Pase por la batidora hielo triturado, 2 medidas de ron blanco, 1 de zumo de lima, 1 cucharadita de jarabe de azúcar y $^{1}/_{2}$ melocotón pelado, deshuesado y troceado hasta obtener un granizado. Sirva en una copa de cóctel bien fría y decore con 1 rodaja de melocotón. **Para 1 persona**

(557)

X Y Z

Gélido y elegante, este sencillo combinado resulta muy refrescante.

Para 1 persona
$^{1}/_{2}$ medida de zumo de limón recién exprimido
$^{1}/_{2}$ medida de ron blanco
$^{1}/_{2}$ medida de Cointreau
hielo picado
1 rodaja de lima

1 Agite todos los ingredientes, menos la rodaja de lima, con hielo hasta que se condense agua en el exterior de la coctelera.
2 Sirva en una copa de cóctel bien fría y decore con la rodaja de lima.

558 Sueño de melocotón

Este combinado potencia los efectos del inocente zumo de naranja. Visualmente, destaca sobre todo su tono rosado.

Para 1 persona

1 medida de ron blanco

1 medida de schnapps de melocotón

3 medidas de zumo de naranja recién exprimido

1 medida de granadina

cubitos y hielo picado

1 Agite bien los tres primeros ingredientes con hielo y sirva en una copa de cóctel llena de hielo triturado.

2 Agregue lentamente la granadina antes de consumir.

559 Brisa y palmeras

Si prepara algún combinado con piña, aproveche el resto de la pulpa de la fruta. Rállela y cuélela para obtener zumo de piña natural, pues su sabor es mucho más apetitoso que el envasado (aunque quizá un poco menos dulce).

Para 1 persona

1 medida de ron blanco

1 medida de ginebra

2-3 medidas de zumo de piña

hielo

1 rodajita de piña fresca

1 Agite bien con hielo todos los ingredientes menos la rodaja de piña y sirva en una copa de cóctel.

2 Decore con la rodajita de piña.

560 Impacto

Cerciórese de que todos los ingredientes estén bien fríos y obtendrá un resultado verdaderamente impactante.

Para 1 persona

2 golpes de vermut dulce

$1/3$ de medida de calvados

$2/3$ de medida de ron blanco

1 espiral de cáscara de manzana

1 Agite bien todos los licores con hielo y sirva en una copa de cóctel.

2 Decore con la espiral de manzana.

Flip del puerto

Este combinado, favorito de muchos marineros, es muy reconfortante en invierno, pero cuidado: ¡no subestime su potencia!

Para 1 persona

1 huevo

2 cucharaditas de azúcar lustre

nuez moscada o jengibre rallados

50-60 ml de ron, oporto, brandy o whisky

1 Bata el huevo, el azúcar y la nuez moscada.

2 Caliente ligeramente el ron en un cazo a fuego bajo y añada la mezcla de huevo.

3 Sirva cuando la mezcla se caliente y se espese, pero no la deje demasiado tiempo al fuego, pues el huevo podría cuajarse.

562

Ron huracanado

En los tiempos previos a la invención de la coctelera, los cócteles se preparaban removiendo las bebidas afanosamente con una varilla agitadora hasta que se condensaba agua en el exterior del vaso. ¡Duro trabajo para el brazo!

Para 1 persona

2 medidas de ron negro

1 medida de zumo de lima recién exprimido

$^1/_2$ medida de jarabe de goma

2-3 golpes de angostura

$^1/_2$ taza de hielo triturado

1 Pase todos los ingredientes por la batidora a baja velocidad hasta obtener un granizado.

2 Sirva en un vaso con hielo triturado al gusto.

3 Decore con 1 varilla agitadora.

Trabalenguas

563

El ron blanco y el dorado se caracterizan por un gusto más sutil que el del ron negro, de modo que, al mezclarse con otros licores, no eclipsan los sabores de estos últimos.

Para 1 persona

1 medida de ron blanco
$1/2$ medida de licor de crema de coco
$1/2$ medida de curaçao naranja
1 medida de zumo de limón
hielo
una pizca de nuez moscada rallada
o de cacao en polvo

1 Agite los cuatro primeros ingredientes con hielo.

2 Sirva en una copa de cóctel bien fría y espolvoree la nuez moscada o el cacao en polvo por encima.

Contrary Mary

564

El tipo de ron empleado en un cóctel es lo que define su resultado. Este combinado debe ser muy suave, así que prepárelo con ron blanco o dorado.

Para 1 persona

$1^1/2$ medidas de ron blanco
$1^1/2$ medidas de zumo de piña
2 golpes de granadina
1 golpe de marrasquino
hielo
cerezas

1 Agite bien todos los ingredientes, menos las cerezas, con hielo y sirva en una copa de cóctel.

2 Añada hielo al gusto y decore con unas cerezas.

Smash de Santa Lucía

565

El aroma de este delicioso combinado evoca una isla tropical.

Para 1 persona

2 rodajas finas de lima
2 medidas de ron Mount Gay
$1/2$ medida de licor de frambuesa
1 medida de zumo de manzana
unas hojas de menta chafadas
frambuesas y 1 rodaja de lima

1 Frote el borde de un vaso tipo *old-fashioned* bien frío con la lima.

2 Agite la lima junto con los demás ingredientes con hielo.

3 Sirva en el vaso y agregue hielo al gusto.

4 Decore con unas frambuesas y la rodaja de lima.

Shanghai

El fuerte y dulce sabor del ron negro casa a la perfección con el seco sabor anisado propio del pastis.

Para 1 persona

4 medidas de ron negro

1 medida de pastis

3 medidas de zumo de limón

2 golpes de granadina

hielo picado

1 rodaja de limón y 1 guinda

1 Agite con hielo todos los ingredientes menos la fruta hasta que se condense agua en el exterior de la coctelera.

2 Sirva en una copa de cóctel bien fría y decore con la rodaja de limón y la guinda.

Dama de albaricoque

El suave sabor de este cóctel armoniza a la perfección con su dorado color y su aroma de amanecer tropical.

Para 1 persona

2 medidas de ron dorado

2 medidas de aguardiente de albaricoque

1 medida de zumo de lima recién exprimido

3 golpes de curaçao naranja

1 cucharadita de clara de huevo

1 cucharada de hielo triturado

1 rodaja de albaricoque

1 Pase por la batidora todos los ingredientes, menos la rodaja de albaricoque, hasta obtener un granizado.

2 Sirva en una copa bien fría.

3 Decore con la rodaja de albaricoque y beba con una pajita.

Diablo verde

Esta combinación de curaçao azul y zumo de naranja produce un color verde verdaderamente diabólico, pero resulta deliciosa.

Para 1 persona

zumo de lima

azúcar lustre

1 medida de ron blanco

$^1/_2$ medida de curaçao azul

1 medida de zumo de naranja

hielo

1 rodaja de lima

1 Sumerja el borde de una copa de cóctel grande en zumo de limón y escárchelo con azúcar lustre. Ponga a secar.

2 Agite bien el ron, el curaçao azul y el zumo de naranja con hielo.

3 Sirva en la copa escarchada y decore con la rodaja de lima.

El Diablo

Su sabor no es tan malvado como su nombre, pero en él encontrará una nota oscura que le hará desear un sabor más dulce, como el de una fruta.

Para 1 persona

1 medida de ron negro

$^1/_2$ medida de vermut rojo

hielo

1 aceituna negra

1 Mezcle los licores con hielo.

2 Sirva en una copa de cóctel bien fría y decore con la aceituna negra.

Jamaica Joe

El rico e intenso ron jamaicano armoniza sorprendentemente bien con la dulzura del Tia Maria y el advocaat (licor holandés de brandy y huevo).

Para 1 persona

1 medida de ron jamaicano

1 medida de Tia Maria

1 medida de advocaat

hielo picado

1 golpe de granadina

nuez moscada rallada

1 Agite el ron, el Tia Maria y el advocaat con hielo hasta que se condense agua en el exterior de la coctelera.

2 Añada la granadina.

3 Sirva en una copa de cóctel bien fría y espolvoree nuez moscada por encima.

Excavadora

Si esta refrescante combinación de aromas cítricos le parece demasiado fuerte, agregue más hielo triturado.

Para 1 persona
2 medidas de brandy
1 medida de Van der Hum o licor de naranja
1 medida de jarabe de goma
3-4 gajos de pomelo
hielo triturado
1 tira larga de piel de pomelo

1 Pase por la batidora todos los ingredientes, exceptuando la tira de piel de pomelo, durante 10-15 segundos.
2 Sirva en una copa de cóctel mediana llena de hielo triturado hasta la mitad.
3 Decore con la tira de piel de pomelo y beba con una pajita.

American Beauty

Esta lujosa bebida se las trae, así que no se apresure al consumirla: deguste la belleza poco a poco.

Para 1 persona
1 medida de brandy
1 medida de vermut seco
1 medida de granadina
1 medida de zumo de naranja
1 golpe de crema de menta
hielo
2-3 golpes de oporto

1 Agite con hielo todos los ingredientes, menos el oporto, hasta que se condense agua en el exterior de la coctelera.
2 Sirva en una copa de cóctel bien fría y añada el oporto lentamente, de modo que flote en la superficie.
3 Consuma de inmediato.

Millonario

Existen numerosas versiones de este cóctel, que dependen sobre todo del contenido de su mueble bar.

Para 1 persona

$^2/_3$ de medida de aguardiente de albaricoque
$^2/_3$ de medida de sloe gin
$^2/_3$ de medida de ron jamaicano
1 golpe de granadina
el zumo de $^1/_2$ limón o lima
hielo
unos arándanos

1 Agite bien con hielo todos los ingredientes menos los arándanos y sirva en una copa de cóctel llena de hielo.
2 Añada los arándanos justo antes de consumir.

574. Millonario americano: Agite bien 1 medida de whisky de centeno (rye), $^1/_2$ medida de granadina, $^1/_2$ medida de curaçao y $^1/_2$ clara de huevo con hielo. Sirva en una copa de vino pequeña y añada 1 golpe de Pernod justo antes de consumir. **Para 1 persona**

575. Millonario francés: Agite 1 medida de brandy, $^1/_5$ de medida de orgeat, $^1/_5$ de medida de curaçao naranja, $^1/_5$ de medida de crema de noyeau (licor de almendra) y 2 golpes de angostura con hielo. Sirva en una copa de cóctel. **Para 1 persona**

576. Cóctel millonario: Agite $^2/_3$ de medida de bourbon, $^1/_3$ de medida de Cointreau, 2 golpes de granadina y 1 clara de huevo con hielo. Sirva en una copa de cóctel. **Para 1 persona**

Primera noche

Una combinación exquisita que le calentará por dentro, ideal para calmar los nervios antes de una primera noche... o para celebrarla después.

Para 1 persona

2 medidas de brandy
1 medida de Van der Hum
1 medida de Tia Maria
1 cucharadita de nata líquida
hielo
chocolate rallado o en hojuelas

1 Agite con hielo todos los ingredientes a excepción del chocolate.
2 Sirva en una copa de cóctel bien fría y agregue un poco de chocolate por encima.

578

Bosom Caresser

El nombre de este cóctel, que hace referencia a una caricia en el pecho, resulta sin duda muy sugerente. Aunque tal vez sólo haga alusión a la cálida sensación de bienestar que inunda el corazón de quien lo bebe...

Para 1 persona
1 golpe de triple seco
hielo picado
1 medida de brandy
1 medida de madeira

1 Ponga el hielo picado en un vaso mezclador.
2 Agregue el triple seco, el brandy y el madeira.
3 Remueva bien y sirva en una copa de cóctel bien fría.

579

Montaña rusa

No utilice su mejor brandy en este cóctel. Los numerosos ingredientes le impedirán percibir la diferencia respecto a otro más económico.

Para 1 persona
2 golpes de zumo de limón recién exprimido
azúcar lustre
1 espiral larga de piel de naranja
1 medida de brandy
¹/₂ medida de curaçao naranja seco
3 golpes de marrasquino
1 golpe de angostura

1 Frote el borde de un vaso con zumo de limón y escárchelo con el azúcar.
2 Ponga a secar.
3 Coloque la espiral de piel de naranja en el vaso y rellénelo con hielo.
4 Remueva bien todos los ingredientes menos la angostura en un vaso con hielo y vierta en el vaso escarchado.
5 Incorpore la angostura justo antes de consumirlo.

Entre las sábanas

(580)

El nombre de este cóctel sugiere romance y apunta a que las sábanas en cuestión deben ser, como mínimo, de satén. De modo que prepárelo para dos personas. Esta deliciosa bebida es tan suave como la seda.

Para 2 personas
hielo picado
4 medidas de brandy
3 medidas de ron blanco
1 medida de curaçao blanco
1 medida de zumo de limón

1 Coloque el hielo en una coctelera.
2 Añada el brandy, el ron, el curaçao y el zumo de limón y agite enérgicamente hasta que se condense agua en el exterior de la coctelera.
3 Sirva en dos copas de vino bien frías.

Levantamuertos

(581)

Este cóctel no es precisamente lo más indicado para tratar la resaca de la mañana siguiente, más bien constituye un gran revitalizador al final de un día ajetreado o antes de una fiesta.

Para 1 persona
hielo picado
2 medidas de brandy
1 medida de aguardiente de manzana
1 medida de vermut dulce

1 Coloque el hielo en un vaso mezclador.
2 Agregue el brandy, el aguardiente de manzana y el vermut.
3 Remueva con suavidad.
4 Sirva en una copa de cóctel bien fría.

Manzana de Adán

(582)

Applejack para los norteamericanos, *calvados* para los franceses, o *aguardiente de manzana* como genérico: el nombre es lo de menos. Este licor proporciona a los cócteles un delicioso sabor frutal y un aroma tentador.

Para 1 persona
2 medidas de aguardiente de manzana
1 medida de ginebra
1 medida de vermut seco
1 golpe de chartreuse amarillo
hielo

1 Remueva bien todos los ingredientes, con hielo, en un vaso mezclador.
2 Sirva en una copa bien fría.

(583) Antonio

¡Una mezcla explosiva de menta! Sírvalo *on the rocks* para atenuarlo, o bébalo poco a poco.

Para 1 persona
$^1/_3$ de medida de menta
$^1/_3$ de medida de ginebra
$^1/_6$ de medida de marrasquino
$^1/_6$ de medida de crema de menta
hielo

1 Mezcle bien los cuatro ingredientes con hielo y sirva en una copa de cóctel pequeña bien fría.
2 Añada más hielo al gusto.
3 Beba con una pajita.

(584) Medalla de oro

La combinación de zumo de naranja y galliano acentúa las notas frutales del brandy en este cóctel.

Para 1 persona
1 medida de brandy
1 medida de galliano
1 medida de zumo de naranja recién exprimido
1 golpe de clara de huevo
hielo picado
ralladura fina de naranja

1 Agite con hielo todos los ingredientes menos la ralladura hasta que se condense agua en la coctelera.
2 Sirva en una copa de cóctel.
3 Esparza un poco de ralladura de naranja para resaltar el brillo del combinado.

Sugerencia: Para decorar, doble 1 tira larga y recta de piel de naranja en forma de acordeón y atraviésela con 1 palillo.

(585) Brasilica

Los sabores a fruta de este fresco y sutil combinado esconden su verdadera fuerza.

Para 1 persona
$^1/_2$ medida de brandy
$^1/_4$ de medida de oporto
1 medida de zumo de naranja
hielo
$^1/_2$ medida de framboise o unas gotas de jarabe de frambuesa

1 Agite el brandy, el oporto y el zumo de naranja con hielo.
2 Vierta en una copa de cóctel bien fría y añada el framboise o el jarabe de frambuesa lentamente, para que baje hasta el fondo de la copa.
3 Sirva con una varilla agitadora.

¿En qué dirección?

Las bebidas con sabor a anís, como el Pernod, son un elemento que no puede faltar en ningún bar. ¡Con ellas se preparan algunos de los combinados más letales!

Para 1 persona
1 medida de Pernod
1 medida de anisette
1 medida de brandy
hielo picado

1 Agite enérgicamente el Pernod, el anisette y el brandy con hielo hasta que se condense agua en el exterior de la coctelera.
2 Sirva en una copa de vino bien fría.

587. TNT: Remueva bien 1 medida de Pernod y 1 medida de whisky de centeno (rye) con 4-6 cubitos de hielo picados en un vaso mezclador. Sirva en una copa de cóctel bien fría. **Para 1 persona**

588. Victoria: Agite enérgicamente 2 medidas de Pernod y 1 medida de granadina con hielo hasta que se condense agua en el exterior de la coctelera. Sirva en un vaso bajo bien frío y rellene con agua con gas. **Para 1 persona**

589. Blanche: Agite enérgicamente 1 medida de Pernod, 1 medida de triple seco y $1/2$ medida de curaçao blanco con hielo hasta que se condense agua en el exterior de la coctelera. Sirva en una copa de cóctel bien fría. **Para 1 persona**

590. Pick-me-up 19: Agite enérgicamente 2 medidas de Pernod, 1 medida de ginebra, $1/4$ de cucharadita de jarabe de azúcar y 1 golpe de angostura con hielo hasta que se condense agua en el exterior de la coctelera. Sirva en un vaso bajo lleno de hielo hasta la mitad. Rellene con agua con gas. **Para 1 persona**

Brandy Alexander

Este cremoso y delicioso cóctel es una popular variación del *Alexander* original, que se prepara con ginebra.

Para 1 persona
1 medida de brandy
1 medida de crema de cacao oscura
1 medida de nata espesa
hielo
nuez moscada rallada

1 Agite enérgicamente el brandy, la crema de cacao y la nata con hielo hasta que se condense agua en el exterior de la coctelera.
2 Sirva en una copa de cóctel bien fría y decore con una pizca de nuez moscada rallada.

(592)

B & B

Aunque preparar combinados muy elaborados (y beberlos) resulta fascinante, algunos de los mejores cócteles se caracterizan por su sencillez. B & B: brandy y bénédictine, de lo más sencillo y con un perfume maravillosamente sutil.

Para 1 persona
1 medida de brandy
1 medida de bénédictine
hielo picado

1 Remueva bien el brandy y el bénédictine con hielo en un vaso mezclador.
2 Sirva en una copa de cóctel bien fría.

(593)

Moonraker

Lo más probable es que esta potente mezcla ponga en órbita a quien la beba, aunque si exagera en la cantidad puede acabar queriendo robar la Luna.

Para 1 persona
hielo picado
1 golpe de Pernod
1 medida de brandy
1 medida de aguardiente de melocotón
1 medida de quina

1 Remueva bien el Pernod, el brandy, el aguardiente de melocotón y la quina con hielo en un vaso mezclador.
2 Sirva en un vaso tipo *highball* bien frío.

594. Despegue lunar: Remueva bien 1 golpe de tabasco, 2 medidas de ginebra y 3 medidas de zumo de almejas con hielo en un vaso mezclador. Sirva en un vaso bajo bien frío. **Para 1 persona**

595. Alunizaje: Agite 1 medida de vodka, 1 de Tia Maria, 1 de amaretto y 1 de Baileys con hielo hasta que se condense agua en el exterior de la coctelera. Sirva en un vaso tipo *shot* bien frío. **Para 1 persona**

596. Claro de luna: Agite 2 medidas de aguardiente de manzana, 2 de zumo de limón y $1/2$ cucharadita de jarabe de azúcar con hielo hasta que se condense agua en la coctelera. Sirva en un vaso bajo bien frío lleno de hielo hasta la mitad. **Para 1 persona**

597. Luna saliente: Ponga en una cacerola 300 ml de sidra semiseca, 1 cucharada de azúcar moreno, una pizca de canela molida y una pizca de nuez moscada recién rallada. Caliente a fuego bajo y remueva hasta que el azúcar se disuelva. Sirva en un vaso de ponche tibio y agregue 1 medida de aguardiente de manzana. Utilice el dorso de una cuchara para añadir 2 cucharaditas de nata, de modo que ésta flote por encima de la mezcla. **Para 1 persona**

CLASSIC

Sangaree

El nombre de este cóctel inglés deriva de la palabra «sangre» y, al igual que la sangría, se preparaba con vino. Aunque en la actualidad existen diversas versiones que utilizan distintos licores, todas tienen algo en común: la nuez moscada recién rallada.

Para 1 persona

6 cubitos de hielo picados
2 medidas de brandy
1 medida de jarabe de azúcar
soda
1 cucharadita de oporto
1 pizca de nuez moscada recién rallada

1 Llene de hielo un vaso tipo *highball* bien frío.

2 Agregue el brandy y el jarabe de azúcar, y rellene con soda.

3 Remueva suavemente.

4 Utilice el dorso de una cuchara para añadir con cuidado una capa de oporto de modo que flote, y esparza la nuez moscada por encima.

599. Savoy Sangaree: Remueva bien 1 medida de oporto y 1 cucharadita de azúcar lustre con 6 cubitos de hielo picados hasta que el azúcar se disuelva. Sirva en una copa de cóctel bien fría y esparza nuez moscada recién rallada por encima. **Para 1 persona**

600. Sangaree de whisky: Ponga 2 medidas de bourbon y 1 cucharadita de jarabe de azúcar en un vaso bajo bien frío lleno de hielo. Rellene con soda y remueva. Añada 1 cucharada de oporto Ruby Port de modo que flote. Agregue nuez moscada. **Para 1 persona**

601. Sangaree escocés: Ponga 1 cucharadita de miel y un poco de agua con gas en un vaso bajo bien frío. Mezcle bien hasta que la miel se disuelva. Añada hielo picado y 2 medidas de whisky escocés, y rellene con agua con gas. Remueva suavemente, decore con una espiral de piel de limón y esparza nuez moscada recién rallada por encima. **Para 1 persona**

602. Sangaree de ginebra: Ponga 2 medidas de ginebra y $^1/_2$ cucharadita de jarabe de azúcar en un vaso bajo bien frío lleno de hielo. Rellene con agua con gas. Remueva suavemente y añada con cuidado 1 cucharada de oporto de modo que flote. Esparza nuez moscada recién rallada por encima. **Para 1 persona**

Postre toscano

Los brandys italianos se caracterizan por su carácter definido y su delicioso sabor, como podrá comprobar con esta especialidad de la Toscana.

Para 1 persona
2 medidas de brandy Tuaca
4 medidas de zumo de manzana
$^1/_2$ medida de zumo de limón
1 cucharadita de azúcar moreno
hielo
una pizca de canela molida

1 Agite con hielo todos los ingredientes menos la canela y sirva en un vaso bajo bien frío.
2 Añada hielo al gusto y esparza la canela por encima.

FBR

Numerosos cócteles se conocen por sus iniciales. En este caso, FBR significa *Frozen Brandy and Rum* («granizado de ron y brandy» en inglés). En otros casos, el sentido resulta más hermético, o ligeramente malicioso.

Para 1 persona
6-8 cubitos de hielo triturados
2 medidas de brandy
$1^1/_2$ medidas de ron blanco
1 cucharada de zumo de limón
1 cucharadita de jarabe de azúcar
1 clara de huevo

1 Pase por la batidora el hielo, el brandy, el ron, el zumo de limón, el jarabe de azúcar y la clara de huevo hasta obtener un granizado.
2 Sirva en un vaso tipo *highball* bien frío.

605. KGB (*Komityet Gosudarstvyennoi Byezopasnosti,* o Comité de Seguridad Estatal): Agite enérgicamente $1^1/_2$ medidas de ginebra, $^1/_2$ medida de kümmel y 1 golpe de aguardiente de albaricoque con hielo hasta que se condense agua en el exterior de la coctelera. Sirva en una copa de cóctel bien fría. **Para 1 persona**

606. MQS (*Mary Queen of Scots*, o María Reina de los Escoceses): Frote el borde de una copa de cóctel con 1 rodaja de limón y escárchelo con azúcar lustre. Remueva bien 2 medidas de whisky escocés, 1 medida de Drambuie y 1 medida de chartreuse verde con hielo en un vaso mezclador. Sirva en la copa escarchada. **Para 1 persona**

607. BVD (brandy, vermut y Dubonnet): Remueva 1 medida de brandy, 1 de vermut seco y 1 de Dubonnet con hielo en un vaso mezclador. Sirva en una copa de cóctel bien fría. Existe otra versión con ron blanco, ginebra y vermut seco. **Para 1 persona**

Galeón dorado

Los amarillos intensos del galliano y del zumo de granadilla son la garantía para obtener un combinado de un atractivo color dorado y un delicioso sabor a fruta.

Para 1 persona
1 medida de brandy
1 medida de galliano
1 medida de zumo de granadilla
1 golpe de zumo de limón
cubitos de hielo

1 Remueva bien todos los ingredientes en un vaso mezclador.
2 Sirva en un vaso bajo lleno de hielo y añada una varilla agitadora.

Princesa

Numerosos cócteles han sido bautizados con el nombre de reinas y princesas, aunque éste no se refiere a ninguna en particular. Tal vez quien lo bebe se sienta como si perteneciera a la realeza.

Para 1 persona
2 cucharaditas de nata líquida fría
1 cucharadita de azúcar lustre
2 medidas de aguardiente de albaricoque
bien frío

1 Coloque la nata y el azúcar en un cuenco pequeño y remueva hasta que el azúcar se haya disuelto.
2 Ponga el aguardiente de albaricoque en un vaso pequeño bien frío. Utilice el dorso de una cuchara para formar con cuidado una capa de nata, de modo que flote.

610. Duquesa: Remueva bien 1 medida de Pernod, 1 medida de vermut dulce y 1 medida de vermut seco con hielo en un vaso mezclador y sirva en una copa de cóctel bien fría. **Para 1 persona**

611. Duque: Agite enérgicamente 1 medida de triple seco, $\frac{1}{2}$ medida de zumo de limón, $\frac{1}{2}$ medida de zumo de naranja, 1 clara de huevo y 1 golpe de marrasquino con hielo hasta que se condense agua en el exterior de la coctelera. Sirva en una copa de vino bien fría y rellene con champán o vino espumoso. **Para 1 persona**

612. Gran Duquesa: Remueva bien 2 medidas de vodka, 1 medida de triple seco, 3 medidas de zumo de arándanos y 2 medidas de zumo de naranja con hielo en un vaso mezclador. Sirva en un vaso pequeño y bajo bien frío y lleno de hielo hasta la mitad. **Para 1 persona**

 (613)

Santa María

Una combinación intensa y dulce, que puede suavizar sirviéndola muy fría o bien *on the rocks*.

Para 1 persona
1 medida de brandy
1 medida de triple seco
1 medida de zumo de limón
hielo
1 tira de piel de naranja

1 Agite con hielo todos los ingredientes excepto la tira de piel de naranja hasta que se condense agua en el exterior de la coctelera.
2 Sirva en una copa de cóctel bien fría y decore con la tira de piel de naranja.

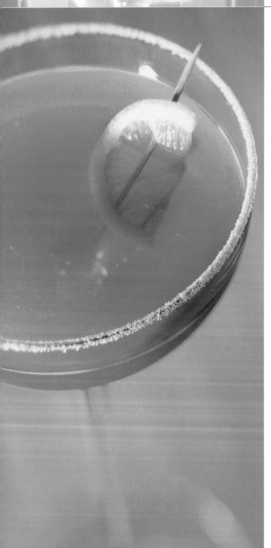

 (614)

Cóctel clásico

No se puede decir que este cóctel sea el único ni el primer clásico, pero su fórmula encierra todos los atributos característicos de sofisticación que tradicionalmente se asocian con los cócteles.

Para 1 persona
1 rodaja de limón
1 cucharadita de azúcar lustre
4-6 cubitos de hielo picados
2 medidas de brandy
$^1/_2$ medida de curaçao blanco
$^1/_2$ medida de marrasquino
$^1/_2$ medida de zumo de limón
1 rodaja de limón, para decorar

1 Frote el borde de una copa de cóctel bien fría con la rodaja de limón y escárchelo con el azúcar.
2 Agite enérgicamente el brandy, el curaçao, el marrasquino y el zumo de limón con hielo hasta que se condense agua en el exterior de la coctelera.
3 Sirva en la copa escarchada y decore con la rodaja de limón.

615. Cóctel de tequila: Agite enérgicamente 1 golpe de angostura, 3 medidas de tequila añejo, 1 medida de zumo de lima y $^1/_2$ medida de granadina con hielo hasta que se condense agua en el exterior de la coctelera. Sirva en una copa de cóctel bien fría. **Para 1 persona**

616. Cóctel de brandy: Agite enérgicamente 1 golpe de angostura, 2 medidas de brandy y $^1/_2$ cucharadita de jarabe de azúcar con hielo hasta que se condense agua en el exterior de la coctelera. Sirva en una copa de cóctel bien fría y decore con 1 rodaja de limón. **Para 1 persona**

Sidecar

El Cointreau es la marca más célebre de licor de naranja, aunque también puede emplear triple seco en este combinado. Resulta más seco y más fuerte que el curaçao, y siempre es incoloro.

Para 1 persona

2 medidas de brandy

1 medida de triple seco

1 medida de zumo de limón

4-6 cubitos de hielo picados

1 espiral de piel de naranja, para decorar

1 Agite enérgicamente el brandy, el triple seco y el zumo de limón con hielo hasta que se condense agua en el exterior de la coctelera.

2 Sirva en un vaso bien frío y decore con la espiral de piel de naranja.

618. Sidecar de champán: Prepare un Sidecar, pero sírvalo en una flauta bien fría y rellene con champán helado. **Para 1 persona**

619. Sidecar de Chelsea: Agite enérgicamente 2 medidas de ginebra, 1 de triple seco y 1 de zumo de limón con hielo hasta que se condense agua en la coctelera. Sirva en una copa de cóctel bien fría y decore con 1 tira de piel de limón. **Para 1 persona**

620. Sidecar de Boston: Agite enérgicamente 1$\frac{1}{2}$ medidas de ron blanco, $\frac{1}{2}$ de brandy, $\frac{1}{2}$ de triple seco y $\frac{1}{2}$ de zumo de limón con hielo hasta que se condense agua en la coctelera. Sirva en una copa bien fría y decore con piel de naranja. **Para 1 persona**

621. Sidecar de Polonia: Agite enérgicamente 2 medidas de ginebra, 1 de aguardiente de zarzamora y 1 de zumo de limón con hielo hasta que se condense agua en la coctelera. Sirva en una copa bien fría y decore con 1 zarzamora fresca. **Para 1 persona**

Caesarini

El huevo es un ingrediente típico de numerosos cócteles. La yema enriquece y espesa la bebida, mientras que la clara batida proporciona un vistoso efecto espumoso.

Para 1 persona

1$\frac{1}{2}$ medidas de brandy

$\frac{1}{2}$ medida de curaçao naranja

1 yema de huevo

2 golpes de granadina

1 Agite bien todos los ingredientes con hielo y sirva en un vaso mediano.

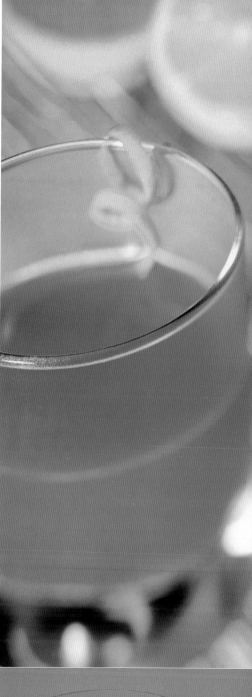

Flor de cerezo

En Japón se utiliza la flor del cerezo para elaborar un licor que se caracteriza por su color rosado y su delicado aroma. Este combinado no es ni tan sutil ni tan aromático, pero vale la pena probarlo.

Para 1 persona

$^2/_3$ de medida de brandy

$^3/_5$ de medida de aguardiente de cereza

1 golpe de granadina

1 golpe de curaçao

1 golpe de zumo de limón

hielo

1 Agite todos los ingredientes con hielo y sirva en una copa de cóctel bien fría.

Fix de aguardiente de cereza

La preparación de los *fixes* es rápida y fácil. Se hacen directamente en el vaso, y siempre llevan mucho hielo.

Para 1 persona

1 cucharadita de azúcar lustre

1 cucharadita de agua

el zumo de $^1/_2$ limón

$^1/_2$ medida de aguardiente de cereza

1 medida de brandy

hielo

1 rodaja de limón

1 Mezcle bien el azúcar y el agua en un vaso pequeño.

2 Agregue el zumo de limón, el aguardiente y el brandy. Rellene con hielo y remueva lentamente.

3 Decore con la rodaja de limón.

Cazador

Si necesita hacer acopio de valor o de fuerzas al final del día, este es el cóctel indicado para ello.

Para 1 persona
2 medidas de coñac
hielo picado
1 golpe de bénédictine
soda

1 Ponga el coñac en un vaso tipo *old-fashioned* lleno de hielo hasta que se enfríe bien.
2 Añada 1 golpe de bénédictine y rellene con soda al gusto.

626

Pisco Sour

Este combinado es la bebida nacional de Chile y del Perú, ideal para vencer el calor de los veranos sudamericanos. Resulta más fuerte de lo que parece.

Para 1 persona
2 medidas de pisco
1 medida de zumo de limón
1 cucharadita de azúcar lustre
1 golpe de amargo de naranja (opcional)
1 clara de huevo (opcional)
hielo picado

1 Agite todos los ingredientes con hielo hasta que se condense agua. Sirva.
2 La clara de huevo es opcional, pero mejora notablemente la apariencia y el sabor del cóctel.

Sugerencia: Se recomienda utilizar gran pisco, la versión más seca y fuerte.

 627 # La sorpresa de la abuela

Dicen que a algunas abuelas les encanta el jerez, sobretodo cuando lo beben a hurtadillas, así que el jerez escondido en esta combinación con zumo de naranja sin duda les agradará.

Para 1 persona

1/2 medida de jerez cream
1/2 medida de vermut semiseco
1 golpe de angostura
zumo de naranja recién exprimido
1 tira de piel de naranja

1 Ponga el jerez y el vermut en un vaso pequeño lleno de hielo y mezcle bien.
2 Añada la angostura.
3 Rellene con zumo de naranja y decore con la tira de piel de naranja.

 628 # Bambú

Esta combinación de jerez y vermut produce un combinado cuyo color es casi igual al del bambú. También resulta ligero y sencillo, especialmente si se toma bien frío.

Para 1 persona

1 1/2 medidas de jerez
1 1/2 medidas de vermut seco
1 golpe de amargo de naranja
hielo
1 tira de piel de limón

1 Remueva bien con hielo todos los ingredientes menos la tira de piel de limón en un vaso mezclador bien frío.
2 Sirva en una copa de cóctel bien fría y decore con la tira de piel de limón.

629 # Greenbriar

Se desconoce la procedencia de este combinado. Puede que su nombre haga referencia al distrito de Greenbrier, en West Virginia, Estados Unidos, uno de los sitios donde se originó el *Julepe de menta*.

Para 1 persona

2 medidas de jerez seco
1 medida de vermut seco
1 golpe de amargo de melocotón
hielo picado
1 ramita de menta para decorar

1 Mezcle bien todos los ingredientes con hielo en una copa de vino bien fría.
2 Decore con la ramita de menta.

Santa Vittoria

Una bebida para celebrar cualquier triunfo, bien sea deportivo o de otra índole.

Para 1 persona

1 medida de Cinzano Rosso
1 medida de ginebra
1 medida de zumo de naranja recién
exprimido
$^{1}/_{4}$ de medida de Cointreau
hielo
pétalos de rosa

1 Agite bien los cuatro primeros ingredientes con hielo y sirva en una copa de cóctel bien fría.

2 Decore con los pétalos de rosa.

Raffles

Sir Thomas Raffles fue el fundador de la colonia británica de Singapur. Este combinado era muy popular en su época.

Para 1 persona

1 medida de vermut blanco
$^{1}/_{4}$ de medida de ginebra
$^{1}/_{4}$ de medida de Campari
hielo
1 rodaja de naranja

1 Ponga los tres primeros ingredientes en un vaso mediano lleno de hielo y remueva.

2 Exprima la rodaja de naranja por encima y déjela en el vaso.

 Adonis

El jerez que elija para este combinado determinará su efecto: seco, dulce o amontillado, con sus suaves toques de nuez.

Para 1 persona
1 medida de jerez
$^1/_2$ medida de vermut rojo
hielo
1 golpe de amargo de naranja
1 tira de piel de naranja

1 Mezcle bien los ingredientes con hielo en un vaso mediano bien frío.
2 Decore con la tira de piel de naranja.

Washington DC

Este cóctel resulta sorprendente-mente seco hasta que se percibe el efecto del azúcar del escarchado. Sin embargo, hay quien prefiere consumirlo sin azúcar.

Para 1 persona
unas gotas de aguardiente de cereza
1 cucharada de azúcar lustre
2 golpes de angostura
2 golpes de jarabe de goma
1 medida de vermut seco
$^1/_2$ medida de brandy
hielo
1 cereza marrasquino

1 Frote el borde de una copa de cóctel de boca ancha con el aguardiente de cereza y escárchelo con el azúcar.
2 Ponga a secar.
3 Agite bien la angostura, el jarabe de goma, el vermut y el brandy. Sirva en la copa escarchada y añada un cubito de hielo y la cereza.

 634

Rana toro

El zumo de limón recién exprimido resulta fundamental en un cóctel, especialmente si se trata de uno de los ingredientes principales. Intente conseguir limones de origen orgánico no revestidos de cera y manténgalos a temperatura ambiente, para que sean más fáciles de exprimir.

Para 1 persona

1 medida de vermut seco

1 medida de triple seco

1 medida de zumo de limón

hielo

1 guinda verde y rodajas de lima

1 Agite bien con hielo todos los ingredientes menos la fruta hasta que se condense agua en el exterior de la coctelera.

2 Sirva en una copa de cóctel bien fría y decore con la guinda verde y las rodajas de lima.

Cobbler de jerez

Ésta es la receta original del *Cobbler de jerez* (un trago largo que se elabora con jarabe de azúcar y se decora con fruta), aunque existen muchas otras versiones, con frecuencia más fuertes.

Para 1 persona
hielo triturado
$^1/_4$ de cucharadita de jarabe de azúcar
$^1/_4$ de cucharadita de curaçao blanco
4 medidas de jerez amontillado
pedazos de piña y una espiral de piel de limón

1 Llene una copa de vino con el hielo triturado.
2 Agregue el jarabe de azúcar y el curaçao, y remueva hasta que se forme un granizado.
3 Añada el jerez y remueva bien.
4 Decore con trozos de piña ensartados en un palillo y la espiral de piel de limón.

636. Cobbler de oporto: Ponga 1 cucharadita de azúcar lustre y 2 medidas de agua con gas en una copa bien fría. Remueva hasta que se disuelva el azúcar. Añada hielo picado y 3 medidas de oporto Ruby Port. Decore con 1 rodaja de naranja y 1 guinda. **Para 1 persona**

637. Cobbler de bourbon: Ponga 1 cucharadita de azúcar lustre y 1 golpe de zumo de limón en un vaso alto bien frío. Agregue 6 cubitos de hielo picados, 2 medidas de bourbon y 2 medidas de Southern Comfort. Rellene con soda y remueva. Decore con 1 rodaja de melocotón. **Para 1 persona**

638. Cobbler de brandy: Ponga 1 cucharadita de azúcar lustre y 3 medidas de agua con gas en un vaso bajo bien frío. Remueva hasta que se disuelva el azúcar. Añada hielo picado y 2 medidas de brandy. Remueva. Decore con 1 rodaja de limón y 1 guinda. **Para 1 persona**

639. Cobbler de ron: Ponga 1 cucharadita de azúcar lustre y 2 medidas de agua con gas en una copa de vino bien fría. Remueva hasta que se disuelva el azúcar. Llene la copa con hielo picado, incorpore 2 medidas de ron blanco y remueva bien. Decore con 1 rodaja de lima y 1 rodaja de naranja. **Para 1 persona**

Rembrandt

Este sencillo cóctel se prepara muy rápidamente y es digno rival de un *Kir*. Si le parece demasiado dulce, agregue un poco de zumo de limón.

Para 1 persona
zumo de limón
azúcar lustre
$^1/_2$ medida de aguardiente de albaricoque
unas gotas de zumo de limón (opcional)
1 copa de vino blanco seco, bien frío

1 Frote el borde de una copa de vino con un poco de zumo de limón y escárchelo con el azúcar. Ponga a secar.
2 Agregue el aguardiente y zumo de limón al gusto.
3 Rellene con vino, de modo que el aguardiente haga remolinos alrededor de la copa.

Noches de jerez

En el pasado, el jerez no se utilizaba demasiado para preparar cócteles. Sin embargo, cada vez aparecen más interesantes creaciones que lo incluyen entre sus ingredientes.

Para 1 persona
1 golpe de clara de huevo un poco batida o zumo de limón
azúcar lustre, mezclado con
1 cucharadita de ralladura fina de naranja
1 medida de jerez
$^1/_2$ medida de whisky
1 medida de zumo de naranja
2 golpes de curaçao naranja
cubitos de hielo

1 Frote el borde de una copa de cóctel con clara de huevo o zumo. Escárchelo con el azúcar. Ponga a secar.
2 Pase el resto de los ingredientes por la batidora durante 10 segundos.
3 Sirva en la copa escarchada, agregue hielo y beba con una pajita.

Margarita

Este cóctel, inventado en México en 1942 y atribuido a Francisco Morales, es una versión un poco más refinada de la forma original de beber tequila, que consiste en lamer una pizca de sal colocada en el dorso de la mano, tomarse un trago de tequila puro y succionar una rodaja de limón.

Para 1 persona

1 rodaja de lima
sal gruesa
3 medidas de tequila blanco
1 medida de triple seco o Cointreau
2 medidas de zumo de lima
hielo picado
1 rodaja de lima, para decorar

1 Frote el borde de una copa de cóctel bien fría con la rodaja de lima y escárchelo con la sal gruesa.
2 Agite enérgicamente el tequila, el triple seco y el zumo de lima con hielo hasta que se condense agua en el exterior de la coctelera.
3 Sirva en la copa escarchada y decore con la rodaja de lima.

643 Bravata de tequila

Aunque la crema de coco contribuye a atenuar un poco este potente combinado, no se deje engañar por su suave color rosado.

Para 1 persona

1 medida de tequila
$^1/_2$ medida de ron blanco
$^1/_2$ medida de vodka
$^1/_4$ de medida de crema de coco
1 golpe de zumo de lima
unas gotas de granadina
hielo

1 flor o pétalos
1 tira de piel de lima

1 Agite bien los seis primeros ingredientes con hielo.
2 Sirva en una copa de cóctel bien fría y decore con la flor o los pétalos y con la tira de piel de lima.

Shot de tequila

Los aficionados al tequila más tradicionales afirman que ésta es la única manera de beberlo puro. Su sabor se suele describir como suave y agrio, de modo que la adición de zumo de lima y sal tal vez le parezca contradictoria, ¡hasta que lo pruebe!

Para 1 persona
1 pizca de sal
1 medida de tequila añejo
1 rodaja de lima

1 Póngase la pizca de sal en la base del dedo pulgar, entre este dedo y el índice.
2 Sostenga la rodaja de lima en la misma mano.
3 Sujete el tequila en la otra mano.
4 Lama la sal, beba el tequila y succione la lima.

Proyectil

Aunque el tequila potencia cualquier cóctel que lo contenga, este combinado no resulta tan fuerte como su nombre parece sugerir.

Para 1 persona
2 medidas de marsala seco
1 medida de tequila
1 golpe de Campari
1 golpe de aguardiente de cereza
hielo
1 rodaja de limón

1 Mezcle los cuatro primeros ingredientes directamente en un vaso o en una copa de cóctel pequeños con hielo.
2 Decore con la rodaja de limón.

Bromista

No caiga en la tentación de creer que esta bebida es sólo una refrescante copa de zumo helado.

Para 1 persona
1 medida de tequila
1 medida de licor de naranja
1 medida de zumo de lima recién exprimido
1 golpe de clara de huevo
hielo
1 rodaja o 1 tira de piel de lima

1 Agite bien con hielo todos los ingredientes menos la rodaja de lima hasta que se condense agua en el exterior de la coctelera.
2 Sirva en una copa de cóctel bien fría y decore con la rodaja o la tira de piel de lima y un cubito de hielo.

Toro bravo

Las numerosas relaciones históricas entre España y México han dejado un gran legado, que incluye la pasión por las corridas de toros. Lo que no se ha podido determinar es si el nombre de este cóctel es un tributo al animal o si más bien hace referencia al estado en que queda quien lo bebe.

Para 1 persona
2 medidas de tequila blanco
1 medida de Tia Maria
hielo picado
1 espiral de piel de limón

1 Remueva bien el tequila y el Tia Maria con hielo en un vaso mezclador.
2 Sirva en una copa bien fría y decore con la espiral de piel de limón.

(648) Carolina

Este combinado requiere el sabor más maduro y el color ámbar de los tequilas añejos.

Para 1 persona

3 medidas de tequila añejo
1 cucharadita de granadina
1 cucharadita de esencia de vainilla
1 medida de nata líquida
hielo picado
1 clara de huevo
canela rallada
1 guinda

1 Agite enérgicamente el tequila, la granadina, la esencia de vainilla, la nata y la clara de huevo con hielo hasta que se condense agua en el exterior de la coctelera.
2 Sirva en una copa de cóctel bien fría.
3 Espolvoree con la canela y decore con la guinda.

(649) Perro loco

Si consume demasiadas copas de este cóctel, con toda probabilidad terminarán encerrándolo en una perrera. Si lo desea, puede alargarlo con mucho hielo.

Para 1 persona

1 medida de tequila blanco
1 medida de crema de plátano
1 medida de crema de cacao blanca
1/2 medida de zumo de lima
1 rodaja de lima, 1 rodaja de plátano y 1 guinda
hielo picado

1 Agite enérgicamente el tequila, la crema de plátano, la crema de cacao y el zumo de lima con hielo hasta que se condense agua en el exterior de la coctelera.
2 Sirva en una copa de cóctel bien fría y decore con la rodaja de plátano, la de lima y la guinda.

650. Beagle: Remueva 1 golpe de kümmel, 1 golpe de zumo de limón, 2 medidas de brandy y 1 medida de zumo de arándanos con hielo en un vaso mezclador. Sirva en una copa de cóctel bien fría. **Para 1 persona**

651. Gran danés: Agite enérgicamente 2 medidas de ginebra, 1 de aguardiente de cereza, 1/2 de vermut seco y 1 cucharadita de kirsch con hielo hasta que se condense agua. Sirva en una copa de cóctel bien fría y decore con piel de limón. **Para 1 persona**

652. Bulldog pura sangre: Ponga 1 medida de ginebra y 2 de zumo de naranja en un vaso bajo lleno de hielo hasta la mitad. Rellene con ginger ale bien frío. **Para 1 persona**

653. Sabueso: Pase por la batidora 2 medidas de ginebra, 1 medida de vermut dulce, 1 medida de vermut seco, 3 fresas y hielo triturado hasta que obtenga un granizado. Sirva en una copa de cóctel bien fría. **Para 1 persona**

 # Coco loco

Para lograr un efecto espectacular en una fiesta, empape el borde del vaso con uno de los licores y escárchelo con una mezcla de cacao en polvo y azúcar lustre.

Para 1 persona

cacao en polvo

azúcar lustre

1 medida de crema de coco

1 medida de ron de coco

1 medida de crema de cacao

1 medida de leche

cubitos de hielo

1 Empape el borde de un vaso con un poco de licor y escárchelo con cacao en polvo y azúcar. Ponga a secar.

2 Mezcle bien la crema de coco, el ron de coco, la crema de cacao y la leche.

3 Llene de hielo el vaso escarchado y vierta el combinado.

 # Banshee

Numerosos cócteles reciben nombres de demonios, fantasmas y otras criaturas sobrenaturales. Las *banshees* son espíritus femeninos que, según la tradición irlandesa, anuncian con sus llantos y lamentos la muerte próxima de una persona. Parece poco probable que éste cóctel le vaya a hacer llorar (excepto de alegría), pero tal vez le ponga los pelos de punta.

Para 1 persona

2 medidas de crema de plátano

1 medida de crema de cacao

1 medida de nata líquida

hielo picado

1 Agite enérgicamente la crema de plátano, la crema de cacao y la nata líquida con hielo hasta que se condense agua en el exterior de la coctelera.

2 Sirva en una copa de vino bien fría.

 # Algodón de azúcar

El plátano se congela bien y resulta estupendo para decorar los cócteles que llevan licor de plátano. Córtelo en rodajas transversales o en diagonal y congélelas brevemente.

Para 1 persona

1 medida de schnapps de melocotón

1 medida de licor de plátano

1 medida de aguardiente de albaricoque

1-2 medidas de zumo de naranja

hielo

rodajas de plátano

1 Mezcle bien los cuatro primeros ingredientes con hielo.

2 Sirva en un vaso lleno de hielo y decore con unas rodajas de plátano, frescas o congeladas.

Luna de miel

El viaje nupcial recibe ese nombre porque se supone que el primer mes de matrimonio debe ser dulce. Si busca una alternativa al champán después de la boda, comparta esta bebida con su pareja.

Para 2 personas

4 medidas de aguardiente de manzana

2 medidas de bénédictine

2 medidas de zumo de limón

2 cucharaditas de triple seco

hielo picado

1 Agite enérgicamente el aguardiente, el bénédictine, el zumo de limón y el triple seco con hielo hasta que se condense agua en el exterior de la coctelera.

2 Sirva en dos copas de cóctel bien frías.

658. Despedida de soltero: Agite enérgicamente 1 golpe de amargo de naranja, 2 medidas de ginebra, 1 cucharadita de granadina y 1 clara de huevo con hielo hasta que se condense agua en el exterior de la coctelera. Sirva en una copa de cóctel bien fría.
Para 1 persona

659. Cupido: Agite enérgicamente 2 medidas de jerez seco, 1 cucharadita de jarabe de azúcar, 1 huevo y 1 golpe de tabasco con hielo hasta que se condense agua en el exterior de la coctelera. Sirva en una copa de cóctel bien fría. **Para 1 persona**

660. Besos: Remueva bien 1 medida de aguardiente de cereza, 1 medida de ginebra y 1 medida de vermut dulce con 4-6 cubitos de hielo picados en un vaso mezclador. Sirva en una copa de cóctel bien fría. **Para 1 persona**

661. Campanas de boda: Remueva bien 1 golpe de amargo de naranja, 2 medidas de whisky de centeno (rye), 1 medida de triple seco y 2 medidas de Lillet con 4-6 cubitos de hielo picados en un vaso mezclador. Sirva en una copa de cóctel bien fría.
Para 1 persona

Panda

El slivovitz es un aguardiente incoloro de ciruela que por lo general se elabora con la variedad Mirabelle. Aunque se suele beber puro, también añade una ligera nota frutal a los cócteles. Si no dispone de él, sustitúyalo por aguardiente de albaricoque, melocotón o cereza, pero el cóctel no tendrá el mismo aspecto.

Para 1 persona
1 medida de slivovitz
1 medida de aguardiente de manzana
1 medida de ginebra
1 medida de zumo de naranja
hielo picado
1 golpe de jarabe de azúcar

1 Agite enérgicamente el jarabe de azúcar, el slivovitz, el aguardiente de manzana, la ginebra y el zumo de naranja con hielo hasta que se condense agua en el exterior de la coctelera.
2 Sirva en una copa de cóctel bien fría.

(663) Cosmopolitan y Cosmopolitan blanco

El Cosmopolitan blanco se diferencia del Cosmopolitan original de color rosado porque se prepara con Limoncello, un licor italiano de limón, y no con vodka.

Para 1 persona
1¹/₂ medidas de vodka (o Limoncello)
¹/₂ medida de Cointreau
1 medida de zumo de arándanos y ¹/₂ de zumo de lima (o 1 medida de néctar de arándanos y uva)
1 golpe de amargo de naranja
1 guinda

1 Para el Cosmopolitan, agite bien el vodka, el Cointreau, el zumo de arándanos y el de lima con hielo. Para la variedad blanca, repita el procedimiento con el Limoncello, el Cointreau y el néctar de arándanos y uva.
2 Sirva en una copa de cóctel bien fría.
3 Para el Cosmopolitan blanco, añada el amargo de naranja. Decore con la guinda.

Manzanas heladas

Al igual que el vodka, el schnapps puede guardarse en el congelador, ya que nunca se congela del todo y de este modo siempre está bien helado.

Para 1 persona

1 medida de schnapps de manzana helado
1 medida de zumo de arándanos blancos y
manzana
hielo

1 Mezcle bien todos los ingredientes con hielo y sirva en una copa de cóctel bien fría.

Naranja agridulce

El Izarra es un licor floral francés que se elabora con armagnac y eaux de vie. El verde es más fuerte que el amarillo. En este combinado, su dulce sabor se compensa con los aromas cítricos de la naranja y con el Campari.

Para 1 persona

1 medida de Izarra amarillo
1 medida de Campari
el zumo de 1 naranja
hielo
1 rodaja de naranja

1 Agite los tres primeros ingredientes con hielo hasta que se condense agua en el exterior de la coctelera.
2 Sirva en una copa de cóctel bien fría y decore con la rodaja de naranja.

Dama nublada

El rosa brillante de la granadina se abre paso entre los densos licores con tonos de nuez para formar una atractiva capa en el fondo de la copa.

Para 1 persona
1/2 medida de crema de noyeau
1/2 medida de licor de café
1/2 medida de brandy
1/2 medida de zumo de naranja
1 golpe de clara de huevo
hielo
1 golpe de granadina
nuez moscada rallada

1 Agite los cinco primeros ingredientes con hielo hasta que se condense agua en el exterior de la coctelera.
2 Sirva en una copa de cóctel bien fría, añada la granadina y decore con la nuez moscada rallada.

Paradiso

En la mayoría de los cócteles cortos, el mejor resultado se obtiene al utilizar bebidas heladas. Los licores con un alto contenido de azúcar pueden guardarse en la nevera sin peligro a que se congelen.

Para 1 persona
1 medida de Parfait Amour
1 medida de Cointreau o triple seco
cubitos de hielo
1 tira de piel de naranja

1 Ponga los licores en un vaso pequeño bien frío lleno de hielo.
2 Añada la tira de piel de naranja y una varilla agitadora.

668

El último tango

Utilice rodajas de mango congeladas en lugar de cubitos de hielo cuando prepare este cóctel. Son deliciosas y su apariencia resulta muy atractiva.

Para 1 persona

2-3 rodajas delgadas de mango maduro
parcialmente congeladas
$1^{1}/_{2}$ medidas de Mandarine Napoleón
$^{1}/_{2}$ medida de kirsch
hielo picado

1 Ponga a congelar las rodajas de mango con 40-50 minutos de antelación.
2 Agite bien los licores con hielo hasta que se condense agua en el exterior de la coctelera. Sirva en una copa de cóctel bien fría y decore con las rodajas de mango.

669

Alud de lodo

Un nombre de mal agüero que no hace justicia a esta exquisita y cremosa bebida, adecuada para beberla en cualquier época del año.

Para 1 persona

$1^{1}/_{2}$ medidas de Kahlúa
$1^{1}/_{2}$ medidas de Baileys
$1^{1}/_{2}$ medidas de vodka
hielo picado

1 Agite enérgicamente el Kahlúa, el Baileys y el vodka con hielo hasta que se condense agua en el exterior de la coctelera.
2 Sirva en una copa de vino bien fría.

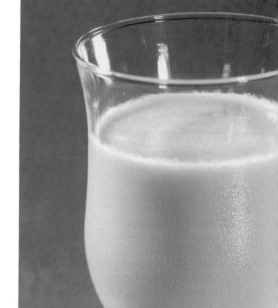

Menta africana

670

El Amarula es un licor exótico y cremoso, que siempre debe servirse muy frío pero sin hielo, pues pierde su carácter cuando se diluye.

Para 1 persona

3/4 de medida de crema de menta bien fría

3/4 de medida de Amarula bien frío

1 Ponga la crema de menta en un vaso tipo *shot*. Reserve unas cuantas gotas.
2 Con pulso firme, añada una segunda capa de Amarula vertiéndolo cuidadosamente sobre el dorso de una cuchara.
3 Agregue una gotas de crema de menta por encima para decorar.

Monstruo escarchado

671

Cuando el nombre de un cóctel incluye la palabra *escarchado*, por lo general implica que el borde de la copa en la que se sirve se escarcha con azúcar. Este procedimiento es apropiado cuando utiliza licores de sabores fuertes y para realzar la presentación de los combinados.

Para 1 persona

1/3 de medida de zumo de limón

1 cucharadita de azúcar lustre

1/3 de medida de kümmel

1/3 de medida de crema de menta verde

1/2 medida de ginebra

4 golpes de amargo de melocotón

hielo

1 Moje el borde de una copa de cóctel bien fría con zumo de limón y escárchelo con el azúcar lustre.
2 Agite todos los ingredientes con hielo hasta que se condense agua en el exterior de la coctelera y sirva en la copa escarchada.

Menta imperial

672

Este combinado resulta muy fuerte y sus efectos son duraderos, así que disfrútelo con precaución o utilice mucho hielo para alargarlo.

Para 1 persona

azúcar lustre

1 medida de crema de menta verde

1/2 medida de Drambuie

1 golpe de Pernod

2 golpes de jarabe de goma

hielo

1 Moje el borde de una copa de cóctel bien fría con Pernod y escárchelo con el azúcar.
2 Agite todos los ingredientes con hielo hasta que se condense agua en el exterior de la coctelera.
3 Sirva en la copa escarchada y añada 1 cubito de hielo.

673 Niebla londinense

Cuando prepare este cóctel, el anís se volverá opaco al mezclarse con el hielo. Si utiliza crema de menta blanca, obtendrá una niebla blanquecina.

Para 1 persona
1/2 medida de anisette
1/2 medida de crema de menta,
verde o blanca
unas gotas de angostura
hielo triturado

1 Mezcle bien los tres ingredientes con hielo y sirva en una copa de cóctel llena de hielo.

674 Katrina

También puede preparar este combinado con licor de menta de color verde, pero así luce más atractivo y su sabor es idéntico.

Para 1 persona
1 medida de galliano
1/2 medida de crema de menta blanca
1/2 medida de brandy
hielo

1 Agite bien todos los ingredientes con hielo.
2 Sirva en un vaso pequeño bien frío.

675 El charlestón

Una estupenda mezcla de sabores que le causará un gran impacto.

Para 1 persona
1/6 de medida de ginebra seca
1/6 de medida de kirsch
1/6 de medida de curaçao
1/6 de medida de vermut seco
1/6 de medida de vermut dulce
1 tira de piel de limón

1 Agite bien con hielo todos los ingredientes menos la piel de limón y sirva en una copa de cóctel bien fría.
2 Decore con la tira de piel de limón.

Ardilla rosada

El licor francés crema de noyeau posee un sabor delicioso, ligeramente amargo, que recuerda el de la almendra. De hecho se elabora a base de almendra y semillas de melocotón o albaricoque. Aunque se suele beber solo, resulta muy apropiado para preparar cócteles, pues combina muy bien con ingredientes muy diversos.

Para 1 persona

2 medidas de crema de cacao oscura
1 medida de crema de noyeau
1 medida de nata líquida
hielo picado

1 Agite enérgicamente la crema de cacao, la crema de noyeau y la nata líquida con hielo hasta que se condense agua en el exterior de la coctelera.

2 Sirva en una copa de cóctel bien fría.

677. Almendra rosada: Agite enérgicamente 2 medidas de whisky americano «blended», 1 de amaretto, $^1/_2$ de crema de noyeau, $^1/_2$ de aguardiente de cereza y 1 de zumo de limón con hielo hasta que se condense agua en el exterior de la coctelera. Sirva en una copa bien fría y decore con 1 rodaja de limón. **Para 1 persona**

678. Gatito rosado: Llene hasta la mitad un vaso bajo bien frío con hielo. Agregue 1 golpe de granadina y 2 medidas de ginebra. Rellene con zumo de piña y decore con 1 rodajita de piña. **Para 1 persona**

679. Brezo rosado: Ponga 1 medida de whisky escocés y 1 de licor de fresa en una flauta bien fría. Rellene con vino espumoso bien frío. Decore con 1 fresa. **Para 1 persona**

680. Bigotes rosados: Agite enérgicamente 2 medidas de aguardiente de albaricoque, 1 de vermut seco, 2 de zumo de naranja y 1 golpe de granadina con hielo hasta que se condense agua en el exterior de la coctelera. Sirva en una copa de cóctel bien fría. **Para 1 persona**

Golondrina

Un cóctel peligroso, debido a su potencia y a lo rápido que se deja beber.

Para 1 persona

$^1/_2$ medida de chartreuse verde
$^1/_2$ medida de vermut dulce
$^1/_2$ medida de ginebra
hielo

1 Agite bien todos los ingredientes con hielo y sirva en una copa de cóctel.

(682) Inflamable

Este refrescante y delicado combinado le llenará de energía para afrontar una noche agitada o para tomar la pista de baile por asalto.

Para 1 persona

1 medida de pastis o Pernod

1 medida de Cointreau

1/2 medida de zumo de limón recién exprimido

hielo triturado

1 espiral de piel de limón

1 Agite los tres primeros ingredientes con hielo hasta que se condense agua en el exterior de la coctelera.

2 Sirva en una copa de cóctel bien fría y decore con la espiral de piel de limón.

(683) Coloso en llamas

Si está buscando un cóctel que le produzca un «subidón», ya lo encontró. La célebre absenta es una bebida realmente fuerte, que no debe ser tomada a la ligera.

Para 1 persona

1 medida de absenta helada

1 medida de sirope de lima helado

1 Ponga a enfriar un vaso tipo *shot*.

2 Agite la absenta y el sirope de lima con hielo hasta que se condense agua en el exterior de la coctelera y sirva en el vaso.

(684) Agujero negro

Salga del agujero con esta excepcional combinación. El sambuca negro es una bebida poco usual, que despertará la curiosidad de sus amigos.

Para 1 persona

2 medidas de sambuca negro, helado

2 medidas de vermut seco, helado

hielo picado

soda

1 Remueva los dos licores con hielo hasta que se condense agua en el exterior del vaso mezclador.

2 Sirva en un vaso tipo *old-fashioned* y rellene con soda al gusto.

Príncipe Carlos

Probablemente la mejor bebida para recobrarse tras un partido de polo.

Para 1 persona
$1/2$ medida de Drambuie
$1/2$ medida de coñac
$1/2$ medida de zumo de limón
recién exprimido
hielo

1 Remueva bien los tres licores con hielo hasta que se condense agua en el exterior del vaso mezclador.
2 Sirva en una copa de cóctel bien fría.

686

Tricampeón

Los zumos de pomelo de color rosa o rubí se caracterizan por un sabor más dulce y suave que el del zumo blanco tradicional, de modo que resultan muy buenos para mezclar en cócteles.

Para 1 persona
1 medida de Cinzano blanco
1 medida de triple seco
1-2 medidas de zumo de pomelo rosa o rubí
$1/2$ medida de oporto Ruby Port
hielo

1 Mezcle bien todos los ingredientes en un vaso lleno de hielo.

Temblor amarillo

Un combinado de tres frutas y tres licores diferentes que resulta de lo más atractivo. Agregue un toque de glamour con un remolino de curaçao azul en la superficie.

Para 1 persona

$^1/_2$ medida de Mandarine Napoleón
$^1/_2$ medida de vodka
$^1/_4$ de medida de galliano
$^1/_2$ medida de zumo de piña
$^1/_4$ de medida de zumo de limón
$^1/_2$ clara de huevo
hielo triturado
1 golpe de curaçao azul

1 Agite con hielo todos los ingredientes menos el curaçao hasta que se condense agua en el exterior de la coctelera.
2 Sirva en una copa de cóctel bien fría y agregue el golpe de curaçao justo antes de consumir.

Pussyfoot

Se dice que este delicioso e inofensivo cóctel se ideó durante los años de la «ley seca».

Para 1 persona
hielo picado
el zumo de $^1/_2$ naranja
el zumo de $^1/_2$ limón
el zumo de $^1/_2$ lima
$^1/_2$ yema de huevo
1 golpe de granadina
1 rodaja de naranja y 1 ramita de menta fresca

1 Agite enérgicamente todos los ingredientes con hielo y sirva en un vaso tipo *highball* bien frío.
2 Decore con la rodaja de naranja y la ramita de menta.

Cócteles
con frutas

Lágrima

Un trago largo y delicioso de ginebra, frutas y nata, que destaca por su exótica presentación: deléitese mientras observa cómo se sumerge el jarabe rosado en la copa a medida que lo bebe.

Para 1 persona
1 medida de ginebra
2 medidas de néctar de albaricoque
o melocotón
1 medida de nata líquida
hielo triturado
1/2 medida de jarabe de fresa

1 Pase por la batidora todos los ingredientes, menos el jarabe de fresa, durante 5-10 segundos, hasta obtener un granizado espeso y espumoso.
2 Sírvalo en una copa alta llena de hielo triturado.
3 Agregue el jarabe de fresa por encima.

Fizz del Misisipí

Un *fizz* con una explosión de sabores afrutados y un sutil toque de ginebra helada.

Para 1 persona
2 medidas de ginebra
1 medida de zumo de lima recién exprimido
1 medida de zumo de granadilla
$^{1}/_{4}$ de medida de jarabe de goma
3 golpes de agua de azahar
1 medida de soda
hielo triturado

1 Pase por la batidora a alta velocidad todos los ingredientes durante unos segundos, hasta obtener un granizado espumoso.
2 Sirva el *fizz* en una copa de cóctel grande o en un vaso largo bien fríos. Beba con una pajita.

 691

Delirio frutal

El melón y el mango se caracterizan por sus intensos aromas y sabores, que se combinan de modo exquisito en este cóctel.

Para 1 persona

1 medida de ginebra

$^1/_2$ medida de licor de melón

1 medida de néctar de mango

1 medida de zumo de pomelo

la clara de 1 huevo pequeño

cubitos de hielo

1 rodaja de mango

1 Agite bien los seis primeros ingredientes con hielo hasta que se condense agua en el exterior de la coctelera.

2 Sirva el cóctel en un vaso alto, rellene con hielo y decore con la rodaja de mango.

Brisa marina

El zumo de pomelo rosado tiene un sabor mucho más dulce y sutil que el blanco, por lo que resulta idóneo para preparar cócteles que deban tener un gusto ligeramente ácido.

Para 1 persona

1¹/₂ medidas de vodka
¹/₂ medida de zumo de arándanos
hielo
zumo de pomelo rosado al gusto

1 Agite bien el vodka y el zumo de arándanos con hielo hasta que se condense agua en el exterior de la coctelera.
2 Vierta la mezcla en un vaso alto bien frío y rellene con zumo de pomelo al gusto.
3 Sirva el cóctel con una pajita.

Ave del paraíso

Este cóctel se suele preparar con curaçao naranja, pues el color final resulta más apetitoso, aunque también se puede emplear curaçao azul. Pruebe ambas versiones, y decida cuál de las dos prefiere.

Para 1 persona

1 medida de ginebra, bien fría
1 medida de néctar de granadilla, bien frío
¹/₂ medida de curaçao naranja, bien frío
hielo triturado
1 rodaja gruesa de sandía
(reserve un trozo para decorar)

1 Despepite la sandía.
2 Pase por la batidora todos los ingredientes y el hielo hasta obtener un granizado.
3 Sírvalo en un vaso o copa de cóctel grandes y decore con un triángulo de sandía. Puede que necesite una cucharilla para beberlo.

La vida en rojo

El intenso color rojo de este estimulante cóctel se debe al zumo de arándanos.

Para 1 persona
1 medida de vodka rojo
1 medida de schnapps de melocotón
3 medidas de zumo de arándanos
hielo triturado
soda
arándanos congelados

1 Agite los tres primeros ingredientes con hielo hasta que se condense agua en el exterior de la coctelera.

2 Sirva la mezcla en una copa de cóctel alta bien fría, rellene con soda y decore con unos arándanos congelados.

Té supremo

Esta variante del *Pimm* clásico es un poco más fuerte, tiene un sabor a manzana más intenso y es igual de adecuado para refrescar las tardes veraniegas.

Para 1 persona
1 medida de vodka
1 medida de Pimm's Nº 1
1 medida de zumo de manzana
hielo
limonada
rodajas de pepino y manzana

1 Agite los tres primeros ingredientes con hielo hasta que se condense agua en el exterior de la coctelera.

2 Sirva el cóctel en un vaso tipo *highball* y rellene con limonada.

3 Decore con rodajas de pepino y manzana.

Collins de arándanos

Aunque el *Collins* clásico se elabora con ginebra, existen numerosas variaciones con otros licores...

Para 1 persona

2 medidas de vodka

3/4 de medida de jarabe de saúco

3 medidas de zumo de arándanos y manzana, o al gusto

hielo

soda

arándanos y 1 rodaja de lima

1 Agite los tres primeros ingredientes con hielo hasta que se condense agua en el exterior de la coctelera.

2 Sirva el cóctel en un vaso tipo *highball* con hielo y rellene con soda al gusto.

3 Decore con unos cuantos arándanos y la rodaja de lima.

Chica chica

Aunque existen en el mercado vodkas con diversos sabores, también puede preparar uno casero. Para ello, coloque una pequeña cantidad del sabor que desee (un trozo de piel de lima o de limón, unas frambuesas o grosellas, un par de orejones o incluso un pedazo de guindilla) en una botella de vodka y deje macerar durante unas 12 horas.

Para 1 persona

2 medidas de vodka de frambuesa

1 medida de Chambery

2 medidas de zumo de arándanos y frambuesa

hielo triturado

1 medida de zumo de manzana

limonada y rodajas de manzana

1 Mezcle bien los tres primeros ingredientes en un vaso tipo *highball* bien frío lleno de hielo triturado.

2 Agregue el zumo de manzana y rellene con limonada al gusto.

3 Decore el cóctel con las rodajas de manzana.

En la playa

Las bebidas que se consumen durante las vacaciones suelen ser largas y afrutadas. Este cóctel refrescante le traerá recuerdos de días felices bajo el sol.

Para 1 persona

1 medida de schnapps de melocotón

1 medida de vodka

2 medidas de zumo de naranja

3 medidas de zumo de arándanos y pera

1 golpe de zumo de limón

hielo triturado

1 tira de piel de naranja

1 Agite los cuatro primeros ingredientes con hielo hasta que se condense agua en el exterior de la coctelera.

2 Sirva el cóctel en un vaso tipo *highball* lleno de hielo triturado y agregue el zumo de limón.

3 Decore el vaso con la tira de piel de naranja.

 699

Cinnamon Park

Un cóctel de frutas puede cambiar radicalmente con unas notas especiadas. Agregue canela molida a este combinado y espolvoréelo con un poco más antes de servirlo.

Para 1 persona

1 medida de vodka

2 medidas de zumo de pomelo rosado

½ medida de Campari

1 golpe de jarabe de goma

1 o 2 pizcas de canela

1 clara de huevo

hielo

1 Agite bien todos los ingredientes con hielo y sirva la mezcla en una copa de cóctel mediana bien fría.

 700

Mimí

Si prepara este cóctel para personas abstemias o que deban conducir, elimine el vodka... ¡y añádalo a su propia copa!

Para 1 persona

2 medidas de vodka

½ medida de crema de coco

2 medidas de zumo de piña

hielo triturado

1 rodaja o 1 triángulo de piña fresca

1 Pase por la batidora los cuatro primeros ingredientes durante unos segundos, hasta obtener un granizado espumoso.

2 Sírvalo en una copa de cóctel bien fría y decore con la piña.

 701 # Cóctel de naranja sanguina

La naranja sanguina se puede adquirir al comienzo de la temporada de naranjas, y resulta idónea para complementar el gusto agridulce y afrutado del Campari. Si le parece demasiado amarga, sirva el combinado en una copa escarchada con azúcar.

Para 1 persona

azúcar lustre

el zumo de 1 naranja sanguina

1 medida de vodka rojo

1 medida de Campari

hielo picado

pajitas

1 Frote el borde de una copa de cóctel grande con un poco de zumo de naranja y escárchelo con el azúcar. Ponga a secar.

2 Agite el zumo de naranja, el vodka y el Campari con hielo hasta que se condense agua en el exterior de la coctelera.

3 Sirva el combinado con una pajita.

702 El seductor

Esta combinación de licores de almendra y hierbas con melocotón maduro seducirá su paladar con sus aromas y su sabor.

Para 1 persona
1 medida de vodka
$1/2$ medida de amaretto
$1/2$ medida de vermut blanco
$1/2$ melocotón maduro, pelado y deshuesado
hielo

1 Pase todos los ingredientes por la batidora con $1/2$ vaso de hielo triturado a baja velocidad durante 10 segundos, hasta obtener un granizado.
2 Sirva en una copa de cóctel alta y agregue más hielo picado al gusto.

703 Guillermo Tell

Puede preparar este combinado con cualquier schnapps, aunque obtendrá los mejores resultados con el de pera.

Para 1 persona
2 medidas de schnapps de pera
1 medida de marrasquino
hielo
2 medidas de zumo de manzana
soda

1 Mezcle bien los dos primeros ingredientes en un vaso alto lleno de hielo.
2 Añada el zumo de manzana y rellene el vaso con soda al gusto.

704 Sabroso melocotón

El vermut es un licor ligero que, mezclado con frutas y soda, se utiliza en numerosos combinados largos y refrescantes.

Para 1 persona
1 medida de vermut seco
$1/2$ medida de amaretto
2 medidas de néctar de melocotón
hielo
agua con gas con sabor a melocotón
flores o pétalos

1 Agite los tres primeros ingredientes con hielo hasta que se condense agua en el exterior de la coctelera.
2 Sirva en un vaso alto bien frío y rellene con el agua con gas al gusto.
3 Decore con flores o pétalos.

Copa de manzana otoñal

Una bebida refrescante, perfecta para que usted y sus amigos disfruten de los últimos calores del verano. Ponga a enfriar todos los ingredientes con antelación.

Para 6 personas
el zumo de 3 naranjas pequeñas
5-6 medidas de calvados o brandy
(o al gusto)
unas gotas de esencia de vainilla
750 ml de sidra de manzana fría
hielo
rodajas de manzana o de naranja

1 Mezcle los cuatro primeros ingredientes en una jarra grande con mucho hielo.
2 Sirva cada porción decorada con una rodaja de manzana o naranja.
3 Si desea alargar el cóctel, añada soda o agua con sabor a manzana al gusto.

Fuzzcaat

Holanda es la patria del advocaat, un licor a base de huevo que se utiliza en muchos de los más audaces cócteles provenientes de aquel país.

Para 1 persona
1 medida de brandy
$^1/_2$ medida de advocaat
$^1/_2$ medida de aguardiente de melocotón
la pulpa de $^1/_2$ melocotón maduro, pelada
1 golpe de jarabe de lima
hielo triturado
gaseosa
1 rodaja de naranja

1 Pase por la batidora los cinco primeros ingredientes con hielo hasta obtener un granizado espumoso.
2 Sirva en una copa alta con hielo, rellene con gaseosa al gusto y decore con la rodaja de naranja.

 # Pasión de Deauville

La villa francesa de Deauville fue lugar de reunión de la moda, la extravagancia y la elegancia durante la era de los cócteles, a principios del siglo XX. Muchos de los grandes clásicos se concibieron allí.

Para 1 persona
$1^3/_4$ medidas de coñac
$1^1/_4$ medidas de curaçao de albaricoque
$1^1/_4$ medidas de zumo de granadilla
bíter de limón al gusto
hielo
hojitas de menta

1 Agite bien los cuatro primeros ingredientes con hielo hasta que se condense agua en el exterior de la coctelera.
2 Sirva el cóctel en un vaso alto bien frío y decore con las hojitas de menta.

Ponche navideño

Un vaso bien caliente de este ponche le reconfortará en los oscuros días del invierno. No lo deje demasiado tiempo sobre el fuego.

Para 8 personas
1 l de vino tinto
4 cucharadas de azúcar
1 rama de canela
400 ml de agua hirviendo
100 ml de brandy
100 ml de jerez
100 ml de licor de naranja,
como Cointreau
2 naranjas sin semillas y cortadas
en 8 gajos
2 manzanas sin corazón y cortadas
en 8 trozos

1 Ponga el vino, el azúcar y la canela en una cacerola grande y remueva bien.
2 Caliente bien a fuego lento, sin dejar de remover. No permita que hierva.
3 Retire la mezcla del fuego y cuélela.
4 Deseche la canela.
5 Vuelva a colocar el vino en la cacerola y agregue el agua, el brandy, el jerez y el licor de naranja.
6 Añada los trozos de naranja y manzana y caliéntelo todo bien a fuego lento, sin dejar que llegue a hervir.
7 Retire la cacerola del fuego y vierta la mezcla en un bol térmico grande.
8 Sirva el ponche bien caliente en vasos térmicos.

Playero

Este peculiar combinado se podría describir como puré de mango con alcohol.

Para 1 persona
1 medida de ron negro
1 medida de aguardiente de melocotón
1 medida de zumo de lima
la pulpa de 1/2 mango
hielo
1 rodaja de lima

1 Pase por la batidora todos los ingredientes menos la lima a baja velocidad durante unos 10 segundos.
2 Sirva en un vaso grande lleno de hielo y decore con la rodaja de lima.

(710) Atómico

A pesar de que el aspecto de este cóctel pueda parecerle espeluznante, su delicioso sabor a naranja, mandarina y frutas exóticas harán de él un triunfador.

Para 1 persona
1$^{1}/_{4}$ medidas de coñac
$^{3}/_{4}$ de medida de Grand Marnier
$^{1}/_{4}$ de medida de curaçao azul
hielo
3 medidas de zumo de frutas exóticas
1 cucharadita de fraise o jarabe de fresa
rodajas de kiwi

1 Agite los tres primeros ingredientes con hielo hasta que se condense agua en el exterior de la coctelera.
2 Sirva en un vaso alto bien frío y rellene con zumo de frutas.
3 Agregue unas gotas del fraise y decore con rodajas de kiwi.
4 Beba con una pajita.

(711) BBC

Para complementar este cóctel necesitará el sol, la playa y el tibio mar lamiendo sus pies.

Para 1 persona
1 medida de ron negro
1 medida de Baileys
$^{1}/_{2}$ medida de crema de coco
$^{1}/_{2}$ plátano maduro
hielo triturado

1 Reserve 1 o 2 rodajas de plátano. Pase por la batidora el resto de los ingredientes hasta obtener una mezcla homogénea.
2 Viértala en una copa de cóctel grande bien fría, decore con las rodajas de plátano y añada una pajita.

(712) Coco Roco

Para obtener un resultado verdaderamente espectacular, sirva este combinado en una cáscara de coco vacía.

Para 1 persona
2 medidas de agua de coco fresca
$^{1}/_{2}$ medida de ron blanco
$^{1}/_{2}$ medida de aguardiente de albaricoque
$^{1}/_{2}$ medida de leche de coco
hielo triturado

1 Pase por la batidora todos los ingredientes con hielo durante unos 5 segundos.
2 Sirva el cóctel en una cáscara de coco, o en un vaso bajo bien frío, con una pajita.

Bolo

(713)

Un cóctel muy popular durante el siglo XVIII, que se caracteriza por sus exquisitas notas cítricas.

Para 1 persona
1 clara de huevo
1-2 cucharaditas de azúcar lustre
1 pizca de mezcla de especias (canela, nuez moscada, jengibre...)
el zumo de $1/4$ de limón o lima
el zumo de $1/2$ naranja
1 medida de ron blanco

1 Frote el borde de una copa con la clara de huevo y escárchelo con el azúcar.
2 Déjelo secar antes de rellenar la copa.
3 Agite enérgicamente el ron, los zumos y el azúcar con hielo hasta que se disuelva el azúcar.
4 Sirva el cóctel en la copa escarchada y espolvoree especias por encima.

(714)

Huracán

Este suntuoso combinado se ha convertido en sinónimo del bar Pat O'Brian's, en el barrio latino de Nueva Orleans. Goza de especial popularidad entre los turistas, pues, si consiguen acabárselo, se les permite llevarse el vaso a casa.

Para 1 persona
1 medida de zumo de limón
4 medidas de ron negro
2 medidas de zumo de frutas mixtas o de zumo de fruta (granadilla y naranja son los más usuales)
hielo
soda
cerezas y rodajas de naranja

1 Llene una copa de cóctel o un vaso tipo *highball* con hielo.
2 Agregue todos los ingredientes, remueva bien y decore con las cerezas y las rodajas de naranja.

Refresco de ron

El sabor dulce y el aroma que caracterizan al ron combinan a la perfección con numerosas frutas exóticas. Prepare este cóctel con mango o litchi y compruébelo usted mismo.

Para 1 persona

2 cubitos de hielo

el zumo de 1 lima

1¹/₂ medidas de ron

1¹/₂ medidas de zumo de piña

1 plátano maduro mediano, picado

1 tira de piel de lima

1 Pase por la batidora todos los ingredientes, salvo la piel de lima, durante 1 minuto, hasta obtener una mezcla homogénea.

2 Sirva en un vaso bien frío lleno de hielo y decore con la tira de lima.

Krush de kiwi

716

Disfrute de este granizado para adultos, refrescante y muy fácil de preparar. Bébaselo antes de que el hielo se derrita.

Para 1 persona

2 medidas de ron blanco

¹/₂ medida de licor de melón

2 medidas de zumo de pomelo

2 kiwis pelados

2 cucharadas de hielo picado

1 Reserve 1 rodaja de kiwi.

2 Pase por la batidora todos los ingredientes a baja velocidad hasta obtener un granizado.

3 Sirva en un vaso grande, decore con la rodaja de kiwi y beba con una pajita.

Batida brasileña

717

La cachaça es el aguardiente más popular en Brasil. Se parece al ron blanco, aunque su grado alcohólico es mayor.

Para 1 persona

2 medidas de cachaça o de ron blanco

¹/₂ medida de jarabe de fresa

unas fresas

hielo picado

1 Pase por la batidora todos los ingredientes durante unos segundos hasta obtener un granizado espumoso.

2 Sirva en un vaso con hielo picado acompañado con una varilla agitadora o una pajita.

718 Niebla de la Gran Ciudad

Un combinado extremadamente refrescante cuando se sirve con abundante hielo.

Para 1 persona

1 medida de Irish Mist

1 medida de ron negro

2 medidas de zumo de granadilla

1 medida de zumo de pomelo rosa

1 golpe de granadina

hielo

1 Agite todos los ingredientes con hielo.

2 Sirva en un vaso alto lleno de hielo y agregue una varilla agitadora.

Néctar de taipan

La serpiente taipan, que habita en Australia, produce uno de los venenos más potentes del mundo. El cóctel que lleva su nombre, sin embargo, no conlleva ningún peligro, salvo el de sucumbir ante su encantadora suavidad.

Para 1 persona
2 medidas de brandy
1 medida de aguardiente de albaricoque
1 medida de néctar de mango
4 pedazos de mango maduro
1 cucharada de hielo picado

1 Pase por la batidora todos los ingredientes durante unos 20 segundos, hasta obtener una mezcla espesa y espumosa.
2 Sirva en una copa de cóctel grande y decore con un pedazo de mango y una cereza ensartados en un palillo.

Tortuga carey

Disfrute del carácter de las Bahamas concentrado en esta suave mezcla de plátano.

Para 1 persona
1 plátano maduro pequeño
1 medida de ron blanco
$^1/_2$ medida de galliano
$^1/_2$ medida de crema de plátano
el zumo recién exprimido de $^1/_2$ lima
hielo picado

1 Pase por la batidora todos los ingredientes a alta velocidad hasta obtener una mezcla homogénea.
2 Sirva en un vaso bien frío con un poco más de hielo.
3 Sirva el combinado con una pajita.

Bello soñador

La crema de coco se utiliza en muchos cócteles, pero es preciso agitarla bien antes de usar, ya que se suele separar en la lata o en el envase.

Para 1 persona
2 medidas de ron blanco
1 medida de crema de coco, batida hasta que adquiera un aspecto cremoso
1 medida de zumo de guayaba
1 medida de zumo de piña
hielo
rodajas de melón o guayaba para decorar

1 Agite bien todos los ingredientes con hielo, salvo las rodajas de fruta.
2 Sirva en una copa de cóctel grande y decore con las rodajas de melón y guayaba.

Ponche tropical

Este exótico cóctel, muy sencillo de preparar, resulta delicioso con diferentes zumos de fruta. Agregue fruta en abundancia para obtener un aspecto impactante, y alárguelo con ginger ale.

Para 6 personas

1 mango maduro pequeño
4 cucharadas de zumo de lima
1 cucharadita de jengibre fresco rallado
1 cucharada de azúcar moreno
300 ml de zumo de naranja
300 ml de zumo de piña
80 ml de ron
hielo picado
rodajas de naranja, lima, piña y carambola
(o fruta estrella)

1 Bata la pulpa del mango con el zumo de lima, el jengibre y el azúcar hasta obtener una mezcla homogénea.
2 Añada los zumos de naranja y piña y el ron y vuelva a batir unos segundos.
3 Reparta el hielo y el cóctel en 6 vasos. Decore con las rodajas de fruta y sirva.

Fresas con nata

Este cóctel es tan denso que casi podría llamarse sorbete. ¡No espere a que se le derrita!

Para 1 persona

1 medida de ron blanco helado
1 medida de zumo de pomelo muy frío
1 medida de nata espesa
5-6 fresas grandes, sin rabito
(reserve 1 para decorar)
1 copa de hielo picado

1 Pase por la batidora los ingredientes durante unos 10 o 15 segundos.
2 Sirva en una copa de cóctel bien fría y decore con la fresa sobrante.

Noche mágica

Una bebida larga y refrescante, ideal para esas ocasiones especiales.

Para 1 persona
2 medidas de zumo de piña
1 medida de crema de plátano
1 medida de ron Mount Gay
hielo
unas gotas de granadina

1 Agite bien con hielo todos los ingredientes excepto la granadina y sirva en un vaso tipo *highball* lleno de cubitos.
2 Agregue unas gotas de granadina.

(724)

(725)

Pájaro amarillo

El sabor de este combinado mejora notablemente si emplea zumo de piña fresco. Lo mejor es elaborar toda una jarra de zumo e invitar a varios amigos a disfrutar de su sabor.

Para 6 personas
1 piña madura mediana
3 medidas de ron negro
2 medidas de triple seco
2 medidas de galliano
1 medida de zumo de lima
cubitos de hielo
hojas y rodajas de piña para decorar

1 Pase por la batidora la pulpa de la piña durante 30 segundos. Añada los siguientes cuatro ingredientes y vuelva a batirlo todo hasta obtener una mezcla homogénea.
2 Reparta la mezcla en 6 copas de cóctel o vasos llenos de hielo y decore con las hojas y rodajas de piña, o con una flor.

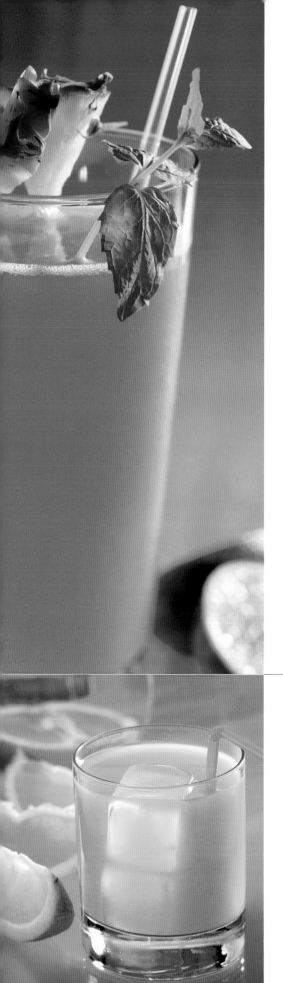

Zombi

Los licores y zumos de fruta empleados en este cóctel varían considerablemente según la receta. Sin embargo, todos los zombis incluyen una mezcla de ron blanco, dorado y negro, en diversas proporciones.

Para 1 persona

hielo picado

2 medidas de ron negro

2 medidas de ron blanco

1 medida de ron dorado

1 medida de triple seco

1 medida de zumo de lima

1 medida de zumo de naranja

1 medida de zumo de piña

1 medida de zumo de guayaba

1 cucharada de granadina

1 cucharada de orgeat

1 cucharadita de Pernod

1 ramita de menta fresca y rodajas de piña

1 Pase por la batidora todos los ingredientes, salvo la menta y la piña, hasta obtener una mezcla homogénea.

2 Sirva sin colar en un vaso tipo *Collins* bien frío y decore con la ramita de menta y las rodajas de piña.

727. Zombi viviente: Agite 1 medida de ron blanco, 1 de ron dorado, 1 de ron negro, 1 de aguardiente de albaricoque, 1 de zumo de lima, 1 de zumo de piña y 1 cucharadita de jarabe de azúcar con hielo hasta que se condense agua en el exterior de la coctelera. Sirva en un vaso con hielo. Decore con rodajas de naranja y limón. **Para 1 persona**

728. Zombi príncipe: Remueva bien 1 golpe de angostura, 1 medida de ron blanco, 1 de ron dorado, 1 de ron negro, 1/2 medida de zumo de limón, 1/2 de zumo de naranja, 1/2 de zumo de pomelo y 1 cucharadita de azúcar moreno con hielo en un vaso mezclador. Sirva en un vaso alto bien frío. **Para 1 persona**

Suculenta Lucy

Este combinado es un Harvey Wallbanger sin vodka: delicioso, muy sencillo y fácil de alargar.

Para 1 persona

2 medidas de galliano

4 medidas de zumo de naranja recién exprimido

hielo

varilla agitadora o pajita de beber

1 Mezcle bien el galliano y el zumo de naranja con hielo y sirva la mezcla en un vaso lleno de hielo.

2 Sirva el cóctel acompañado de una varilla agitadora o una pajita.

(730) Brisa de coco

Se recomienda un licor transparente de coco para preparar este cóctel, aunque también puede emplear un licor cremoso si le resulta imposible adquirir el primero.

Para 1 persona
1 medida de licor de coco
$^1/_2$ medida de Drambuie
2 medidas de zumo de papaya
cubitos de hielo
1 rodaja de lima

1 Agite con hielo todos los ingredientes menos la lima hasta que se condense agua en el exterior de la coctelera.
2 Sirva en un vaso bien frío y decore con la rodaja de lima.

(731) Caribe glacial

Un ponche refrescante que animará sus fiestas. Prepare la mezcla con antelación y añada la soda cuando lo vaya a consumir.

Para 6 personas
5 medidas de Malibú
3 medidas de crema de plátano
10 medidas de zumo fresco de naranja
o piña
hielo
soda

1 Mezcle bien los tres primeros ingredientes y ponga a enfriar.
2 Sirva en seis vasos tipo *highball* llenos de hielo y rellene con soda.
3 Presente el cóctel con una varilla agitadora.

(732) Cóctel de plátano

Este combinado resulta muy dulce, por lo que es muy importante aportar la dosis precisa de hielo y soda.

Para 1 persona
1 medida de advocaat
1 medida de crema de plátano
1 plátano maduro
$^1/_2$ copa de hielo picado
soda

1 Pase por la batidora todos los ingredientes excepto la soda hasta obtener un granizado homogéneo.
2 Sirva en un vaso tipo *highball* bien frío y agregue soda al gusto.

Fuzzy Navel

CLASSIC

Complemente esta mezcla de sabores frutales y alcoholes con una decoración exótica que atraiga todas las miradas. El alquequenje es una fruta procedente del Perú, de aspecto atractivo y alto valor nutritivo (contiene más vitamina C que los limones).

Para 1 persona
2 medidas de vodka
1 medida de schnapps de melocotón
250 ml de zumo de naranja
hielo picado
1 alquequenje

1 Agite enérgicamente el vodka, el schnapps de melocotón y el zumo de naranja con hielo hasta que se condense agua en el exterior de la coctelera.
2 Sirva en una copa de cóctel bien fría y decore con el alquequenje.

734. Halley's Comfort: Llene hasta la mitad un vaso alto bien frío con hielo picado. Agregue 2 medidas de Southern Comfort y 2 medidas de schnapps de melocotón y rellene con soda. Remueva suavemente y decore con 1 rodaja de limón. **Para 1 persona**

735. Woo-woo: Llene hasta la mitad un vaso bien frío con hielo picado. Agregue 2 medidas de vodka, 2 medidas de schnapps de melocotón y 4 medidas de zumo de arándanos. Remueva bien. **Para 1 persona**

736. Boda real: Agite enérgicamente 1 medida de kirsch, 1 medida de aguardiente de melocotón y 1 medida de zumo de naranja con hielo hasta que se condense agua en el exterior de la coctelera. Sirva en una copa de cóctel bien fría. **Para 1 persona**

737. Southern Peach: Agite enérgicamente 1 medida de Southern Comfort, 1 medida de aguardiente de melocotón, 1 medida de nata líquida y 1 golpe de angostura con hielo hasta que se condense agua en el exterior de la coctelera. Sirva en una copa de cóctel bien fría y decore con 1 rodaja de melocotón. **Para 1 persona**

Joya japonesa

La fruta azucarada es un extraordinario elemento decorativo para los combinados. Prepárela con antelación si planea utilizarla en varias bebidas.

Para 1 persona
4-5 uvas blancas
1-2 cucharaditas de clara de huevo batida
azúcar lustre
1 medida de licor de melón
1 medida de ginebra
2 medidas de zumo de kiwi
hielo picado

1 Elija las dos mejores uvas y báñelas en el huevo y en el azúcar. Póngalas a secar.
2 Bata el resto de los ingredientes con hielo picado durante unos 10 segundos, hasta que obtenga un granizado.
3 Sirva en una copa de cóctel mediana con hielo y decore con las dos uvas azucaradas, ensartadas en un palillo.

Watermelon Man
(739)

El vendedor de sandías. La célebre pieza de Herbie Hancock hace referencia a una fruta coloreada y sabrosa, que funciona muy bien en este cóctel. Eso sí, no agregue más de lo indicado, a menos que desee diluir su fuerza.

Para 1 persona
4 medidas de vino blanco seco
1 golpe de granadina
4 trozos de sandía
1 cucharada de hielo picado

1 Pase por la batidora todos los ingredientes durante 5-10 segundos, hasta obtener un granizado.
2 Sirva en una copa alta y decore con un trozo de sandía ensartado en un palillo.

Adán y Eva
(740)

¡No espere encontrar manzanas en este combinado! Por debajo es ácido y astringente, pero dulce y suave por encima. ¡Tampoco busque aquí alusiones sexistas!

Para 1 persona
2 medidas de triple seco
1 medida de vodka
1 medida de zumo de pomelo
1 medida de zumo de arándanos
hielo
5-6 trozos de piña
2 cucharaditas de azúcar lustre
hielo picado
1 rodaja de fresa

1 Agite los cuatro primeros ingredientes con hielo hasta que se condense agua en el exterior de la coctelera.
2 Sirva en un vaso alto bien frío.
3 Pase por la batidora la piña, el azúcar y 1-2 cucharadas de hielo picado hasta que obtenga un granizado.
4 Agréguelo al vaso, por encima de la mezcla de licores.
5 Decore con la rodaja de fresa.

Feria de fresa
(741)

Alargue este delicioso combinado con hielo picado o con soda.

Para 1 persona
1 medida de tequila
3 fresas
1 cucharada de zumo de arándanos
$^1/_2$ medida de nata líquida
1 pizca de pimienta negra molida
hielo picado

1 Pase por la batidora todos los ingredientes durante 10-15 segundos, hasta obtener una mezcla homogénea.
2 Sirva en una copa alta llena de hielo picado.

 742

Jarana

El tequila tiene la reputación de ser una bebida muy fuerte, pero es posible domesticarlo con zumos de fruta, como el de piña en este caso.

Para 1 persona
2 medidas de tequila
2 cucharaditas de azúcar
hielo
zumo de piña
rodajas de lima

1 Mezcle el tequila y el azúcar en un vaso alto lleno de hielo.
2 Rellene con el zumo de piña y decore con unas rodajas de lima.

 743

Melocotón Comfort

Aunque este cóctel está especialmente concebido con zumo de melocotón, también resulta delicioso con zumo de nectarina o de albaricoque.

Para 1 persona
2 medidas de bourbon
1 medida de Southern Comfort
2 medidas de zumo de melocotón
el zumo de $^{1}/_{2}$ limón
2 golpes de vermut seco
$^{1}/_{2}$ melocotón pequeño maduro, pelado y
deshuesado (reserve 1 rodaja para decorar)
1 cucharada de hielo picado

1 Pase por la batidora todos los ingredientes hasta obtener una mezcla homogénea.
2 Sirva en un vaso tipo *highball* lleno de hielo, añada una varilla agitadora y decore con la rodaja de melocotón.

 744

Beso de fresa

El whisky y las fresas forman una extraordinaria asociación, un dato que resulta útil de recordar cuando hay que añadir un toque extra a un ponche veraniego de fresas y frutas silvestres.

Para 1 persona
1 medida de Jack Daniels
1 medida de jarabe de fresa
3 fresas
hielo picado
nata líquida

1 Pase por la batidora todos los ingredientes menos la crema a baja velocidad durante unos 10 segundos.
2 Sirva en un vaso alto y delgado o en una flauta bien fríos y corone con la nata.

En la vid

El vino que utilice en este cóctel puede cambiar totalmente su carácter. Puede optar por un vino dulce o uno seco: la elección es suya.

Para 1 persona
$1/2$ medida de aguardiente de albaricoque
hielo
1 golpe de granadina
150 ml de vino blanco o al gusto
soda
1 racimo pequeño de uvas

1 Ponga el aguardiente y el hielo en una copa de vino o una de cóctel.
2 Añada la granadina y después el vino.
3 Rellene con soda para alargar el combinado y hacerlo más refrescante.
4 Decore la copa con uvas.

746

Julepe de piña

En lugar de la menta que caracteriza los julepes, éste lleva piña fresca, que se debe picar muy fina o triturar en el vaso junto con el hielo.

Para 6-8 personas
El zumo de 2 naranjas
2 medidas de vinagre de frambuesa
3 medidas de marrasquino
3 medidas de ginebra
1 botella de vino blanco de aguja semidulce
1 piña madura pequeña, en trocitos
hielo picado

1 Triture y mezcle bien el zumo de naranja, el vinagre, el marrasquino, la ginebra, el vino y la piña.
2 Sirva en vasos bajos bien fríos llenos de hielo picado y beba con una pajita antes de que el hielo se derrita.

(747) Pacificador

Una deliciosa y burbujeante copa de frutas para disfrutar del verano al aire libre.

Para 8 personas

1/2 piña fresca pequeña, pelada y triturada
30 fresas sin rabito
1-2 cucharadas de azúcar lustre
1 botella de champán brut o de vino blanco
de aguja seco
1 medida de marrasquino
1 botella de soda
unas hojitas de menta fresca

1 Seleccione 4 o 5 de las mejores fresas, córtelas en rodajas y resérvelas para la decoración.
2 Triture la pulpa de la piña y las fresas con el azúcar y un poco de agua en un bol grande.
3 Añada el resto de los ingredientes, un poco de hielo y la menta.
4 Remueva bien y sirva.

---

(748) Tonga

Ofrezca esta fantástica bebida de frutas en lugar de las típicas alternativas más aburridas, como el zumo de naranja o las gaseosas, a quienes deban conducir y no puedan beber alcohol.

Para 1 persona

el zumo de 1/2 limón
2 medidas de zumo de piña
1-2 medidas de zumo de pomelo
1 golpe de granadina
1 clara de huevo
gaseosa
1 rodaja de kiwi

1 Agite enérgicamente el zumo de limón, los zumos de piña y de pomelo, la granadina y la clara de huevo con hielo hasta que se condense agua en el exterior de la coctelera.
2 Sirva en una copa alta con un poco de hielo y rellene con gaseosa.
3 Decore con la rodaja de kiwi.

---

(749) Tropicana

La leche y la crema de coco son productos muy parecidos, que hay que agitar o mezclar muy bien para obtener buenos resultados.

Para 1 persona

1 medida de crema de plátano
4 medidas de zumo de pomelo
2 medidas de leche de coco
hielo
soda o gaseosa
tiras delgadas de piel de limón

1 Agite los primeros tres ingredientes con hielo.
2 Sirva en una copa alta bien fría, agregue más hielo y rellene con soda o gaseosa.
3 Decore con las tiras de piel de limón y beba con una pajita.

750

Crush de melón y jengibre

Este refrescante y veraniego cóctel es sumamente sencillo y rápido de preparar. Si no le es posible adquirir la lima kafir, utilice limas normales.

Para 4 personas
1 melón de unos 800 g
6 cucharadas de vino de jengibre
3 cucharadas de zumo de lima kafir
hielo picado
1 lima

1 Pele el melón, retire las semillas y trocee la pulpa.
2 Bata la pulpa de melón, el vino de jengibre y el zumo de lima a alta velocidad hasta obtener una mezcla homogénea.
3 Llene 4 vasos medianos de hielo picado y vierta en ellos la mezcla de melón.
4 Corte la lima en rodajas muy finas, haga una hendidura en cuatro de ellas y coloque una en cada vaso como adorno. Distribuya el resto de las rodajas entre los vasos.

751 Energis de arándanos

Esta bebida, repleta de vitamina C y muchos otros nutrientes, le despertará y llenará de energía.

Para 2 personas
300 ml de zumo de arándanos
100 ml de zumo de naranja
150 g de frambuesas
1 cucharada de zumo de limón
rodajas y tiras de piel de limón o naranja

1 Bata el zumo de arándanos y el zumo de naranja hasta que estén bien mezclados.
2 Añada las frambuesas y el zumo de limón y vuelva a batirlo todo hasta obtener una mezcla homogénea.
3 Repártala en 2 vasos y decore con las rodajas y las tiras de fruta. Sirva el cóctel de inmediato.

Falso kir

Una versión sin alcohol del clásico cóctel de vino francés, tan coloreada y deliciosa como la original. Los jarabes de frutas franceses e italianos son a menudo los de mejor calidad y sabor más intenso.

Para 1 persona

1 medida de jarabe de frambuesa bien frío

mosto blanco bien frío

1 Vierta el jarabe de frambuesa en una copa de vino bien fría.

2 Rellene con el mosto.

3 Remueva bien.

753. Falso kir real: Remueva bien 1¹/₂ medidas de jarabe de frambuesa con 4-6 cubitos de hielo picados en un vaso mezclador. Sirva en una copa de vino, rellene con soda y zumo de manzana bien fríos a partes iguales y remueva. **Para 1 persona**

754. Knicks Victory Cooler: Llene hasta la mitad un vaso alto bien frío con hielo. Añada 2 medidas de zumo de albaricoque, rellene el vaso con agua con sabor a frambuesa y remueva. Decore con 1 tira de piel de naranja y frambuesas frescas. **Para 1 persona**

755. Cocoberry: Chafe con el dorso de una cuchara 90 g de frambuesas en un colador metálico y ponga el puré resultante en la batidora. Añada cubitos de hielo, 1 medida de crema de coco y 150 ml de zumo de piña, y bátalo todo bien. Sirva el cóctel sin colar en un vaso frío, con rodajas de piña y frambuesas. **Para 1 persona**

(756) Selección frutal

Un combinado sin alcohol, largo y refrescante, para un día de verano. Prepárelo en grandes cantidades, sobre todo si usa jarabe de saúco de elaboración propia.

Para 1 persona

1 medida de jarabe de saúco
2 medidas de zumo de manzana
½ medida de jarabe de zarzamora
hielo
agua con gas con sabor a manzana
rodajas de manzana

1 Agite los tres primeros ingredientes con hielo hasta que se condense agua en el exterior de la coctelera.

2 Sirva en un vaso alto bien frío y rellene con el agua con gas con sabor a manzana.

3 Decore con las rodajas de manzana y sirva con dos pajitas.

(757) Crema de frutas silvestres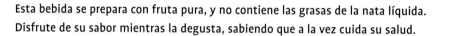

Esta bebida se prepara con fruta pura, y no contiene las grasas de la nata líquida. Disfrute de su sabor mientras la degusta, sabiendo que a la vez cuida su salud.

Para 2 personas

350 ml de zumo de naranja
1 plátano bien frío cortado en rodajas
450 g de frutas del bosque congeladas
(tales como arándanos, frambuesas y
zarzamoras)
rodajas de fresa

1 Pase por la batidora el zumo de naranja, el plátano y la mitad de la mezcla de frutas del bosque hasta obtener una mezcla homogénea.

2 Añada el resto de las frutas del bosque y siga batiendo hasta que se mezcle bien.

3 Sirva en 2 vasos altos, decorados con las rodajas de fresa.

4 Añada pajitas para beber.

(758) La senda de la memoria

Esta saludable y refrescante bebida traerá a su mente los felices recuerdos de los días de verano en que recogía frutas silvestres. Para prepararla no necesita ir hasta el bosque, basta con aprovisionarse de unas frutillas y cítricos en el mercado.

Para 1 persona

arándanos o grosellas negras
1 cucharada de azúcar lustre, o al gusto
el zumo de ½ limón
el zumo de ½ lima
hielo picado
gaseosa o agua con gas con sabor a fruta

1 Reserve unas frutillas para decorar. Ponga el resto junto con el azúcar en un vaso bien frío, y triture bien hasta obtener un puré.

2 Añada hielo picado, los zumos de lima y limón y rellene con gaseosa al gusto.

3 Decore con las frutillas reservadas.

(759) # Pussyfoot rosa

Un combinado delicioso también si se prepara con frambuesas y licor de frambuesa.

Para 1 persona

1 medida de zumo de limón

1 medida de zumo de naranja

2-3 fresas, trituradas

1 medida de fraise (jarabe de fresa)

$^{1}/_{2}$ yema de huevo

1 golpe de granadina

hielo

1 rodaja de fresa

1 Agite enérgicamente con hielo todos los ingredientes menos la rodaja de fresa.

2 Sirva en una copa de cóctel y decore con la rodaja de fresa.

---

(760) # Combinado del tiempo

Puede utilizar cualquier fruta de su gusto en este delicioso combinado. Experimente con sus sabores favoritos o con las frutas del tiempo.

Para 1 persona

1 medida de zumo de manzana

1 medida de zumo de pera

2 medidas de zumo de arándanos

hielo

gaseosa rosa

cerezas frescas o guindas y 1 rodaja de piña

1 Mezcle bien todos los zumos de frutas con hielo en un vaso bien frío.

2 Rellene con gaseosa al gusto y decore con las frutas.

(761) # El cóctel del canónigo

Es posible obtener más zumo de las naranjas y los limones si los pone a remojar en agua caliente durante unos minutos antes de exprimirlos. Hágalo, y luego permita que la granadina despliegue su mágico efecto sobre los zumos recién exprimidos.

Para 1 persona

2 medidas de zumo de naranja

1 medida de zumo de limón

1 yema de huevo

4 golpes de granadina

hielo picado

1 guinda, para decorar

1 Agite los cuatro primeros ingredientes con hielo hasta que se condense agua en el exterior de la coctelera y sirva el combinado en una copa de cóctel.

2 Decore con la guinda.

Rojo silvestre

Este cóctel resulta delicioso con frambuesas frescas o congeladas, así que lo puede preparar durante todo el año. Elimine el merengue si le parece demasiado dulce.

Para 1 persona

50 g de frambuesa

4 medidas de zumo de frambuesa y arándanos

hielo picado

1 merengue pequeño, desmenuzado

agua con gas con sabor a zarzamora

1 Reserve un par de frambuesas para decorar.

2 Pase por la batidora el resto de la fruta junto con el zumo y el hielo.

3 Ponga la mitad del merengue en una copa alta bien fría, añada el granizado y rellene la copa con el agua de zarzamora.

4 Decore con las frambuesas y el resto del merengue.

Fizz de fresa veraniego

Los miembros más jóvenes de la familia disfrutarán enormemente de esta bebida de verano, en especial si cultiva usted sus propias fresas o las ha recogido a montones.

Para 1 persona

el zumo de ¹/₂ lima

4 o más fresas trituradas

1-2 cucharaditas de azúcar lustre tamizadas

1 cucharada de nata o helado

hielo

soda o gaseosa

jarabe de fresa al gusto

1 Agite el zumo de lima, las fresas, el azúcar y la nata con hielo hasta que se condense agua en el exterior de la coctelera.

2 Sirva en un vaso alto y rellene con soda o gaseosa.

3 Añada jarabe de fresa al gusto. Puede que necesite una cuchara para capturar las fresas trituradas que queden en el fondo del vaso.

Limonada de frambuesa

Si le gusta la limonada tradicional, se enamorará de esta variación.

Para 4 personas

2 limones

100 g de azúcar lustre

100 g de frambuesas frescas

unas gotas de esencia de vainilla

hielo picado

soda bien fría

ramitas de toronjil

1 Corte las puntas de los limones, retire la pulpa, píquela y pásela por la batidora junto con el azúcar, las frambuesas, la vainilla y el hielo durante 2-3 minutos, hasta obtener una mezcla homogénea.

2 Sirva en vasos altos y rellene con hielo y soda. Decore con ramitas de toronjil.

Ojo del huracán

La enorme variedad de zumos y jarabes de frutas disponible en el mercado hoy en día resulta ideal para la preparación de cócteles sin alcohol y ha permitido ampliar sus posibilidades, que hasta hace poco se limitaban a los tradicionales zumos de naranja, limón y lima.

Para 1 persona
2 medidas de jarabe de granadilla
1 medida de zumo de lima
hielo picado
bíter de limón
1 rodaja de limón

1 Ponga el jarabe de granadilla y el zumo de lima en un vaso mezclador con hielo.
2 Remueva bien y sirva en un vaso bien frío.
3 Rellene con el bíter de limón y decore con la rodaja de limón.

Refresco de kiwi

Este combinado debe consumirse de inmediato, para evitar que se caliente. Si las semillas negras le molestan, puede colarlo.

Para 1 persona
1 kiwi maduro, pelado y triturado
hielo picado
el zumo de 1 granadilla
1 golpe de zumo de lima
gaseosa
cubitos de hielo con trocitos de kiwi

1 Pase por la batidora el kiwi, el zumo de granadilla y el hielo hasta obtener un granizado.
2 Sirva en un vaso alto bien frío, añada el zumo de lima y rellene con gaseosa al gusto.
3 Decore con un cubito de hielo con un pedazo de kiwi en su interior.

Refresco de pomelo

Esta refrescante bebida resulta perfecta para acompañar una barbacoa familiar. Empiece a prepararla al menos dos horas antes de consumirla, para que la menta tenga suficiente tiempo para desplegar todo su aroma.

Para 6 personas

50 g de menta fresca

2 medidas de jarabe de azúcar

475 ml de zumo de pomelo

4 medidas de zumo de limón

hielo picado

agua mineral con gas

ramitas de menta fresca

1 Triture la menta junto con el jarabe de azúcar en un cuenco pequeño.

2 Deje macerando durante al menos 2 horas, volviendo a majar la menta de vez en cuando.

3 Cuele la mezcla sobre una jarra. Añada los zumos de pomelo y de limón.

4 Tape la jarra con film transparente y póngala a enfriar en la nevera durante al menos 2 horas.

5 Para servir, llene de hielo seis vasos tipo *Collins* bien fríos.

6 Divida el cóctel entre los vasos y rellene con agua con gas.

7 Decore con las ramitas de menta.

768. Refresco verde intenso: Agite enérgicamente 3 medidas de zumo de piña, 2 medidas de zumo de lima y 1 medida de jarabe verde de menta con hielo hasta que se condense agua en el exterior de la coctelera. Sirva la mezcla en un vaso alto bien frío lleno de hielo hasta la mitad. Rellene con ginger ale y decore con rodajas de pepino y lima. **Para 1 persona**

Granizado de piña

Cuanto más fríos estén los ingredientes, mejor resultado dará este combinado, así que ponga a enfriarlo todo al menos una hora antes de prepararlo.

Para 2 personas

100 ml de zumo de piña

4 cucharadas de zumo de naranja

100 g de melón galia, troceado

150 g de trozos de piña congelados

4 cubitos de hielo

rodajas delgadas de melón galia y tiras de piel de naranja, para decorar

1 Pase por la batidora todos los ingredientes hasta obtener un granizado.

2 Reparta el granizado en 2 vasos bien fríos y decore con las rodajas de melón y las tiras de piel de naranja.

Julepe jugoso

La palabra «julepe» se remonta etimológicamente al persa, idioma en el que significa «agua de rosas». Todo parece indicar, pues, que siempre ha designado a una bebida no alcohólica, y que fueron los bebedores de bourbon quienes con el tiempo adulteraron el término, y no al revés.

Para 1 persona

1 medida de zumo de naranja
1 medida de zumo de piña
1 medida de zumo de lima
1/2 medida de jarabe de frambuesa
4 hojas de menta fresca trituradas
hielo picado
ginger ale
1 ramita de menta fresca

1 Agite los zumos de naranja, de piña y de lima, junto con el jarabe de frambuesa, la menta y hielo hasta que se condense agua en el exterior de la coctelera.
2 Sirva en un vaso tipo *Collins* bien frío, rellene con ginger ale y remueva suavemente.
3 Decore con la ramita de menta.

771. Puppy salado: Mezcle cantidades iguales de azúcar granulada y sal gruesa en un platillo. Frote el borde de un vaso pequeño bien frío con 1 rodaja de lima y escárchelo con la mezcla de sal y azúcar. Llene el vaso de hielo picado y agregue 1/2 medida de zumo de lima. Rellene con zumo de pomelo. **Para 1 persona**

772. Baby Bellini: Mezcle 2 medidas de zumo de melocotón y 1 medida de zumo de limón en una flauta bien fría. Rellene la copa con soda y zumo de manzana a partes iguales y remueva. **Para 1 persona**

773. Collins helado: Ponga 6 hojas de menta fresca en un vaso alto bien frío y añada 1 cucharadita de azúcar lustre y 2 medidas de zumo de limón. Maje la menta con una cuchara hasta que el azúcar se haya disuelto. Llene el vaso con hielo picado y rellene con soda. Remueva suavemente y decore con 1 ramita de menta fresca y 1 rodaja de limón. **Para 1 persona**

774. Alba: Mezcle 2 medidas de zumo de naranja, 1 medida de zumo de limón y 1 medida de granadina en un vaso bien frío lleno de hielo. Rellene con soda. **Para 1 persona**

El Principito

El zumo de manzana con gas es muy apreciado para la preparación de cócteles sin alcohol, pues les añade sabor, color y burbujas. Utilícelo como sustituto del champán en las versiones sin alcohol de cócteles tales como el *Buck's Fizz*.

Para 1 persona
hielo picado
1 medida de zumo de albaricoque
1 medida de zumo de limón
1 medida de zumo de manzana con gas
1 espiral de cáscara de limón

1 Remueva bien los zumos de albaricoque, limón y manzana con gas en un vaso mezclador, junto con el hielo.

2 Sirva en un vaso tipo *highball* bien frío y decore con la espiral de cáscara de limón.

776. Frazzle de manzana: Agite 4 medidas de zumo de naranja, 1 cucharadita de jarabe de azúcar y $^1/_2$ cucharadita de zumo de limón con hielo hasta que se condense agua en el exterior de la coctelera. Sirva en un vaso bien frío con soda. **Para 1 persona**

777. Manzana mordida: Bata 5 medidas de zumo de manzana, 1 de zumo de lima, $^1/_2$ cucharadita de jarabe de horchata, 1 cucharada de néctar de manzana y hielo hasta obtener una mezcla homogénea. Sirva con canela molida por encima. **Para 1 persona**

778. Manzana roja en el ocaso: Agite 2 medidas de zumo de manzana, 2 de zumo de pomelo y 1 golpe de granadina con hielo hasta que se condense agua en el exterior de la coctelera. Sirva en una copa bien fría. **Para 1 persona**

779. Ponche «ley seca»: Ponga 900 ml de zumo de manzana, 350 ml de zumo de limón y 125 ml de jarabe de azúcar en un bol grande. Añada hielo picado y 2,25 litros de ginger ale. Remueva suavemente. Sirva en vasos helados, decorados con rodajas de naranja y pajitas de beber. **Para 25 personas**

Fizz de limón

Una refrescante y burbujeante bebida de verano. Puede mezclar los ingredientes y guardarlos en la nevera de antemano, y añadir la gaseosa cuando la vaya a consumir.

Para 1 persona
2 limones
1 tira larga de piel de limón
1 cucharada de azúcar
gaseosa helada
hielo triturado

1 Exprima los limones y ponga el zumo en un vaso tipo *highball* bien frío lleno de hielo triturado.

2 Añada la tira de piel de limón y azúcar al gusto, y remueva todo brevemente. Rellene con gaseosa.

Refresco de frambuesa

No hay nada que supere esta mezcla de manzana y frambuesa, bien helada, en un caluroso día de verano. También resulta estupenda con jarabes de frutas diversas, como granadilla y albaricoque.

Para 2 personas

8 cubitos de hielo, triturados
2 cucharaditas de jarabe de frambuesa
500 ml de zumo de manzana bien frío
frambuesas frescas y rodajas de manzana

1 Divida el hielo triturado entre dos vasos y añada el jarabe de frambuesa.

2 Rellene cada vaso con zumo de manzana y remueva bien.

3 Decore con las frambuesas y las rodajas de manzana.

Peach Melba con burbujas

El postre llamado *Peach Melba* fue inventado por George-Auguste Escoffier, un chef del Hotel Savoy de Londres, en honor de la cantante de ópera australiana Dame Nellie Melba. Esta mezcla simple pero perfecta de melocotón y frambuesa, que aquí se ofrece en una refrescante versión de cóctel, se ha convertido en un clásico.

Para 1 persona

60 g de frambuesas, trituradas
4 medidas de zumo de melocotón
hielo triturado
soda

1 Agite el puré de frambuesa y el zumo de melocotón con hielo hasta que se condense agua en el exterior de la coctelera.

2 Cuele la mezcla en un vaso alto bien frío y rellene con soda.

3 Remueva ligeramente.

783. Melba de melocotón: Agite 3 medidas de zumo de melocotón, 1 de zumo de limón, 1 de zumo de lima y 1 de granadina con hielo hasta que se condense agua en el exterior de la coctelera. Sirva el cóctel en un vaso pequeño bien frío, con 1 rodaja de melocotón. **Para 1 persona**

784. Paseo marítimo: Pase por la batidora hielo triturado, 2 medidas de zumo de limón, $1/2$ cucharadita de jarabe de azúcar y $1/2$ melocotón pelado, deshuesado y picado hasta obtener un granizado. Vierta la mezcla en un vaso bien frío. Rellene con soda y remueva ligeramente. Decore con frambuesas. **Para 1 persona**

785. Melocotón cremoso: Agite 2 medidas de zumo de melocotón helado y 2 de nata líquida con hielo hasta que se condense agua en el exterior de la coctelera. Sirva el cóctel en un vaso pequeño bien frío lleno de hielo hasta la mitad. **Para 1 persona**

Refresco tropical

Una revitalizante combinación de zumos de fruta para degustar el sabor del trópico.

Para 1 persona
2 medidas de zumo de granadilla
2 medidas de zumo de guayaba
2 medidas de zumo de naranja
1 medida de leche de coco
1-2 cucharadas de jarabe de jengibre
hielo
1 rodaja de carambola (o fruta estrella)
y 1 alquequenje

1 Agite enérgicamente los zumos de fruta, la leche de coco y el jarabe de jengibre con hielo hasta que se condense agua en el exterior de la coctelera.

2 Sirva en una copa de vino o en un vaso tipo *highball* bien fríos, decorado con la rodaja de carambola y el alquequenje.

Soda de limón

No hay nada como el zumo de los limones recién exprimidos. Si lo embotella y lo guarda en la nevera, el zumo se mantiene en buen estado por un par de días.

Para 6 personas
8 limones grandes
200 g de azúcar lustre
200 ml de agua hirviendo
hielo
soda

1 Ralle la piel y exprima el zumo de 7 limones. Colóquelo todo en un cuenco refractario a prueba de cambios térmicos.

2 Corte el limón restante en rodajas y resérvelo para la decoración.

3 Vierta el azúcar y el agua hirviendo en el cuenco, remuévalo todo bien y póngalo a enfriar.

4 Sirva la mezcla bien fría en una jarra llena de hielo y rellene con soda al gusto.

5 Añada azúcar al gusto si fuera preciso.

6 Sirva la soda en vasos bien fríos decorados con las rodajas de limón.

Batido de fresa

Esta bebida es casi igual a un plato de fresas, así que, si lo desea, puede añadirle nata...

Para 1 persona
1 clara de huevo
azúcar lustre para escarchar
100 g de fresas maduras
el zumo de ¹/₂ limón
150 ml de limonada bien fría
hielo triturado
azúcar al gusto
1 ramita de menta

1 Bata ligeramente la clara de huevo y sumerja el borde del vaso en ella. Escárchelo con el azúcar y ponga a secar.

2 Reserve 1 fresa. Pase por la batidora el resto de las fresas, el zumo de limón, la limonada, el hielo y el azúcar durante 2-3 minutos, hasta obtener un granizado.

3 Sirva el cóctel en el vaso escarchado y decore con la ramita de menta.

 (789) # Cenizas

Es cierto, este cóctel no lleva alcohol, pero nadie se percatará de ello si logra presentarlo bien.

Para 1 persona

el zumo de ½ naranja

el zumo de 1 lima

150 ml de zumo de piña

unas gotas de angostura

hielo

soda o dry ginger al gusto

rodajas de naranja y piña, para decorar

1 Agite bien los cuatro primeros ingredientes con hielo.

2 Sirva en un vaso bien frío y rellene con soda al gusto.

3 Decore con unas gotas de angostura y las rodajas de fruta.

 (790) # Babylove

Tal vez necesite una cuchara para terminar de beber este cóctel, pues la cremosa textura del aguacate puede hacer que la mezcla resulte muy densa, sobre todo si agrega gran cantidad.

Para 2 personas

300 ml de leche fría

12-14 fresas, lavadas y sin rabito

½ aguacate maduro

1 medida de zumo de limón

1 Reserve dos fresas. Pase por la batidora el resto de los ingredientes durante 15-20 segundos, hasta obtener una mezcla homogénea.

2 Sirva en dos copas o vasos altos bien fríos y decore con las fresas.

 (791) # Crema de zanahoria

El dulce sabor de las zanahorias hace de su zumo una base ideal para elaborar combinados. Además, el hecho de que estén repletas de vitaminas y minerales las convierte en una opción muy saludable.

Para 1 persona

2 medidas de zumo de zanahoria

2½ medidas de nata líquida

1 medida de zumo de naranja

1 yema de huevo

hielo picado

una rodaja de naranja

1 Agite enérgicamente el zumo de zanahoria, la nata y el zumo de naranja con hielo hasta que se condense agua en el exterior de la coctelera.

2 Cuele el cóctel sobre un vaso bien frío y decore con la rodaja de naranja.

Sour de manzana

Los zumos de lima y limón utilizados en este cóctel son los responsables de sus ligeros tonos ácidos, que quedan compensados por la dulzura de la miel y del zumo de manzana.

Para 1 persona

4 medidas de zumo de manzana
el zumo de 1 limón y 1 lima
1 medida de miel clara o jarabe de azúcar
la clara de 1 huevo pequeño
hielo triturado
4-5 frambuesas
1 tira larga de cáscara de manzana

1 Pase por la batidora los cuatro primeros ingredientes con hielo hasta obtener un granizado espumoso.
2 Ponga tres frambuesas en una copa alta bien fría, májelas con una cuchara de madera y agregue el granizado.
3 Decore con las frambuesas restantes y la cáscara de manzana.

Angelina

No escatime cuando elabore este delicioso combinado: utilice piña envasada y prepare grandes cantidades para toda la familia.

Para 1 persona

2 medidas de zumo de naranja
10 trozos de piña
unos cubitos de hielo
2 golpes de jarabe de frambuesa o de fresa

1 Pase por la batidora los tres primeros ingredientes durante 10 segundos hasta obtener un granizado.
2 Ponga 1 golpe generoso del jarabe en un vaso alto bien frío y vierta el cóctel lentamente por encima.
3 Agregue 1 golpe adicional del jarabe de frambuesa y beba el combinado con pajita.

 (794) Batido cítrico de verano

Un cóctel ideal para pasar entre amigos una tarde calurosa en el jardín con los niños.

Para 2 personas

4 cucharadas de zumo de naranja

1 cucharada de zumo de lima

100 ml de soda

350 g de frutas del bosque congeladas

(arándanos, frambuesas, zarzamoras y

fresas)

4 cubitos de hielo

1 selección de bayas, para decorar

1 Pase por la batidora el zumo de naranja, el zumo de lima y la soda.

2 Agregue las frutillas silvestres y el hielo, y siga batiendo hasta obtener un granizado.

3 Sirva en vasos bien fríos y decore con unas cuantas bayas.

(795)

Dulce soñador

Un combinado cremoso y espeso, lleno de fruta, perfecto para iniciar el día con buen pie o para despejar la atmósfera en una tarde cálida.

Para 2 personas

1 medida de zumo de naranja

2 medidas de néctar o zumo de

granadilla

1 plátano pequeño

$1/4$ de mango maduro o de papaya

unas gotas de esencia de vainilla

hielo triturado

1 Pase por la batidora todos los ingredientes hasta obtener una mezcla homogénea y espumosa.

2 Sirva en copas de cóctel grandes.

Refresco isleño

No hay nada más refrescante en los calurosos días del verano que esta coloreada combinación de zumos de frutas tropicales. Decórela con abundante fruta fresca.

Para 1 persona

2 medidas de zumo de naranja

1 medida de zumo de limón

1 medida de zumo de piña

1 medida de zumo de papaya

$\frac{1}{2}$ cucharadita de granadina

cubitos de hielo triturado

soda

trozos de piña y guindas

1 Agite enérgicamente los zumos de naranja, limón, piña y papaya y la granadina con hielo hasta que se condense agua en el exterior de la coctelera.

2 Sirva en un vaso tipo *Collins* bien frío lleno hasta la mitad de hielo.

3 Rellene con soda y remueva con delicadeza.

4 Decore con la piña y las guindas.

Explosión de piña

Este cóctel requiere planificación: congele los trozos de piña y melocotón la víspera.

Para 2 personas

100 ml de zumo de piña

el zumo de 1 limón

125 ml de agua

3 cucharadas de azúcar moreno

150 ml de yogur natural

1 melocotón troceado y congelado

200 g de trozos congelados de piña

rodajas de piña fresca

1 Pase por la batidora el zumo de piña, el zumo de limón, el agua, el azúcar y el yogur hasta obtener una mezcla homogénea.

2 Añada los trozos congelados de melocotón y piña y vuelva a batir hasta obtener una mezcla suave.

3 Vierta la mezcla en dos copas de cóctel y decore con rodajas de piña fresca.

798

Batido de arándanos y naranja

Este cóctel largo y refrescante puede resultar un poco ácido al paladar. Pruébelo antes de servirlo, y agregue azúcar si fuera preciso.

Para 1 persona
el zumo de 2 naranjas sanguinas
150 ml de zumo de arándanos
2 cucharadas de jarabe de frambuesa
o de otra fruta
azúcar al gusto (opcional)
hielo triturado
frambuesas para decorar

1 Agite enérgicamente los cuatro primeros ingredientes hasta obtener una mezcla bien espumosa.
2 Sirva en un vaso alto lleno de hielo.
3 Decore con las frambuesas.

799 Charco fangoso

Aunque la apariencia de este combinado recuerda los experimentos (por lo general desastrosos) que llevan a cabo los niños mezclando bebidas, su delicioso y refrescante sabor le sorprenderá.

Para 1 persona
el zumo de ¹/₂ limón
el zumo de ¹/₂ naranja
hielo triturado
cola
1 rodaja de naranja

1 Ponga el zumo de limón y de naranja en un vaso alto lleno de hielo y rellene con cola helada.
2 Decore con la rodaja de naranja y bébase el cóctel con pajita.

800

Ponche de arándanos

Un ponche sin alcohol muy sofisticado, que puede servirse muy frío en una fiesta de verano o bien caliente durante el invierno (resulta especialmente bueno para celebrar el Año Nuevo).

Para 10 personas

600 ml de zumo de arándanos
600 ml de zumo de naranja
150 ml de agua
$1/2$ cucharadita de jengibre rallado
$1/4$ de cucharadita de canela
$1/4$ de cucharadita de nuez moscada rallada
cubitos de hielo picado o un bloque de hielo, si lo sirve frío

Para decorar el ponche frío

arándanos frescos
1 clara de huevo ligeramente batida
azúcar lustre
ramitas de menta fresca

Para decorar el ponche caliente

rodajas de limón
rodajas de naranja

Para preparar el ponche:
1 Ponga a hervir en una cazuela los zumos de arándanos y de naranja, el agua, el jengibre, la canela y la nuez moscada.
2 Reduzca la temperatura y cueza a fuego lento durante 5 minutos.
3 Reitre la cazuela del fuego.

Si lo sirve caliente:
1 Sirva la mezcla en vasos individuales o en un bol precalentado.
2 Decore con las rodajas de limón y naranja.

Si lo sirve frío:
1 Deje enfriar el ponche. Viértalo luego en una jarra, cúbralo con film transparente y póngalo a enfriar en la nevera durante al menos 2 horas, hasta que lo vaya a servir.
2 Coloque el hielo en un cuenco bien frío y vierta el ponche. También puede llenar varios vasos con cubitos de hielo picados y repartir el ponche entre ellos.
3 Decore el ponche con las hojas de menta y los arándanos escarchados.

Si da una fiesta, prepare la decoración con antelación:
1 Sumerja los arándanos, uno por uno, en la clara de huevo. Déjelos escurrir ligeramente, escárchelos con el azúcar y sacuda los grumos.
2 Ponga a secar los arándanos sobre papel absorbente.
3 Unte las hojas de menta con la clara de huevo y escárchelas con el azúcar, sacudiendo los grumos.
4 Déjelas secar sobre papel absorbente.

801 Batido de frutillas

Un cóctel de extraordinario colorido con un intenso sabor a fruta.

Para 2 personas
225 ml de zumo de naranja
1 plátano, pelado y congelado
450 g de frutillas del bosque congeladas
(arándanos, zarzamoras, frambuesas)
rodajas de fresa

1 Pase por la batidora el zumo de naranja, el plátano y la mitad de las frutillas del bosque hasta obtener una mezcla suave.
2 Añada el resto de frutillas y vuelva a batirlo todo.
3 Sirva en dos vasos bien fríos y decore con rodajas de fresa. Beba con una pajita.

802 Combinado de melón

Cuando vaya a preparar este refrescante y delicioso cóctel, que resultará perfecto en una tarde calurosa, elija un melón bien maduro de pulpa muy dulce (por ejemplo el cantaloupe).

Para 1 persona
hielo triturado
60 g de pulpa de melón cortada en dados
4 medidas de zumo de naranja
$^1/_2$ medida de zumo de limón

1 Pase por la batidora el hielo, el melón, el zumo de naranja y el zumo de limón hasta obtener un granizado.
2 Sirva el cóctel en un vaso tipo *Collins* bien frío.

803 Batido estival

Disfrute de este refrescante batido de frutas independientemente del clima o de la estación del año, aunque el único resto de fruta que le quede sea un envase de zumo.

Para 2 personas
175 ml de leche
225 g de rodajas de melocotón de lata, escurridas
2 albaricoques frescos, picados
400 g de fresas frescas, sin rabitos
2 plátanos, rebanados y congelados
rodajas de fresa

1 Reserve unas rodajas de fresa.
2 Vierta la leche en la batidora y añádale el resto de los ingredientes; bátalo todo hasta obtener una mezcla homogénea.
3 Sirva en dos vasos bien fríos y decore con las rodajas de fresa.

Éxtasis frutal

Una mezcla suave y sedosa, especial para los amantes de las bebidas de frutas sofisticadas. Perfecto para compartirlo a cualquier hora del día...

Para 2 personas
100 ml de leche
125 ml de yogur de melocotón
100 ml de zumo de naranja
225 g de rodajas de melocotón en almíbar, escurridas
6 cubitos de hielo
tiras de piel de naranja

1 Pase por la batidora la leche, el yogur y el zumo de naranja hasta obtener una mezcla suave.
2 Añada las rodajas de melocotón y el hielo y siga batiendo.
3 Reparta entre dos vasos y decore con las tiras de piel de naranja.
4 Beba con una pajita.

Bailarín Junior

Suave, dulce y muy saludable, esta bebida le infundirá la energía que precisa para bailar durante toda la noche.

Para 1 persona
$^1/_2$ plátano
2 fresas grandes
2 cucharadas de yogur natural
1 cucharadita de jarabe de azúcar
1 golpe de granadina
hielo triturado
tónica o gaseosa

1 Pase por la batidora los cinco primeros ingredientes hasta obtener un granizado.
2 Sirva en un vaso alto y rellene con tónica o gaseosa.

Batido de frambuesa

De esta manera conseguirá que sus niños tomen una ración extra de leche o de fruta sin necesidad de peleas...

Para 1 persona

4 medidas de leche fría

1 medida de granadina

12 frambuesas

1 plátano maduro

3-4 cubitos de hielo

1 cucharadita de jarabe de frambuesa,

para decorar

1 Pase por la batidora todos los ingredientes menos el jarabe de frambuesa a baja velocidad durante 5-10 segundos.

2 Sirva el batido en un vaso alto bien frío y agregue el jarabe de frambuesa.

Nectarina fundida

Este refrescante batido de color amarillo dorado reúne un delicioso sabor a fruta con multitud de vitaminas, así que no se sienta culpable si desea beber más de uno...

Para 2 personas

250 ml de leche

350 g de sorbete de limón

1 mango maduro, pelado, deshuesado y troceado

2 nectarinas maduras, peladas, deshuesadas y troceadas

1 Pase por la batidora la leche y la mitad del sorbete de limón.

2 Agregue la otra mitad del sorbete y continúe batiendo hasta que se mezclen bien los ingredientes.

3 Añada la fruta y repita el proceso.

4 Sirva el batido en dos vasos bien fríos y bébalo con pajita.

 (808)

Café con plátano

El sabor del café hace que este cóctel tipo batido resulte más apropiado para los adultos. En días calurosos, resulta especialmente delicioso a media mañana.

Para 2 personas

300 ml de leche

4 cucharadas de café instantáneo en polvo

150 g de helado de vainilla

2 plátanos cortados en rodajas y congelados

azúcar moreno al gusto

1 Pase por la batidora la leche y el café instantáneo a baja velocidad hasta que se combinen bien.

2 Añada el helado en dos tandas y mézclelo todo bien.

3 Agregue el plátano y el azúcar y continúe batiendo hasta obtener una mezcla suave y homogénea.

4 Sirva la mezcla en dos copas y decore con rodajas de plátano.

Cócteles excepcionales

 ## My Fair Lady

Un cóctel muy leve, perfecto para beber antes de disfrutar de un ligero musical.

Para 1 persona
1 medida de ginebra
$^1/_2$ medida de zumo de limón
$^1/_2$ medida de zumo de naranja
$^1/_2$ medida de licor de fresa
1 clara de huevo
hielo

1 Agite bien todos los ingredientes con hielo y sirva en una copa de cóctel.

 ## Copito de nieve

¡Casi tan blanco como la nieve, aunque definitivamente no tan puro como ella!

Para 1 persona
$^2/_3$ de medida de ginebra
$^1/_3$ de medida de anís
$^1/_3$ de medida de crema de violeta
$^1/_3$ de medida de crema de menta blanca
$^1/_3$ de medida de nata líquida ligeramente azucarada
hielo

1 Remueva bien todos los ingredientes con hielo en un vaso mezclador y sirva en una copa de cóctel bien fría.

 ## Por la libertad

La crema Yvette es un licor norteamericano que sabe a violetas de Parma bastante difícil de encontrar. Su particular sabor no deja indiferente, pues o apasiona o se aborrece, pero los cócteles que lo contienen siempre tienen un color muy atractivo. También puede emplear crema de violeta, un licor muy parecido.

Para 1 persona
3 medidas de licor de endrina
1 medida de crema Yvette
1 medida de zumo de limón
1 clara de huevo
hielo picado

1 Agite enérgicamente el licor de endrina, la crema Yvette, el zumo de limón y la clara de huevo con hielo hasta que se condense agua en el exterior de la coctelera.
2 Sirva en una copa de vino bien fría.

Sorbete de limón

Este combinado puede llegar a ser tan espeso, que tal vez necesite una cuchara para terminarlo.

Para 1 persona

2 medidas de ginebra

1 medida de zumo de limón

1 medida de nata líquida

$^{1}/_{2}$ medida de curaçao naranja

1 cucharadita de azúcar lustre

1 golpe de agua de azahar

un poco de hielo triturado

1 Pase por la batidora todos los ingredientes durante unos 10-15 segundos.

2 Sirva en un vaso pequeño bien frío, con una pajita.

Cargador blanco

Sin lugar a dudas, un combinado estival. Puede probarlo con otros sabores de helado, como el de sorbete de limón, que resulta especialmente apropiado para animar una barbacoa.

Para 1 persona

$^{1}/_{2}$ cucharada de helado de vainilla

1 medida de ginebra

2 medidas de vino blanco, bien frío, o soda

1 Agite enérgicamente el helado y la ginebra (no hace falta hielo) hasta que se mezclen bien.

2 Sirva en una copa de cóctel mediana bien fría, agregue vino o soda y remueva bien.

 814

Tony Bennett

El célebre cantante solía disfrutar de su cóctel predilecto antes de cada actuación, en especial si había un ambiente frío y húmedo.

Para 1 persona
1 medida de ginebra
1 medida de crema de casis
1 medida de triple seco
1/2 medida de zumo de limón
hielo picado
soda

1 Mezcle bien con hielo todos los ingredientes excepto la soda.
2 Sirva en un vaso alto lleno de hielo y agregue soda al gusto.

 815

 CLASSIC

Bullshot

Beber este combinado es como tomar un consomé frío con algo de alcohol. Debe servirse muy frío.

Para 1 persona
1 medida de vodka
2 medidas de consomé de carne o de caldo de vacuno de calidad
1 golpe de zumo de limón recién exprimido
2 golpes de salsa Worcestershire
hielo
sal de apio
1 tira de piel de limón

1 Agite bien los primeros cuatro ingredientes con hielo y sirva en una copa de cóctel mediana con más hielo.
2 Esparza sal de apio por encima y decore con la tira de piel de limón.

816

Muecas y sonrisas

Hoy en día se han puesto de moda los cócteles endulzados con golosinas, lo que tal vez indica que la generación de relevo ya ha empezado a descubrir y a experimentar el goce de preparar bebidas combinadas a su manera.

Para 15 personas
90 g de gominolas de sabor intenso, como cereza, limón y manzana
525 ml de vodka (aproximadamente
$^3/_4$ de una botella)

1 Reserve unos 30 g de gominolas y coloque el resto en un cuenco para microondas o un bol refractario. Añada 4 cucharadas de vodka. Ponga el recipiente en el microondas o al baño María hasta que las gominolas se hayan derretido.

2 Con un embudo, vierta la mezcla en la botella con el resto del vodka e incorpore las gominolas restantes. Tape la botella y déjela enfriar en la nevera durante al menos 2 horas.

3 Antes de servir, agite enérgicamente la botella y vierta el cóctel en vasos bien fríos.

817. Martini con golosinas: Frote el borde de una copa de cóctel bien fría con 1 rodaja de limón y escárchelo con azúcar lustre. Agite enérgicamente 2 medidas de ron de limón, 1 medida de vodka, $^1/_2$ medida de Southern Comfort, $^1/_2$ medida de zumo de limón y $^1/_2$ cucharadita de vermut seco con hielo hasta que se condense agua en el exterior de la coctelera. Cuele el cóctel sobre la copa escarchada y decórelo con pastillas de goma. **Para 1 persona**

818

Sputnik

Si piensa beber varias raciones de este cóctel, puede prepararlas con antelación. Decórelas con guindas de varios colores a modo de órbita.

Para 1 persona
1 medida de vodka
1 medida de nata líquida
1 cucharadita de marrasquino
hielo
1 guinda

1 Agite los tres primeros ingredientes con hielo y viértalos en un vaso alto y delgado.

2 Decore con una guinda atravesada por dos o más palillos en diagonal.

(819)

Rubor frutal

Si no puede conseguir licor de frambuesa para preparar este combinado, utilice licor de fresa, o elabórelo con casis y obtenga un sabor completamente diferente.

Para 1 persona

2 medidas de vodka

1 medida de licor de frambuesa

1 cucharada de helado de vainilla

¹/₂ medida de jarabe de fresa

3-4 fresas

1 Pase por la batidora todos los ingredientes excepto las fresas durante unos 10 segundos, hasta obtener una mezcla homogénea y espumosa.

2 Sirva en un vaso o copa de cóctel medianos y decore con las fresas.

Ruso doble

820

Tenga cuidado con las cantidades que consuma de este cóctel. Tanto el vodka como el schnapps son licores muy fuertes.

Para 1 persona

1 medida de vodka rojo, helado

1 tira de piel de limón o naranja

1 medida de vodka de limón o de schnapps, helados

1 Sirva el vodka rojo en un vaso tipo *shot* bien frío y agregue la tira de piel de cítrico. Con pulso firme, sirva una segunda capa con el vodka de limón o el schnapps. Consuma de inmediato.

Crema de limón helada

821

Un batido con alcohol sólo apto para adultos, e ideal para días calurosos.

Para 1 persona

$1^{1}/_{2}$ medidas de vodka de limón o Citron

$^{3}/_{4}$ de medida de galliano

$^{3}/_{4}$ de medida de nata líquida

1 cucharada pequeña de sorbete de limón

1 ramita de menta

1 Pase por la batidora los cuatro primeros ingredientes hasta obtener un granizado homogéneo.

2 Sirva en una copa de champán bien fría y decore con la ramita de menta.

3 Bébalo con pajita.

Sugerencia: Para preparar el vodka de limón, ponga 1-2 tiras de piel de limón dentro de una botella de vodka de buena calidad. Deje reposar durante 24 horas y retire las tiras de piel de limón.

Rompope

822

La versión mexicana del advocaat holandés: casi una natilla, espesa y amarilla. Todo un deleite para los golosos...

Para 7-8 personas

400 g de leche condensada

300 ml de leche fría

4 yemas de huevo

$^{1}/_{4}$ de cucharadita de esencia de vainilla

150 ml de vodka

$^{1}/_{4}$ de cucharadita de canela rallada y ramas de canela (opcional)

1 Pase por la batidora todos los ingredientes menos la canela a velocidad alta durante 45 segundos.

2 Cuele y ponga a enfriar la mezcla.

3 Sirva en copas de cóctel y espolvoree un poco de canela rallada por encima.

4 Decore con una rama de canela como varilla agitadora (opcional).

Vodga

823

Tiempo atrás, los cócteles a base de vodka tenían como objeto, por lo general, proporcionar el placer de una bebida alcohólica sin dejar rastros perceptibles en el aliento, y solían consistir en mezclas bastante simples con zumos de fruta, sodas y otras bebidas sin alcohol. En cambio, los cócteles de vodka contemporáneos incluyen con frecuencia otros licores.

Para 1 persona
2 medidas de vodka
1 medida de strega
$^1/_2$ medida de zumo de naranja
hielo picado

1 Agite enérgicamente el vodka, el strega y el zumo de naranja con hielo hasta que se condense agua en el exterior de la coctelera.
2 Sirva en una copa de cóctel bien fría.

824. Rana dorada: Pase por la batidora 4-6 cubitos de hielo, 1 medida de vodka, 1 medida de strega, 1 medida de galliano y 1 medida de zumo de limón hasta obtener un granizado. Sirva en una copa de cóctel bien fría. **Para 1 persona**

825. Genovés: Agite 1 medida de vodka, 1 medida de grappa, $^1/_2$ medida de sambuca y $^1/_2$ medida de vermut seco con hielo hasta que se condense agua en el exterior de la coctelera. Sirva en una copa de cóctel bien fría. **Para 1 persona**

826. Araña blanca: Remueva bien 4-6 cubitos de hielo, 1 medida de vodka y 1 medida de crema de menta blanca en un vaso mezclador. Sirva en una copa de cóctel bien fría. **Para 1 persona**

827. Tailgate: Remueva bien 4-6 de cubitos de hielo, 1 golpe de amargo de naranja, 2 medidas de vodka, 1 medida de chartreuse verde y 1 medida de vermut dulce en un vaso mezclador. Sirva en una copa de cóctel bien fría. **Para 1 persona**

Serenata

828

Enfríe bien esta mezcla de frutos secos y frutas tropicales con vodka para obtener el mejor sabor.

Para 1 persona
1 medida de vodka
1 medida de amaretto
$^1/_4$ de medida de crema de coco
1 medida de zumo de piña
hielo triturado

1 Pase por la batidora todos los ingredientes a baja velocidad durante 5-10 segundos, hasta obtener un granizado espumoso.
2 Sirva en una copa de cóctel bien fría y beba con pajita.

(829) Sueño de nata

Este cóctel suave y cremoso destaca por el toque de dulzura cítrica que proporciona el Grand Marnier.

Para 1 persona
1 medida de Grand Marnier
1 medida de vodka
hielo
1 medida de nata batida
1 tira de piel de naranja

1 Agite los dos primeros ingredientes con hielo hasta que se condense agua en el exterior de la coctelera.
2 Sirva en una copa tipo Martini bien fría y añada la nata batida por encima.
3 Decore con la tira de piel de naranja.

(830) Flip dorado

La base de este *flip* la forman el jerez y el licor de almendras, junto con un matiz de vodka.

Para 1 persona
1 medida de vodka
1 medida de jerez dulce
1 medida de amaretto
1 yema de huevo
1 cucharada de azúcar lustre
hielo
nuez moscada rallada

1 Agite bien con hielo todos los ingredientes menos la nuez moscada hasta que se condense agua en el exterior de la coctelera.
2 Sirva en una copa de vino pequeña bien fría y esparza nuez moscada por encima.

Chilly Willy

Este cóctel es apto sólo para los más valientes. El grado de picante dependerá del tipo de guindilla que se utilice (algunas variedades son más picantes que otras), así como de la cantidad que se añada y de si se despepita o no. Si desea un cóctel aún más picante, prepárelo con vodka de guindilla.

Para 1 persona
2 medidas de vodka
1 cucharadita de guindilla fresca picada
hielo picado

1 Agite bien el vodka y la guindilla con hielo hasta que se condense agua en el exterior de la coctelera.
2 Sírvala en un vaso pequeño bien frío.

832. Martini caliente y sucio: Agite bien 3 medidas de vodka de guindilla, $^1/_2$ medida de vermut seco y 1 cucharadita de salmuera de una lata de olivas con hielo hasta que se condense agua en el exterior de la coctelera. Sirva en una copa de cóctel bien fría y decore con una oliva rellena. **Para 1 persona**

833. Martini borroso: Agite 2 medidas de vodka de vainilla, $^1/_2$ medida de vodka de café y 1 cucharadita de schnapps de melocotón con hielo hasta que se condense agua en el exterior de la coctelera. Sirva en una copa de cóctel bien fría y decore con 1 rodaja de melocotón. **Para 1 persona**

834. Estocolmo: Ponga 1 terrón de azúcar en una copa de agua. Añada 2 medidas de vodka de limón y 1 medida de zumo de limón. Remueva bien hasta que el azúcar se disuelva. Rellene con vino espumoso helado. **Para 1 persona**

Toddy de manzana

Aunque por lo general los *toddies* se suelen beber calientes, éste es igual de delicioso frío, de modo que puede prepararse durante todo el año.

Para 1 persona
1 medida de whisky, ron o brandy
3 medidas de sidra o de zumo de manzana
1 rodaja de limón

1 Mezcle bien el whisky y el zumo de manzana. Caliente a fuego lento la mezcla y sírvala en un vaso mediano con la rodaja de limón.

Té del cazador

Llévese este combinado en una petaca cuando vaya a la montaña y nunca se sentirá solo del todo.

Para 1 persona

té caliente recién hecho sin leche

azúcar al gusto

2-3 medidas de schnapps o brandy

1 rodaja de limón

1 Ponga el té caliente en un vaso o taza tibios, añada azúcar al gusto y remueva bien.

2 Agregue el schnapps y decore con la rodaja de limón. Sirva bien caliente.

Café irlandés

Se cree que Joe Sheridan inventó esta bebida en la década de 1940, cuando era el director principal del aeropuerto de Shannon, en Irlanda.

Para 1 persona

2 medidas de whisky irlandés

azúcar al gusto

café negro fuerte recién hecho

2 medidas de nata espesa

1 Ponga el whisky en un vaso o taza caliente. Agregue azúcar al gusto.

2 Añada el café y remueva bien.

3 Cuando se disuelva el azúcar, añada la nata muy lentamente sobre el dorso de una cuchara colocada justo sobre la superficie, de modo que flote sobre el café.

4 No remueva. Beba el café a través de la nata.

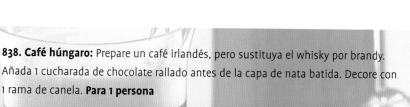

838. Café húngaro: Prepare un café irlandés, pero sustituya el whisky por brandy. Añada 1 cucharada de chocolate rallado antes de la capa de nata batida. Decore con 1 rama de canela. **Para 1 persona**

839. Café mexicano: Reemplace el whisky por Kahlúa. Añada una capa de nata batida y chocolate rallado. **Para 1 persona**

840. Espresso galliano: Reemplace el whisky por galliano y añada zumo de limón o de naranja al gusto. No utilice nata. **Para 1 persona**

841 Niebla de bourbon

Si disfruta del café helado, se convertirá sin duda en un incondicional de este cóctel, que resulta ideal para una fiesta veraniega o una barbacoa. Prepárelo todo con anticipación y añada el helado justo antes de servir.

Para 20 personas

1 litro de café negro fuerte, bien frío
1 litro de helado de vainilla
1 litro de bourbon

1 Mezcle bien todos los ingredientes en un bol de ponche grande.
2 Cuando obtenga una mezcla homogénea y espumosa, sirva el combinado en tazas o vasos pequeños bien fríos.

842 After Nine

Nadie que beba este cóctel necesitará un postre de chocolate después de cenar.

Para 1 persona

1 medida de whisky
1 medida de licor de chocolate y menta
1 medida de nata líquida
hielo
chocolate rallado

1 Mezcle bien todos los ingredientes, menos el chocolate rallado, con un poco de hielo.
2 Sirva en una copa de cóctel y espolvoree un poco de chocolate rallado por encima.

Cóctel escocés

La bebida para calentar el corazón de una dama, especialmente después de una excursión por la fresca campiña.

Para 1 persona
2 medidas de whisky escocés
1 medida de nata
1 medida de miel

1 Mezcle bien todos los ingredientes en una copa tibia y aguarde a que se enfríe.
2 Sirva el combinado en un vaso tibio y añada una cucharilla agitadora o una varilla mezcladora para continuar removiendo a medida que se enfría.

Hair of the dog

Esta conocida expresión escocesa (que literalmente significa «pelo del perro») designa a la copita del licor que se toma por la mañana para aliviar la resaca del día anterior.

Para 1 persona
1 medida de whisky escocés
1¹/₂ medidas de nata líquida
¹/₂ medida de miel clara
hielo

1 Mezcle con delicadeza el whisky, la nata y la miel.
2 Sirva en una copa de cóctel llena de hielo y beba con pajita.

 845

El hombrecillo verde

El color de esta bebida resulta como mínimo llamativo. Nada pareciera indicar que contiene whisky, pero su sabor es absolutamente delicioso.

Para 1 persona
1 medida de whisky irlandés
$1/2$ medida de curaçao azul
1 medida de zumo de limón recién exprimido
1 golpe de clara de huevo
cubitos de hielo

1 Agite todos los ingredientes con un poco de hielo hasta que se condense agua en el exterior de la coctelera.
2 Sirva en un vaso o copa medianos y agregue más hielo.

 846

Boilermaker

La palabra *boilermaker* designaba en el argot norteamericano un trago de whisky seguido de un vaso de cerveza. Esta versión es un poco más sofisticada, pero sus efectos son igualmente letales.

Para 1 persona
250 ml de cerveza rubia suave inglesa
$1^{1}/2$ medidas de bourbon o de whisky de centeno (rye)

1 Vierta la cerveza en una jarra bien fría.
2 Agregue el bourbon o el whisky de centeno en un vaso tipo *shot* también frío.
3 Sumerja con cuidado el vasito de whisky en la cerveza.

847. Torpedo: Ponga 2 medidas de schnapps de su sabor predilecto en una jarra de cerveza bien fría. Añada 500 ml de cerveza rubia suave inglesa. **Para 1 persona**

848. Submarino: Ponga 250 ml de cerveza mexicana en una jarra de cerveza bien fría. Coloque 2 medidas de tequila blanco en un vaso tipo *shot* bien frío y, con cuidado, sumerja el vasito de tequila en la cerveza. **Para 1 persona**

849. Yorsh: Ponga 250 ml de cerveza rubia suave inglesa en una jarra bien fría. Agregue 2 medidas de vodka. **Para 1 persona**

850. Cerveza de jengibre: Ponga 250 ml de bíter de limón en una jarra bien fría. Agregue 2 medidas de aguardiente de jengibre. **Para 1 persona**

851. Nariz de perro: Ponga 250 ml de cerveza rubia suave inglesa en una jarra bien fría. Agregue 1 medida de ginebra. **Para 1 persona**

852 Nightcap escocés

En el Reino Unido, un *nightcap* es una bebida (normalmente alcohólica) que se toma justo antes de acostarse. Y seguramente dormirá apaciblemente después de una o dos copas de este sorprendente combinado.

Para 2 personas

300 ml de cerveza negra joven
1 cucharadita de cacao en polvo
4 cucharadas de whisky escocés
2 yemas de huevo pequeñas
2 cucharaditas de azúcar
varillas de azúcar cande

1 Ponga a calentar la cerveza, el cacao en polvo y el whisky hasta que la mezcla esté a punto de hervir.
2 Agregue las yemas de huevo y el azúcar y remueva bien.
3 Sirva en dos vasos resistentes al calor con varillas de azúcar cande.

853 Café dorado

Una versión más completa del café helado, que incluye nata batida y granadilla.

Para 1 persona

1 medida de ron negro
1 medida de curaçao
3 medidas de café negro fuerte, frío
cubitos de hielo
1 cucharada de helado de vainilla
2 cucharaditas de pulpa colada o néctar de granadilla

1 Pase por la batidora los tres primeros ingredientes con hielo hasta obtener un granizado.
2 Sirva en una copa tipo *sundae*, añada el helado de vainilla y coloque la granadilla por encima con una cuchara.

854 Misterioso

El ron negro y el café producen una combinación llena de misterio. Ésta en particular, dulce con notas cítricas, resulta perfecta para después de cenar.

Para 1 persona

1 medida de ron negro
1 medida de curaçao naranja
1/2 medida de licor de café
1/2 medida de zumo de naranja recién exprimido
hielo
1 cucharada de nata batida

1 Agite los cuatro primeros ingredientes con hielo hasta que se condense agua en el exterior de la coctelera.
2 Sirva en una copa de cóctel bien fría y decore con una voluta nata batida.

 # Verde Gretna

Un combinado ligero y helado, estupendo para beber durante las noches calurosas del verano.

Para 1 persona

1 medida de ron blanco
$1/2$ medida de crema de menta
1 medida de zumo de piña
1 medida de helado o sorbete de coco
1 varita de chocolate y menta

1 Pase por la batidora todos los ingredientes, menos la varita de chocolate, durante 10-20 segundos, hasta obtener una mezcla homogénea.

2 Sirva en una copa de cóctel bien fría y decore con la varita de chocolate y menta.

 # Ponche nupcial

Si decide casarse en verano, sirva este ponche que espoleará la curiosidad de sus invitados, pues resulta difícil deducir sus ingredientes a partir de su sabor.

Para 24 personas

450 g de rodajas de piña en lata
225 ml de zumo de piña
225 ml de zumo de limón recién exprimido
2 medidas de jarabe de goma
nuez moscada recién rallada
1 botella de ron blanco
2-3 botellas de soda
450 g de fresas rebanadas

1 Pase por la batidora los cinco primeros ingredientes y la mitad del ron a velocidad baja hasta obtener una mezcla homogénea.

2 Deje enfriar en la nevera durante 24 horas.

3 Cuando vaya a servir el ponche, vierta la mezcla en un bol lleno de hielo y agregue el resto del ron, la fruta y la soda.

4 Decore cada vaso con una rodaja de fresa.

 # Sensaciones

Este combinado estimulará todos sus sentidos con su colosal sabor, su textura cremosa, su potente aroma a lima, su suave color y, por supuesto, su gélida temperatura.

Para 1 persona

1 medida de sambuca
1 medida de ron blanco
1 medida de zumo de lima
1 medida de nata líquida
hielo triturado
pétalos de flor

1 Pase por la batidora todos los ingredientes menos los pétalos a baja velocidad durante unos 10 segundos, hasta obtener un granizado espeso.

2 Sirva en una copa de cóctel bien fría y decore con los pétalos de flor.

Mango helado

Este combinado, que puede prepararse con antelación, queda estupendo servido en cáscaras de naranja vaciadas, o en una piña a la que previamente haya sacado la pulpa.

Para 4 personas

6 medidas de ron dorado

4 medidas de zumo de mango o piña

4 medidas de zumo de naranja recién exprimido

1 medida de jarabe de azúcar

1 golpe generoso de zumo de limón

1 clara de huevo

hielo

gaseosa

1 Pase por la batidora los seis primeros ingredientes con hielo hasta obtener un granizado.

2 Sirva en copas bien frías o en las cáscaras de fruta vacías y rellene con gaseosa al gusto.

859

Oso polar

Puede preparar esta receta con zumo de granadilla comercial, pero conseguirá un efecto más impactante con la pulpa fresca de la fruta, debido a las atractivas semillas negras.

Para 1 persona

2 medidas de ron blanco

2 medidas de advocaat

el zumo de 1 granadilla colado

hielo triturado

gaseosa

1 granadilla

1 Pase por la batidora todos los ingredientes, salvo la gaseosa, con hielo durante unos 10 segundos hasta obtener una mezcla espesa y espumosa.

2 Sirva en una copa o vaso lleno de hielo y rellene con gaseosa al gusto.

3 Coloque algo de la pulpa de la granadilla, con semillas incluidas, sobre el hielo.

860 La flota del capitán

Una mezcla irresistible de ingredientes que combinan a la perfección: ron, cereza, chocolate y nata. Este cóctel es casi demasiado bueno para ser real.

Para 1 persona
2 medidas de ron blanco
1 medida de kirsch
1 medida de crema de cacao blanca
1 medida de nata líquida
hielo picado
chocolate rallado
1 guinda

1 Agite enérgicamente el ron, el kirsch, la crema de cacao y la nata con hielo hasta que se condense agua en el exterior de la coctelera.

2 Sirva en un vaso tipo *highball* bien frío.

3 Espolvoree por encima el chocolate rallado y decore con la guinda.

861. Ponche de leche y bourbon: Agite 2 medidas de bourbon, 3 medidas de leche, 1 cucharadita de miel clara y 1 golpe de esencia de vainilla con hielo hasta que se condense agua en el exterior de la coctelera. Sirva en un vaso bien frío y esparza nuez moscada rallada por encima. **Para 1 persona**

862. Vaca irlandesa: Ponga 250 ml de leche a fuego lento. Antes de que hierva, retírela del fuego y viértala en una taza o un vaso tibios. Agregue 2 medidas de whisky irlandés y 1 cucharadita de azúcar lustre. Remueva hasta que se disuelva el azúcar. **Para 1 persona**

863. Vaca marrón: Agite enérgicamente 1 medida de Kahlúa y 3 medidas de leche fría con hielo hasta que se condense agua en el exterior de la coctelera. Sirva en un vaso pequeño bien frío lleno de hielo hasta la mitad. **Para 1 persona**

864 Toddy de chocolate y naranja

Un combinado denso y suave al final del día ayuda a combatir el estrés.

Para 4 personas
75 g de chocolate negro con naranja
600 ml de leche
3 cucharadas de ron
2 cucharadas de nata espesa
nuez moscada rallada

1 Rompa el chocolate en onzas y colóquelo en una cazuela pequeña junto con la leche.

2 Caliente a fuego lento sin dejar de remover.

3 Justo antes de romper a hervir, retire la cazuela del fuego y agregue el ron.

4 Sirva en cuatro tazas. Incorpore la nata con cuidado, de modo que flote sobre el chocolate caliente.

5 Espolvoree con nuez moscada rallada y consuma de inmediato.

(865) Egg Nog de chocolate

El tentempié perfecto para estimular el paladar durante una noche fría de invierno.

Para 8 personas
8 yemas de huevo
200 g de azúcar
1 litro de leche
225 g de chocolate negro, rallado
150 ml de ron

1 Bata bien los huevos y el azúcar hasta que la mezcla se espese.
2 Caliente la leche y el chocolate rallado en una cazuela grande a fuego lento.
3 Antes de que rompa a hervir, retire del fuego e incorpore gradualmente la mezcla de yema de huevo.
4 Añada el ron y sirva en vasos resistentes al calor.

(866) Crema de chocolate

Si está haciendo dieta, mejor será que ni piense en esta rica combinación de ron con helado de chocolate.

Para 1 persona
1 medida de ron blanco
1/2 medida de licor de chocolate y menta
1 golpe generoso de crema de menta
1 golpe de zumo de limón
1 cucharada de helado de chocolate y menta
soda
copos de chocolate blanco

1 Pase por la batidora los cinco primeros ingredientes a baja velocidad.
2 Sirva en un vaso bien frío, rellene con soda y decore con los copos de chocolate blanco.

 867

Ron a la taza

Este cóctel debe servirse en una taza. En las frías noches de invierno, ofrézcalo a sus invitados justo antes de que se despidan, para que se lleven un cálido recuerdo.

Para 8 personas

6 huevos
4-5 cucharaditas de azúcar lustre
500 ml de ron negro
1,2 litros de leche tibia
nuez moscada recién rallada

1 Bata bien los huevos en un bol junto con el azúcar y un poco de nuez moscada.
2 Añada el ron e incorpore la leche lentamente.
3 Caliente un poco el combinado (opcional). Sirva en tazas pequeñas y espolvoree con un poco más de nuez moscada.

 868

Auténtico

Aquí encontrará la manera de preparar su auténtico licor de crema en casa. Consiga un ron verdaderamente fuerte, prepare el combinado, embotéllelo y guárdelo en la nevera. Le recomendamos tomarlo después de cenar.

Para 4 personas

300 ml de leche condensada azucarada
150 ml de ron
3 huevos
$^{1}/_{2}$ cucharadita de esencia de vainilla
unas gotas de zumo de lima
angostura
hielo triturado

1 Pase por la batidora todos los ingredientes menos la angostura hasta obtener una mezcla suave y cremosa.
2 Llene una copa hasta la mitad de hielo triturado. Agregue la angostura y sirva el combinado en la copa.

 869

Tom y Jerry

Sería ideal servir este cóctel en una taza de Tom y Jerry, pero, si no dispone de ella, su taza predilecta servirá igual.

Para 1 persona

1 medida de ron jamaicano
1 medida de brandy
1 huevo, ligeramente batido
en 100 ml de leche
azúcar al gusto

1 Caliente todos los ingredientes a fuego lento en una cazuela (no los caliente demasiado o el huevo se empezará a cocer). Remueva continuamente.
2 Sirva de inmediato.

Toddy de ron

Cuando prepare cócteles calientes, no olvide que el alcohol caliente siempre parece más fuerte que el frío.

Para 1 persona
1 medida de ron o brandy
agua y azúcar al gusto
1 tira de piel de naranja

1 Ponga a calentar una cantidad igual de ron y agua, con azúcar al gusto.
2 Añada la tira de piel de naranja y sirva en una taza o vaso resistente al calor.

Buenos días

Este cóctel, como su nombre bien indica, le dará una fuerte sacudida, y garantizará más de un memorable desayuno.

Para 1 persona
1 medida de ron
2 golpes de crema de noyeau
(licor de almendras)
2 golpes de absenta
2 golpes de curaçao
1 yema de huevo
1 cucharadita de azúcar lustre
hielo

1 Agite bien todos los ingredientes con hielo y sirva en una copa de cóctel.

 # Ron naranja

Si alguna vez puede adquirir una botella de un ron extrafuerte, sáquele partido preparando este cóctel, que se mantiene en perfecto estado durante mucho tiempo.

Para 24 personas

$^{1}/_{2}$ litro de zumo de naranja recién exprimido

225 g de azúcar

2,5 litros de ron negro

hielo

soda

1 Mezcle bien los ingredientes en un bol o jarra grande.

2 Vierta la mezcla en una garrafa o en varias botellas y guárdelas durante unas 6 semanas en un lugar fresco y seco.

3 Cuando vaya a servir, vierta el combinado en vasos altos bien fríos llenos de hielo y rellene con soda al gusto.

 # Haití

Ésta es una bebida especial para una fiesta con pocos invitados, ya que se bebe con pajitas en un caparazón de melón. También puede servirla en vasos pequeños.

Para 4 personas

1 melón de miel grande

cubitos de hielo

2 medidas de ron

2 medidas de jerez en crema

2 medidas de galliano

dry ginger o bíter de limón

1 Corte el extremo superior del melón, vacíe la corteza y deseche las pepitas.

2 Extraiga la pulpa (la puede utilizar en ensaladas, etc.).

3 Agite con hielo todos los ingredientes menos el dry ginger hasta que se condense agua en el exterior de la coctelera y sirva con un poco del hielo en la corteza del melón.

4 Rellene con dry ginger al gusto, decore con rodajas de melón o ramitas de menta y bébanlo con pajitas.

 # Rubia parisina

Numerosas recetas de combinados incluyen la nata entre sus ingredientes. Ésta es muy cremosa, suave y sofisticada.

Para 1 persona

1 medida de ron negro

1 medida de curaçao

1 medida de nata

hielo

1 tira larga de piel de naranja

1 Agite bien los tres primeros ingredientes con hielo y sirva en una copa de cóctel bien fría.

2 Decore con la tira de piel de naranja.

Egg Nog

Este reconstituyente combinado le ayudará a recuperarse de la resaca o le llenará de energía cuando se sienta un poco decaído.

Para 1 persona
1 huevo
1 cucharada de azúcar lustre
2 medidas de brandy o de su licor favorito
leche tibia
nuez moscada rallada

1 Bata bien los tres primeros ingredientes, sirva en una copa alta y rellene con la leche.

2 Espolvoree con nuez moscada rallada por encima.

Batido de plátano

Una deliciosa combinación para beber después de cenar. La crema de plátano se caracteriza por sus matices espesos, que armonizan con el coñac.

Para 1 persona
1¹/₄ medidas de coñac
1¹/₄ medidas de crema de plátano
hielo
1-2 cucharaditas de nata helada
hojitas de menta

1 Remueva bien los dos primeros ingredientes con hielo en un vaso mezclador.

2 Sirva en una copa de cóctel bien fría. Agregue la nata con cuidado, utilizando el dorso de una cuchara, de modo que flote por encima del combinado.

3 Decore con las hojitas de menta.

Glaciar

Un combinado de licores oscuro y aromático como éste ha de estar bien frío antes de agregarle un toque decorativo de nata batida.

Para 1 persona

2 medidas de brandy

1 medida de crema de cacao

$^1/_2$ medida de jarabe de frambuesa (framboise)

hielo triturado toscamente

nata batida

1 Remueva bien los tres primeros ingredientes con hielo en un vaso mezclador.

2 Sirva en una copa de cóctel bien fría y decore con un poco de nata batida.

(878)

Archipiélago

Una selección multicolor de aromas y frutas procedentes de diversos países y coronada por una capa de nata. ¡Casi una ensalada de frutas servida con nata!

Para 1 persona
1¹/₄ medidas de coñac
³/₄ de medida de zumo o jarabe de kiwi
¹/₄ de medida de licor de mandarina
¹/₄ de medida de licor de chocolate
hielo
1 cucharada de nata líquida
1 rodaja de kiwi o 1 ramita de menta

1 Remueva bien con hielo todos los ingredientes menos la nata y el kiwi en un vaso mezclador y sirva en una copa de cóctel.
2 Agregue la nata con cuidado, de modo que flote por encima del combinado. Decore con la rodaja de kiwi.

(879)

Resucitador

Numerosos cócteles han sido concebidos con el fin de resucitar el día después a las víctimas de una noche de innumerables copas. Muchas personas afirman que éste es uno de los más efectivos, pero le corresponderá a usted decidir si dicen la verdad...

Para 1 persona
¹/₃ de medida de brandy
¹/₃ de medida de Fernet Branca
¹/₃ de medida de crema de menta
hielo

1 Agite bien todos los ingredientes con hielo hasta que se condense agua en el exterior de la coctelera.
2 Sirva en una copa de cóctel y beba el combinado lo más rápido que pueda.

(880)

Tónico reconstituyente

Esta versión mejorada del café helado resulta perfecta para un relajado desayuno dominguero. Tómelo muy frío, pues así obtendrá el mejor sabor.

Para 1 persona
1 huevo
300 ml de café negro fuerte, bien frío
2 medidas de brandy
1 medida de oporto
azúcar
hielo

1 Bata el huevo en una coctelera.
2 Añada el café, el brandy, el oporto, azúcar al gusto y un poco de hielo.
3 Agite bien hasta obtener una mezcla espumosa y sirva en una copa de cóctel grande llena de hielo hasta la mitad.

 # La Bamba

Beba esta estupenda mezcla muy fría, pues su sabor podría resultar demasiado intenso para los paladares más delicados.

Para 1 persona
$1^{1}/4$ medidas de coñac
1 medida de licor de café
$^{1}/2$ medida de Malibú
hielo

1 Remueva bien todos los ingredientes con hielo en un vaso mezclador.
2 Sirva en una copa de licor pequeña bien fría.

 # Magia negra

Tomar una copa de coñac con un toque de chocolate y naranja después de comer es casi como disfrutar de bombones de chocolate con licor dentro de una copa.

Para 1 persona
$1^{1}/4$ medidas de coñac
$^{1}/2$ medida de licor de chocolate
$^{3}/4$ de medida de licor de mandarina
1 cucharada de nata
copos o virutas de chocolate

1 Remueva bien con hielo todos los ingredientes menos la nata y el chocolate en un vaso mezclador.
2 Sirva en una copa de cóctel bien fría y agregue con cuidado una capa de nata, de modo que flote por encima del combinado.
3 Decore con los copos o las virutas de chocolate.

 # Café di Saronno

Si no quiere que sus invitados se queden dormidos al beber este combinado después de una buena cena, prepare el café bien cargado.

Para 1 persona
1 medida de brandy
$^{1}/2$ medida de amaretto
1 taza de café espresso
azúcar al gusto
nata batida (opcional)

1 Ponga a calentar el brandy y el amaretto en una cazuela pequeña al baño María.
2 Vierta la mezcla en una taza o copa de brandy tibias y rellene con el espresso.
3 Endulce al gusto con el azúcar (no debería necesitar demasiado).
4 Puede agregar una cucharada de nata batida si lo desea. No remueva.

Secretos oscuros

El secreto escondido consiste, por supuesto, en todos los deliciosos licores que se esconden detrás de la espesa nata.

Para 1 persona
$1^{1}/_{4}$ medidas de coñac
$^{3}/_{4}$ de medida de amaretto
$^{3}/_{4}$ de medida de licor de café
1-2 cucharadas de nata espesa
hielo
copos de almendra tostada

1 Remueva bien con hielo todos los ingredientes excepto los copos de almendra en un vaso mezclador.
2 Sirva en una copa de cóctel bien fría y decore con los copos de almendra.

885 # Cowboy de medianoche

Debe ser un verdadero amante de la cola si se atreve a hacerle esto a un buen brandy... Aunque a medianoche quizá valga todo.

Para 1 persona
1 medida de brandy
$^{1}/_{2}$ medida de licor de café
$^{1}/_{2}$ medida de nata bien fría
hielo triturado
cola

1 Pase por la batidora todos los ingredientes menos la cola a baja velocidad hasta obtener una mezcla espumosa.
2 Sirva en una copa alta bien fría.
3 Rellene con cola.

(886)

Amanecer naranja

No se trata precisamente del combinado idóneo para disfrutar a la hora del desayuno, pero sin duda es un efectivo remedio contra la resaca derivada de la noche anterior.

Para 1 persona
$^1/_2$ medida de galliano
$^1/_2$ medida de brandy
$^1/_2$ medida de zumo de naranja
$^1/_2$ clara de huevo
hielo triturado
1 tira de piel de naranja caramelizada

1 Pase por la batidora todos los ingredientes menos la piel de naranja hasta obtener un granizado.
2 Sirva en una copa de cóctel bien fría y decore con la tira de piel de naranja caramelizada.

(887)

Stinger

CLASSIC

El nombre de este refrescante cóctel le hace justicia (*stinger* significa en inglés «que produce picazón»), pues su sabor bien definido estimula el paladar y despeja la cabeza. Sin embargo, recuerde que, si abusa de él, lo más probable es que lo tumbe.

Para 1 persona
2 medidas de brandy
1 medida de crema de menta blanca
hielo picado

1 Agite enérgicamente el brandy y la crema de menta con hielo hasta que se condense agua en el exterior de la coctelera.
2 Sirva en un vaso tipo *highball* bien frío.

888. Stinger de amaretto: Agite enérgicamente 2 medidas de amaretto y 1 medida de crema de menta blanca con hielo hasta que se condense agua en el exterior de la coctelera. Sirva en una copa de cóctel bien fría. **Para 1 persona**

889. Stinger de chocolate: Agite enérgicamente 1 medida de crema de cacao oscura y 1 medida de crema de menta blanca con hielo hasta que se condense agua en el exterior de la coctelera. Sirva en una copa de cóctel bien fría. **Para 1 persona**

890. Stinger irlandés: Agite enérgicamente 1 medida de Baileys y 1 medida de crema de menta blanca con hielo hasta que se condense agua en el exterior de la coctelera. Sirva en un vaso tipo *shot* bien frío. **Para 1 persona**

Seda suiza

Un cóctel suave, helado y cremoso, con aroma a brandy y una nota de cereza. Indudablemente, un especial de verano.

Para 2 personas
1 medida de licor de cereza
1 medida de brandy
1 cucharada de helado de vainilla
hielo triturado
2 guindas

1 Pase por la batidora todos los ingredientes menos las guindas hasta obtener una mezcla homogénea. Sirva en copas tipo *sundae* o copas de cóctel grandes.
2 Decore con las guindas.

Under Milkwood

La textura de este combinado se hace más suave y cremosa debido a la adición de nata y chocolate. Consúmalo preferiblemente después de comer.

Para 1 persona
3/4 de medida de coñac
3/4 de medida de crema de cacao blanca
1/2 medida de nata
1 medida de Grand Marnier
hielo
1 pizca de cacao en polvo o de chocolate rallado

1 Remueva con hielo todos los ingredientes menos el cacao en un vaso mezclador.
2 Sirva en una copa de cóctel bien fría y esparza el cacao en polvo por encima.

Chocolate al brandy

Existe una afinidad natural entre el brandy y el chocolate, como demuestra este cóctel.

Para 4 personas
1 litro de leche
115 g de chocolate negro cortado en onzas
2 cucharadas de azúcar
4 cucharadas de brandy
6 cucharadas de nata batida
nuez moscada rallada o cacao en polvo

1 Ponga la leche en una cazuela y lleve a ebullición. Retire del fuego.
2 Añada el chocolate y el azúcar, y remueva a fuego lento hasta que el chocolate se haya derretido.
3 Sirva en cuatro tazas resistentes al calor y agregue 1 cucharada de brandy a cada una.
4 Decore con la nata batida y con la nuez moscada o el cacao en polvo.

(894)

Nightcap de Napoleón

En lugar de chocolate caliente, el militar corso prefería el brandy con unas gotas de chocolate y unas notas de plátano y menta antes de irse a la cama. ¡Atrevido y extravagante!

Para 1 persona

1¼ medidas de coñac

1 medida de crema de cacao oscura

¼ de medida de crema de plátano

1 cucharada de nata

1 Remueva bien los tres primeros ingredientes con hielo en un vaso mezclador.

2 Sirva en una copa de cóctel bien fría y añada cuidadosamente una capa de nata con el dorso de una cuchara, de modo que flote sobre el combinado.

(895)

Rayos y truenos

Si nos hemos de fiar de los nombres, este cóctel debería despertarle por completo, además de hacerle sentir mucho mejor...

Para 1 persona

½ medida de coñac

1 yema de huevo

½ medida de zumo de naranja recién exprimido

hielo

1-2 gotas de angostura

1 Pase por la batidora el coñac, la yema de huevo y el zumo de naranja.

2 Sirva en una copa de cóctel pequeña con hielo y decore con unas gotas de angostura.

Nocturno

No es preciso que sea una persona de hábitos nocturnos para disfrutar de este delicioso combinado, sino sólo un poco temerario.

Para 1 persona

1¼ medidas de coñac

1 pizca de canela molida

1 poco de azúcar lustre

¾ de medida de crema de noyeau
(licor de almendras)

¼ de medida de crema de cacao

hielo

3 granos de café

1 Frote el borde de una copa de cóctel bien fría con un poco de coñac.

2 Mezcle la canela y el azúcar y escarche el borde con la mezcla.

3 Remueva bien los tres licores con hielo en un vaso mezclador y sirva en la copa escarchada.

4 Decore con tres granos de café.

Egg Nog de Baltimore

Aunque muchos *nogs* se beben calientes o tibios, éste se sirve frío.

Para 1 persona

1 huevo

1 cucharadita de azúcar

3 medidas de madeira

½ medida de brandy

½ medida de ron negro

leche

hielo

nuez moscada rallada

1 Agite bien los cinco primeros ingredientes y un poco de leche con hielo.

2 Sirva en un vaso grande y decore con la nuez moscada.

3 Beba con pajita.

 ## Albertine

Aunque este cóctel se concibió para tomar después de las comidas, resulta estupendo a toda hora debido a sus efectos relajantes.

Para 1 persona

$^1/_3$ de medida de kirsch

$^1/_3$ de medida de Cointreau

$^1/_3$ de medida de chartreuse

unas gotas de marrasquino

hielo

1 guinda

1 Agite bien con hielo todos los ingredientes menos la guinda y sirva en una copa de cóctel pequeña bien fría.

2 Decore con la guinda.

Lluvia radiactiva

Este combinado es similar a un *pousse-café,* pues se trata de servir diversas capas de licores distintos, con la diferencia de que en este caso el licor más denso se añade el último y debe ser el más frío de todos, para crear un espectacular efecto de goteo.

Para 1 persona

1 cucharadita de jarabe de frambuesa
$1/4$ de medida de marrasquino
$1/4$ de medida de chartreuse amarillo
$1/4$ de medida de Cointreau
$1/2$ medida de curaçao azul bien helado

1 Enfríe bien todos los licores, sobre todo el curaçao azul, que debe colocar en la parte más fría del congelador. Ponga también un vaso tipo *shot* en la nevera.
2 Con cuidado y pulso firme, ayudándose con el dorso de una cucharilla, forme capas con todos los licores, salvo el curaçao azul.
3 Forme la última capa con el curaçao azul y espere la «lluvia radiactiva».

Aurora boreal

Al igual que en un *pousse-café,* no debe remover este combinado. Deje que los licores se mezclen lentamente a medida que lo bebe, creando sorprendentes tonalidades, y trate de distinguir los sabores de los distintos ingredientes.

Para 1 persona

1 medida de grappa o vodka helados
1 medida de chartreuse verde helado
$1/2$ medida de curaçao naranja helado
unas gotas de casis helado

1 Vierta la grappa muy lentamente por un lado del vaso tipo *shot* bien frío.
2 Vierta el chartreuse del mismo modo por el otro lado del vaso.
3 Agregue el curaçao con cuidado justo en el centro y decore con unas gotas de casis. No remueva. Beba lentamente.

Pousse-café 81

Un *pousse-café* es un cóctel que consiste en diversas capas de licores de distintos colores. Es fundamental que todos los ingredientes estén muy fríos.

Para 1 persona
¼ de medida de granadina
¼ de medida de crema de menta
¼ de medida de galliano
¼ de medida de kümmel
¼ de medida de brandy

1 Ponga a enfriar todas las bebidas y un vaso tipo *shot* alto, tipo *pousse-café*.
2 Con pulso firme y la ayuda de una cuchara, vaya formando capas con los licores en el orden dado.
3 Déjelo reposar durante unos minutos.

Capucine

Los licores muy fríos se pueden servir sobre hielo bien triturado para obtener un granizado, pero en este caso se comprime el hielo para mejorar el efecto visual.

Para 1 persona
1 medida de curaçao azul helado
1 medida de Parfait Amour helado
hielo triturado

1 Ponga hielo triturado en un vaso tipo *shot* o una copa de cóctel pequeña y comprímalo hacia el fondo.
2 Agregue el curaçao y rellene con Parfait Amour.

Remolinos y estrellas

Necesitará un pulso bien firme para preparar este combinado... o, mejor dicho, dos pulsos bien firmes.

Para 1 persona
1 medida de Malibú
½ medida de licor de fresa o de frambuesa
1 cucharadita de curaçao azul
hielo

1 Ponga a enfriar un vaso de chupito.
2 Cuando esté bien frío, agregue el Malibú y un cubito de hielo.
3 Con cuidado y lentamente, sirva los otros dos licores al mismo tiempo desde los dos lados del vaso, para que los colores se mezclen y creen remolinos.

904

Granizado de menta

Se trata del granizado clásico por excelencia. Vierta su licor favorito (en este caso crema de menta) sobre hielo triturado muy fino. Bébalo con rapidez, antes de que el licor se diluya demasiado.

Para 1 persona
2 medidas de crema de menta
hielo triturado

1 Llene una copa de cóctel pequeña con hielo y agregue la crema de menta.
2 Bébalo de inmediato con pajita.

905. Semáforo: Vierta entre $1/2$ y 1 medida de tres licores con colores distintos (menta, naranja y aguardiente de cereza, por ejemplo) en ese orden en un vaso o copa de cóctel pequeños llenos de hielo triturado. **Para 1 persona**

906

Diamante blanco

Un combinación algo extravagante de licores, que produce un excelente resultado gracias al efecto del limón. Añada el hielo triturado justo antes de consumir, para intensificar todos los aromas.

Para 1 persona
$1/4$ de medida de schnapps de menta
$1/4$ de medida de crema de cacao blanca
$1/4$ de medida de anís
$1/4$ de medida de zumo de limón
hielo triturado

1 Agite bien todos los ingredientes con hielo.
2 Sirva en una copa de cóctel bien fría y añada una cucharada de hielo triturado.

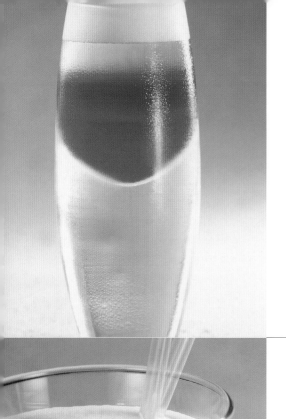

 907

La delicia del ángel

Este cóctel es una versión contemporánea del *pousse-café* clásico, en el que las distintas capas de licores no se mezclan. Si su pulso es lo suficientemente firme, conseguirá un efecto similar a un arco iris. Bébalo de un solo trago o con lentitud.

Para 1 persona
¹/₂ medida de granadina fría
¹/₂ medida de triple seco frío
¹/₂ medida de licor de endrina frío
¹/₂ medida de nata líquida fría

1 Ponga la granadina en un vaso tipo *shot*, un vaso tipo *pousse-café* o una flauta helados. Luego, con pulso bien firme, agregue una segunda capa con el triple seco.
2 Repita el procedimiento con el licor de endrina y la nata líquida.

 908

Saltamontes

Los entendidos en la materia difieren cuando se trata de enumerar los ingredientes básicos de este combinado. Existen por lo menos tres versiones originales e infinitas variaciones. Ésta también se conoce como «La sorpresa del saltamontes».

Para 1 persona
2 medidas de crema de menta verde
2 medidas de crema de cacao blanca
2 medidas de nata líquida
hielo picado

1 Agite todos los ingredientes con hielo hasta que se condense agua en el exterior de la coctelera.
2 Sirva en una copa tulipa bien fría.

 909

Cereza al chocolate

La supuesta cereza de este combinado es en realidad la granadina roja que se asienta en la parte inferior de la copa. Siguen una capa intermedia de chocolate y una superior de Baileys.

Para 1 persona
1 medida de granadina
1 medida de crema de cacao
1 medida de Baileys

1 Vierta la granadina en una copa de cóctel pequeña o en un vaso tipo *shot*.

2 Con cuidado y pulso firme, agregue una segunda capa vertiendo la crema de cacao sobre el dorso de una cuchara, de modo que flote sobre la granadina.
3 Repita el procedimiento con el Baileys, de tal manera que las tres capas sean nítidas. Beba el combinado despacio.

910 Café gacela

Un combinado frutal de café que se puede beber frío o caliente.

Para 1 persona

1 taza de café negro fuerte

1 medida de aguardiente de albaricoque

1 medida de Amarula

nata batida

copos de almendra tostada

1 Ponga el café en un vaso alto o una taza resistentes al calor.

2 Agregue el aguardiente. A continuación, añada con cuidado el Amarula.

3 Decore con la nata batida y unos copos de almendra tostada.

911 Café Brulot

Sirva este combinado después de un desayuno tranquilo de domingo, cuando sobra tiempo para disfrutar. Si desea causar un efecto teatral, flambéelo en la mesa, utilizando para ello la piel entera de una naranja.

Para 2 personas

1/2 rama de canela

clavos de especia

la piel de 1 naranja, cortada en una sola tira

unas tiras de piel de limón

3 terrones de azúcar

150 ml de brandy

1-2 cucharadas de curaçao tibio

475 ml de café recién hecho

1 Ponga las especias, la piel de naranja y limón, el azúcar y el brandy en una cazuela y caliente hasta que se disuelva el azúcar.

2 Con unas pinzas, retire la piel de naranja.

3 Flambee el curaçao y viértalo con cuidado por encima de la piel de naranja en la cazuela.

4 Añada lentamente el café y remueva hasta que se extinga el fuego.

912 Fuerte, dulce y negro

En los países mediterráneos la gente acostumbra a disfrutar de su café mañanero con un poco de brandy. Pruebe este combinado, y en seguida comprenderá por qué...

Para 1 persona

1 medida de Napoleón de mandarina

1/2 medida de brandy

café espresso

1 varilla de azúcar cande

1 Ponga los dos primeros ingredientes en una taza de café pequeña.

2 Añada el espresso y remueva con la varilla de azúcar cande.

Celos

Un combinado especial para beber después de una comida. Puede variarlo mezclando la nata con licores de sabores diversos.

Para 1 persona

1 cucharadita de crema de menta

1-2 cucharadas de nata espesa

2 medidas de licor de café o chocolate

hielo triturado

bastoncillos de chocolate

1 Bata con delicadeza el licor de menta con la nata espesa.

2 Sirva el licor de café en vasos de cóctel muy pequeños bien fríos y agregue con cuidado la nata batida.

3 Acompañe con bastoncillos de chocolate.

Café al amaretto

Una deliciosa variación del *Café Irlandés.* El amaretto es un licor dulce con aroma de almendras, que se elabora a partir de semillas de albaricoque. Su sabor es exquisito por sí mismo, pero además se emplea en numerosos combinados.

Para 1 persona

2 cucharadas de amaretto

1 taza de café negro caliente

1-2 cucharadas de nata espesa

1 Mezcle el café y el amaretto.

2 Añada la nata con cuidado, de modo que forme una capa que flote por encima de la mezcla.

Pasión

Los aromas de almendras, cacao y las frutas del Amarula producen este cremoso y ligero combinado.

Para 1 persona

1 medida de amaretto

1 medida de crema de cacao

1 medida de Amarula

1 medida de nata líquida

hielo

granos de café recubiertos de chocolate

1 Agite bien los primeros cuatro ingredientes con hielo y sirva en una copa de cóctel pequeña bien fría.

2 Tome el combinado después de comer, junto con granos de café recubiertos de chocolate.

Café crema con personalidad

Este combinado es una manera deliciosa de finalizar una comida frugal, debido a su sabor dulce y cremoso.

Para 1 persona

2 medidas de Tia Maria

2 medidas de Kahlúa

hielo

1 medida de Baileys

$^1/_2$ medida de nata

granos de café cubiertos de chocolate

1 Remueva el Tia Maria y el Kahlúa con hielo en un vaso mezclador.

2 Sirva en una copa de cóctel pequeña o en un vaso tipo *shot*.

3 Agregue el Baileys con cuidado, utilizando el dorso de una cuchara, de modo que flote sobre la mezcla. Repita el proceso con la nata.

4 Decore con los granos de café y beba de inmediato.

La hora del café

Un café de lujo para cerrar una buena cena. Prepare una buena cantidad, pues se bebe muy rápido.

Para 1 persona

1 medida de licor de coco

1 medida de licor de café

1 medida de brandy

café caliente recién hecho

nata azucarada batida

1 Mezcle los licores y el brandy en un vaso o una taza resistentes al calor.

2 Añada el café y decore con una cucharada de nata batida.

(918)

Trineo

Un cóctel delicioso y perfecto para cualquier ocasión especial, como la Navidad. Además, resulta muy sencillo transformarlo en un cremoso postre con helado.

Para 2 personas

1 medida de licor de chocolate y menta, bien frío
1 medida de leche, bien fría
1/2 medida de Malibú, bien frío
1 cucharada pequeña de helado de coco
hielo triturado
coco o chocolate en copos

1 Pase por la batidora los primeros cinco ingredientes hasta obtener una mezcla espumosa.
2 Sirva en dos copas de cóctel bien frías y decore con el coco o el chocolate en copos.

(919)

La diva del chocolate

Los adictos al chocolate no podrán resistirse a esta extraordinaria combinación de alcohol y cacao, siempre y cuando se sirva bien fría.

Para 1 persona

4 onzas de chocolate con leche de buena calidad, derretidas
1 medida de Grand Marnier
1 medida de vodka
1 medida de crema de cacao
1 cucharada de zumo de naranja recién exprimido
pétalos de alguna flor comestible para decorar (pensamiento, rosa, capuchina, etc.)

1 Mezcle bien aunque con delicadeza el chocolate derretido con los licores y el zumo de naranja.
2 Sirva en una copa de cóctel bien fría y agregue unos pétalos de flores comestibles.

920

Refresco de choconaranja

Escarchar el borde de una copa con cacao en polvo puede parecer grandilocuente, pero es una de las variaciones posibles para adornar cócteles.

Para 2 personas
$^1/_2$ cucharadita de cacao en polvo
$^1/_2$ cucharadita de azúcar lustre
3 medidas de Drambuie
el zumo de una naranja
150 ml de soda
unas gotas de angostura
cubitos de hielo
2 copos o virutas de chocolate

1 Mezcle el cacao con el azúcar.
2 Frote el borde de dos copas con una o dos gotas de Drambuie y escárchelos con la mezcla de cacao. Ponga a secar.
3 Mezcle bien el zumo de naranja, el Drambuie y la soda.
4 Ponga 2-3 cubitos de hielo y unas gotas de angostura en cada copa, reparta el combinado entre ambas y decórelas con los copos de chocolate.

 921

La canguro

Sería mejor que la canguro tomara la versión sin alcohol de esta cremosa mezcla, y dejara los licores para aquellos sobre quienes pesan menos responsabilidades.

Para 1 persona
2 medidas de licor de coco
1 medida de crema de cacao
$^1/_2$ cucharada de helado de vainilla
cola
copos o trozos de chocolate

1 Pase por la batidora los primeros tres ingredientes durante 5 segundos, hasta obtener una mezcla espesa y espumosa.
2 Sirva en un vaso alto bien frío y rellene con cola al gusto.
3 Decore con los copos de chocolate y beba el combinado con una pajita.

Sirena

922

La clara de huevo produce una tentadora espuma sobre la superficie de cualquier cóctel agitado y, además, le otorga un aspecto profesional.

Para 1 persona

1 medida de aquavit
¹/₂ medida de aguardiente de cereza
¹/₂ medida de vermut seco
1 golpe de jarabe de lima
1 golpe de clara de huevo
hielo
1 guinda

1 Agite bien con hielo todos los ingredientes menos la guinda.

2 Sirva en una copa de cóctel bien fría y decore con la guinda.

Yankee Doodle

923

Sirva esta deliciosa pócima después de una cena veraniega.

Para 1 persona

1 medida de crema de plátano
1 medida de coñac
1 medida de licor de chocolate y menta
hielo

1 Agite bien todos los ingredientes con hielo hasta que se condense agua en el exterior de la coctelera y sirva en una copa de cóctel pequeña.

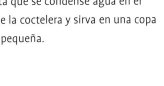

Tornado

924

Si los licores están muy fríos, producirán un pequeño tornado en su vaso cuando los mezcle. Deléitese observando los remolinos durante unos momentos antes de beberlo.

Para 1 persona

1 medida de schnapps de melocotón o de su schnapps predilecto, helado
1 medida de sambuca negro, helado

1 Sirva el schnapps en un vaso tipo *shot* bien frío.

2 Vierta el sambuca cuidadosamente sobre el dorso de una cuchara.

3 Espere unos minutos hasta que los dos licores se separen antes de consumirlo.

(925) Bombardero de plátano

Un cóctel tan delicioso que puede llegar a ser adictivo. Pruébelo con crema de cacao blanca y una capa de nata, pues es igualmente irresistible.

Para 1 persona

1 medida de licor de plátano
1 medida de brandy

1 Ponga el licor de plátano en un vaso tipo *shot*.

2 Con pulso firme y con la ayuda de una cucharilla, agregue una segunda capa de brandy. Tenga cuidado de que ambas capas no se mezclen.

(926) El avispado

Si enfría bien los licores y el vaso, los primeros no se mezclarán, pero usted no se dará cuenta hasta que lo beba, pues tienen casi el mismo color.

Para 1 persona

3/4 de medida de crema de cacao, helada
1/2 medida de curaçao naranja
1/2 medida de nata, helada
cacao en polvo

1 Sirva la crema de cacao despacio en un vaso o copa delgados bien fríos. A continuación, agregue una segunda capa con el curaçao.

2 Añada la nata lentamente, de modo que flote por encima del combinado.

3 Esparza un poco de cacao en polvo por encima de la nata.

(927) Toffee Split

Este cóctel hace las veces de postre, aunque siempre puede servirlo junto con un poco de helado.

Para 1 persona

1 medida de licor de toffee (caramelo), helado
2 medidas de Drambuie
hielo triturado

1 Llene una copa de cóctel pequeña o un vaso tipo *shot* con hielo triturado.

2 Agregue el Drambuie y a continuación añada con cuidado el licor de toffee desde un lado del vaso, de modo que forme una capa por encima.

3 Consuma de inmediato.

 (928)

Quinta Avenida

Muchos de los cócteles que se toman después de cenar incluyen la nata entre sus ingredientes. Éste además contiene notas de albaricoque y cacao.

Para 1 persona

1 medida de crema de cacao oscura, helada
1 medida de aguardiente de albaricoque helado
1 medida de nata

1 Vierta los ingredientes según el orden dado en una copa de cóctel alta bien fría. Debe servirlos con cuidado y lentamente sobre el dorso de una cuchara apoyada en el borde del vaso, para que no se mezclen y floten sobre el ingrediente anterior.

(929) Fancy Free

El secreto de un *pousse-café* bien preparado es que tanto los licores empleados como los vasos se encuentren bien fríos. Si las bebidas se mezclan al servirlas, espere un poco a que vuelvan a separarse.

Para 1 persona

$^1/_3$ de medida de aguardiente de cereza helado

$^1/_3$ de medida de Cointreau helado

$^1/_3$ de medida de licor de albaricoque helado

1 Vierta los tres licores según el orden dado en una copa de cóctel alta o en un vaso tipo *shot* alto bien fríos. Debe servirlos con cuidado y lentamente sobre el dorso de una cuchara, para que formen capas de colores.

Cinco y cuarto

No deje que la nata lo engañe: este es un combinado potente, ideado para servir a la hora del té.

Para 1 persona
1/3 de medida de curaçao
1/3 de medida de vermut seco
1/3 de medida de nata azucarada
hielo

1 Agite bien todos los ingredientes con hielo y sirva en una copa de cóctel o vaso pequeños.

Almendras tostadas

Un cóctel inigualable para beber después de una buena cena. Sírvalo con almendras garrapiñadas para enfatizar sus aromas.

Para 1 persona
2 cubitos de hielo
2 medidas de amaretto
1 medida de brandy
1-2 medidas de nata espesa
copos de almendra tostada

1 Ponga 2 cubitos de hielo en una copa de cóctel bien fría.
2 Agregue el amaretto y el brandy, y remueva bien.
3 Sirva lentamente la nata sobre el dorso de una cuchara de modo que flote sobre la mezcla y decore con los copos de almendra.

Avalancha

932

En lugar de una natilla, recompense a su paladar con esta delicada combinación con aroma a almendras y preparada con amaretto...

Para 1 persona
1 medida de amaretto
$^{1}/_{2}$ medida de aguardiente de albaricoque
1 medida de zumo de albaricoque o mango
1 cucharada de helado de vainilla

1 Pase por la batidora todos los ingredientes hasta obtener una mezcla suave y espumosa.
2 Sirva en una copa de cóctel bien fría y beba el combinado con pajita.

933

Refresco de melón

Un cóctel muy refrescante para los días veraniegos más calurosos. No lo prepare en grandes cantidades, pues se ha de consumir muy frío.

Para 1 persona
2 medidas de licor de melón helado
1 medida de zumo de limón recién exprimido
1 cucharada pequeña de helado de vainilla
un poco de hielo triturado
1 rodaja o dados de melón para decorar
1 golpe adicional de licor de melón helado

1 Pase por la batidora los cuatro primeros ingredientes hasta obtener un granizado y sirva en una copa de cóctel bien fría.
2 Agregue un poco más de licor de melón y decore con la rodaja de melón.

Allá abajo

Casi una ensalada de licores de frutas, que produce un cóctel de extraordinario sabor.

Para 1 persona
1 medida de crema de plátano
1 medida de licor de fresa
1 medida de curaçao naranja
1 medida de zumo de naranja
1 cucharada pequeña de helado de vainilla
1 fresa

1 Pase por la batidora todos los ingredientes menos la fresa durante 10 segundos hasta obtener una mezcla homogénea.
2 Sirva en una copa de cóctel bien fría y decore con la fresa.

935 # Amanecer en México

De sabor cremoso y pleno, aderezado con ligeras notas de riesgo: precisamente como el país centroamericano.

Para 1 persona
1 medida de licor de coco
1 medida de tequila
1 cucharada de helado de fresa
1 golpe de licor de fresa
1 golpe de jarabe de tamarindo
1 lámina de coco fresco

1 Pase por la batidora todos los ingredientes excepto el coco a baja velocidad durante 10 segundos.
2 Sirva en una copa de cóctel bien fría y decore con una lámina de coco o con coco caramelizado y una varilla agitadora.

 # Zapatilla de plata

El aroma a alcaravea del kümmel predomina entre los ingredientes de este cremoso combinado, al que debe añadir el mejor helado de vainilla de que disponga.

Para 1 persona
1 medida de kümmel
1 medida de vodka
1 cucharada de helado de vainilla

1 Pase por la batidora todos los ingredientes a baja velocidad hasta obtener una mezcla espesa.
2 Sirva en una copa de cóctel bien fría.

 # Cadillac de coleccionista

Estilo y lujo se combinan en esta sofisticada bebida.

Para 1 persona
1 medida de galliano
1 medida de crema de cacao
1 medida de nata
hielo

1 Agite bien todos los ingredientes con hielo y sirva en una copa de cóctel pequeña bien fría.

 # Cordillera nevada

Los combinados que llevan una capa de nata resultan deliciosos para después de cenar. Pruébelos con sus licores favoritos, pero recuerde que siempre deben estar bien fríos.

Para 1 persona
1 medida de crema de cacao fría
1/2 medida de nata espesa

1 Ponga la crema de cacao en una copa de cóctel pequeña o en un vaso tipo *shot* bien fríos.
2 Agregue la nata con cuidado sobre el dorso de una cuchara de modo que flote sobre el licor.
3 Beba lentamente a través de la nata.

(939) Comfort frío

Las bebidas heladas caen muy bien durante el verano, especialmente cuando se mezclan con licores de hierbas como el kümmel.

Para 1 persona

1 medida de nata líquida fría
1/2 medida de kümmel
1/2 medida de kirsch
unas gotas de agua de azahar
1-2 medidas de zumo de piña
hielo
rodajas de fruta y 1 guinda

1 Agite bien todos los ingredientes excepto las frutas con hielo hasta que se condense agua en el exterior de la coctelera.
2 Sirva en una copa de cóctel grande y decore con la fruta.

(940) Jack Frost

A pesar de su gélida apariencia y de su inusual color azul, este delicioso cóctel le confortará y reanimará.

Para 1 persona

3/4 de medida de curaçao azul bien frío
azúcar lustre
1 medida de tequila frío
2 medidas de nata líquida fría
1/2 taza de hielo triturado

1 Frote el borde de una copa de cóctel mediana con curaçao y escárchelo con el azúcar.
2 Coloque la copa en un lugar frío y seco.
3 Agite bien el resto de los ingredientes y el curaçao con hielo hasta que se condense agua en el exterior de la coctelera.
4 Sirva con cuidado en la copa escarchada.

(941) Luisa

Los cócteles azules resultan muy divertidos. Para incrementar todavía más el efecto, añada cubitos de hielo azules.

Para 1 persona

3/4 de medida de curaçao azul
1/2 medida de vodka
1/4 de medida de agua de cebada
1 golpe de zumo de limón
hielo
soda

1 Mezcle bien los cuatro primeros ingredientes en un vaso alto lleno de hielo.
2 Rellene con soda al gusto.
3 Decore con los cubitos de hielo azules.

 # Capuccino de menta

Si desea incrementar el efecto general de este combinado, esparza por encima una ración generosa de cacao en polvo cuando lo sirva.

Para 1 persona
1 medida de crema de menta blanca
1 medida de licor cremoso de chocolate
1 medida de licor de café
1 cucharada de nata líquida
hielo triturado
soda

1 Remueva bien todos los ingredientes con hielo triturado y sirva en una copa de cóctel bien fría.
2 Beba el combinado con pajita.

 # Diamantes de menta

Prepare estos sugestivos cubitos de hielo con antelación y sáquelos del congelador justo antes de servir el cóctel, pues se derriten casi de inmediato.

Para 1 persona
1 cucharadita de crema de menta verde
1 cucharada de agua fría
1 medida de crema de menta blanca
2 medidas de schnapps de manzana
o pera
hielo

1 Mezcle la crema de menta verde con el agua. Prepare 1 o 2 cubitos de hielo verdes poniendo la mezcla en el congelador durante al menos 2 horas.
2 Remueva bien el resto de los licores con hielo hasta que se condense agua en el exterior del vaso mezclador.
3 Sirva en una copa de cóctel bien fría y añada los cubitos de hielo justo antes de consumir.
4 ¡No empiece a beber el cóctel hasta que el hielo comience a derretirse!

 # Verde confusión

Este cóctel le recordará el olor de la hierba recién segada de comienzos del verano. Y si lo bebe en invierno, por lo menos podrá soñar con él.

Para 1 persona
1 medida de licor de melón bien frío
1 medida de chartreuse verde bien frío
1/2 medida de nata líquida bien fría
1/2 medida de zumo de lima
hielo picado
1 rodaja de carambola
(o fruta estrella)

1 Remueva bien con hielo todos los ingredientes menos la rodaja de carambola hasta que se condense agua en el exterior del vaso mezclador.
2 Sirva en una copa de cóctel bien fría y decore con la rodaja de carambola.

Alrededor del mundo

Aromas de todo el mundo se reúnen en este estupendo combinado, que sólo debe servir en las ocasiones más cosmopolitas.

Para 1 persona

1 medida de Napoleón de mandarina
1 medida de vodka polaco
$^1/_2$ medida de Campari
$^1/_2$ medida de crema de plátano
$^1/_2$ medida de licor de coco
hielo
gaseosa y fruta

1 Agite con hielo todos los ingredientes menos la limonada y la fruta hasta que se condense agua en el exterior de la coctelera.
2 Sirva en un vaso lleno de hielo, rellene con gaseosa y decore con fruta.

Nightcap Flip

Un *flip* siempre contiene huevo y un *nightcap* siempre se toma antes de ir a la cama, de modo que este suave cóctel le resultará por lo menos interesante, y no sólo debido a su extraño color...

Para 1 persona

$^1/_3$ de medida de brandy
$^1/_3$ de medida de anís
$^1/_3$ de medida de curaçao azul
1 yema de huevo
hielo
1 guinda

1 Agite bien los cuatro primeros ingredientes con hielo y sirva en una copa de cóctel.
2 Decore con la guinda.

Alas de ángel

Beba este combinado lentamente, para tener la oportunidad de apreciar los aromas de menta del fondo y la sutil capa de vainilla helada que lo corona.

Para 3 personas

1 clara de huevo
4 medidas de advocaat
1 medida de Cointreau
hielo
1 medida de crema de menta

1 Agite bien la clara de huevo, el advocaat y el Cointreau con hielo hasta que se condense agua en el exterior de la coctelera.
2 Ponga un cubito de hielo en un vaso bien frío, agregue lentamente la crema de menta y a continuación la mezcla de huevo. Los colores se separarán en capas.
3 Consuma de inmediato.

Diablo

948

Después de uno o dos *Diablos,* se empezará a sentir algo diabólico. Y con uno o dos de más, seguro que se convierte en el mismísimo demonio.

Para 1 persona
2-3 espirales de piel de lima
1 medida de zumo de lima
3 medidas de tequila blanco
1 medida de casis
cubitos de hielo picado

1 Llene hasta la mitad un vaso pequeño bien frío con hielo y añada las espirales de piel de lima, el zumo de lima, el tequila y el casis.
2 Remueva bien.

949

Mull de Marsala

Este *mull* (nombre que se da al combinado de bebidas alcohólicas dulces que se mezclan calientes) resulta perfecto para fortificar el cuerpo antes de la comida uno de esos domingos que amanecen helados.

Para 8 personas
1 botella de marsala
600 ml de agua
6 clavos de especia
4 medidas de amaretto
azúcar

1 Caliente todos los ingredientes menos el azúcar a fuego lento hasta que la mezcla esté a punto de hervir.
2 Retire del fuego, añada el azúcar y remueva bien antes de servir el combinado en tazas o vasos pequeños resistentes al calor.

950

John Wood

El vermut es muy útil en la preparación de cócteles, pues contiene más de cincuenta hierbas y especias y combina muy bien con los licores más diversos. Aunque su popularidad había decaído en la última década, ahora experimenta un renacimiento.

Para 1 persona
2 medidas de vermut dulce
1/2 medida de kümmel
1/2 medida de whisky irlandés
1 medida de zumo de limón
hielo picado
1 golpe de angostura

1 Agite enérgicamente la angostura, el vermut, el kümmel, el whisky y el zumo de limón con hielo hasta que se condense agua en el exterior de la coctelera.
2 Sirva en una copa de cóctel bien fría.

Mull del Dr. Johnson

Aunque a este *mull* no le faltan propiedades medicinales, su contenido alcohólico es bastante elevado, así que adminístrelo en dosis pequeñas.

Para 16 personas

1 litro de clarete

1 naranja cortada en rodajas

12 terrones de azúcar

6 clavos de especia

600 ml de agua

1 taza de brandy

nuez moscada rallada

1 Ponga el clarete, las rodajas de naranja, el azúcar y el clavo en una cazuela mediana.

2 Caliente hasta que casi hierva.

3 Lleve el agua a ebullición y agréguela a la cazuela.

4 Añada el brandy y la nuez moscada, y sirva en tazas o vasos tibios.

Mull de oporto y limón

Potencie el sabor del oporto gracias al limón y al clavo de especia.

Para 10 personas

clavos de especia

2 limones

1 botella de oporto

600 ml de agua

mezcla de especias en polvo

50 g de terrones de azúcar

1 Clave los clavos en un limón y hornee a temperatura media unos 15 minutos.

2 Caliente el oporto en un cazo hasta que empiece a humear. Retire del fuego. Lleve el agua a ebullición y añada una pizca de la mezcla de especias.

3 Frote los terrones de azúcar con el otro limón y exprima la mitad del zumo.

4 Añada todos los ingredientes al cazo y espere a que se disuelva el azúcar.

5 Retire el limón antes de servir el mull en tazas o vasos resistentes al calor.

(953) Arzobispo

Si se siente lleno de coraje y con ganas de ofrecer un espectáculo, flambee este cóctel antes de servirlo. No se olvide de dejarlo enfriar antes de beberlo.

Para 4 personas
clavos de especia
1 naranja pequeña
600 ml de oporto
25 g de azúcar moreno

1 Clave los clavos de especia en la naranja. A continuación, ponga todos los ingredientes en una cazuela.
2 Caliente a fuego lento hasta que la mezcla eche humo, y sírvala en tazas o vasos resistentes al calor.

(954) Glühwein

La bebida favorita para calentarse en las estaciones de esquí de los Alpes puede beberse en cualquier noche fría, aunque no haya caído nieve.

Para 8 personas
3 botellas de vino tinto
ralladura de naranja y limón al gusto
3 pizcas generosas de jengibre rallado, canela y clavo (también puede usar especias enteras, pero no olvide retirarlas antes de servir)
50 g de azúcar
ramas de canela

1 Ponga a calentar el vino en una cazuela de acero inoxidable o antiadherente. Agregue la ralladura, las especias y el azúcar.
2 Cuando el azúcar se haya disuelto y el vino esté bien caliente (pero sin llegar a hervir), retire del fuego y deje reposar durante 5-10 minutos.
3 Diluya con agua al gusto.
4 Sirva con 1 rama de canela como varilla agitadora.

955

Ponche de sidra y arándanos

Este alegre y claro ponche lleva muchas especias, un poco de azúcar moreno y sidra. Resulta perfecto para el día de Navidad...

Para 10 personas

1,2 litros de sidra

1 rama de canela

1 pizca de nuez moscada rallada

110 g de arándanos

500 ml de vino tinto

azúcar moreno al gusto

1 Caliente la sidra, las especias y los arándanos hasta que estos últimos empiecen a reventarse.

2 Añada el vino y lleve casi a ebullición.

3 Añada azúcar al gusto y vierta en una jarra de servir.

4 Sirva con varillas agitadoras azucaradas.

956

Glogg

Sirva este ponche caliente y la fiesta se animará de inmediato.

Para 20 personas

1 botella de vino tinto

1 botella de amontillado

3-4 cucharadas de azúcar

$^1/_2$ botella de brandy

unos golpes de angostura

pasas y almendras sin sal

1 Caliente todos los ingredientes, excepto las pasas y las almendras, hasta que se disuelva el azúcar y la mezcla casi hierva.

2 Sirva en tazas o vasos resistentes al calor a los que previamente haya añadido unas pasas y almendras.

 # Negus

El coronel británico Francis Negus inventó este combinado en el siglo XVIII, cuando la bebida más accesible era el jerez.

Para 18 personas
1 botella de jerez cremoso
1 limón, cortado por la mitad
y luego en rodajas
1,2 litros de agua hirviendo
nuez moscada
azúcar
1-2 medidas de brandy

1 Caliente el jerez en una cazuela mediana.
2 Agregue el limón, el agua hirviendo, la nuez moscada rallada, azúcar al gusto y el brandy.
3 Remueva bien y sirva en vasos pequeños resistentes al calor.

 # Copa del despertar

Este cóctel realmente despierta en las mañanas frías de invierno. Sírvalo en tazas pequeñas, pues es bastante fuerte.

Para 24 personas
1 botella de vino tinto
7-8 medidas de ron negro
3 golpes de angostura
1 cucharadita de canela molida
clavos de especia
8 medidas de zumo de naranja recién
exprimido
100 g de azúcar
1 botella de sidra

1 Caliente todos los ingredientes exceptuando la sidra en una cazuela grande a fuego lento hasta que la mezcla despida mucho vapor, sin dejar que hierva.
2 Añada la sidra justo antes de servir en tazas o vasos pequeños resistentes al calor.

 # La duodécima noche

Cuanto mayor sea el tiempo de maceración al fuego, mejor será el sabor de este combinado. Pruébelo y, si fuera necesario, agregue azúcar al gusto.

Para 8 personas
1 manzana
clavos de especia
1 botella de vino tinto
agua caliente

1 Clave los clavos en la manzana y póngala en una cazuela grande junto con el vino y el agua.
2 Caliente bien, pero no permita que hierva.
3 Sirva en tazas o vasos pequeños resistentes al calor.

Mull navideño

Existen infinitas maneras de preparar un vino caliente especiado, pero ésta es una de las mejores y más simples. Agregue más vino si prefiere una bebida más fuerte.

Para 8 personas

450 ml de agua
azúcar al gusto
1 rama de canela
4 clavos de especia
2 limones cortados en rodajas
1 botella de borgoña tinto

1 Lleve a ebullición el agua, el azúcar, la canela y los clavos. Deje hervir durante 3-5 minutos.
2 Retire del fuego, añada las rodajas de limón y deje reposar 10 minutos.
3 Incorpore el vino y vuelva a calentar a fuego lento, sin que llegue a hervir.
4 Sirva bien caliente.

961 Trago de los Reyes Magos

La receta de este combinado de vino especiado no lleva azúcar, pero, si le parece demasiado seco, ponga un terrón de azúcar moreno en cada copa antes de servirlo.

Para 20 personas

4 botellas de vino tinto
1 litro de agua
$^1/_4$ de botella de ron negro
1 limón
clavos de especia
$^1/_2$ cucharadita de canela molida
nuez moscada rallada

1 Caliente el vino, agua al gusto (añádala poco a poco) y el ron.
2 Clave los clavos de especia en el limón y añádalo a la cazuela junto con la canela.
3 Caliente la mezcla; antes de que hierva, baje el fuego y deje reposar 5 o 10 minutos.
4 Espolvoree la mezcla con nuez moscada y sírvala en tazas o copas resistentes al calor.

Het Pint

Este tradicional cóctel escocés sirve para ahuyentar el frío en invierno y en ocasiones especiales como el *Hogmanay* (el año nuevo escocés).

Para 6 personas

1 litro de cerveza rubia suave inglesa
4 yemas de huevo
4 cucharadas de azúcar moreno
nuez moscada rallada
2 claras de huevo

1 Caliente la cerveza a fuego lento.

2 Bata las yemas de huevo con el azúcar y la nuez moscada. Bata las claras aparte.

3 Sin dejar de remover, agregue las claras a la mezcla de yemas, y vierta poco a poco la mezcla en la cerveza.

4 Enfríe la mezcla pasándola alternativamente de una jarra a otra y sirva.

Bosque de grosellas

Embotelle este combinado cuando tenga un exceso de fruta, para que lo pueda disfrutar en los próximos meses. También lo puede preparar con zarzamoras.

Para 20 personas

1,3 kg de grosellas
1,3 kg de azúcar
brandy o ron al gusto
soda o limonada
grosellas frescas para decorar

1 Maje las grosellas y cuele el zumo a través de una muselina.

2 Ponga el zumo de grosellas y el azúcar en una cazuela y caliente hasta que se disuelva el azúcar. Hierva de 8 a 10 minutos, retirando la espuma de vez en cuando.

3 Ponga a enfriar y añada 70-75 ml de brandy por cada 500 ml de jarabe.

4 Embotelle la mezcla resultante y déjela macerar durante 5 o 6 semanas.

5 Sirva en una copa de cóctel con hielo y rellene con soda y un poco de brandy (si lo desea). Decore con grosellas frescas.

Tamagozake

Una bebida de gran potencia, que puede preparar cuando desee probar algo nuevo. Tenga cuidado de no quemar todo el sake, apáguelo antes de que pierda todo su espíritu y aroma.

Para 1 persona

6 medidas de sake
1 huevo
1 cucharadita de azúcar

1 Bata ligeramente el huevo y el azúcar.

2 Lleve el sake a ebullición y flambéelo.

3 Retire del fuego y agregue el huevo.

4 Sirva en una taza con asa.

El navegante

Esta bebida aparenta aguas tranquilas con alguna que otra suave ola, pero podría ocultar una tempestad.

Para 1 persona
1 medida de licor de coco
1 golpe de curaçao azul
champán o vino espumoso blanco

1 Remueva bien los licores en una copa de vino y rellene con champán al gusto.

Refresco de Manhattan

Este combinado no se parece en absoluto al Manhattan clásico, sino más bien a un ponche de vino tinto.

Para 1 persona
2 medidas de clarete o vino tinto de calidad
3 golpes de ron negro
el zumo de ¹/₂ limón
2 cucharaditas de azúcar lustre
1 rodaja de limón
hielo

1 Mezcle bien todos los ingredientes, menos la rodaja de limón, con hielo hasta que se disuelva el azúcar.
2 Sirva en una copa de vino bien fría y decore con la rodaja de limón.

Refresco
de aguacate

Disfrute de este saludable cóctel con la conciencia tranquila: el aguacate tiene muchas vitaminas.

Para 1 persona

$1/4$ de aguacate maduro

el zumo de $1/2$ lima

1 cucharadita de azúcar lustre

$1/2$ medida de vermut seco

1 medida de ginebra (opcional)

hielo y tónica

1 Mezcle bien en la batidora el aguacate, el zumo de lima y el azúcar.

2 Agite bien la mezcla de aguacate con el vermut, la ginebra y hielo.

3 Sirva en una copa de cóctel alta bien fría y rellene con tónica.

4 Decore con un cubito a la lima.

Sugerencia: Para preparar cubitos de hielo con frutas, ponga rodajas o tiras de piel de cítricos o frutillas silvestres en la cubitera, llene de agua y congele como de costumbre.

Cóctel de manzana

Este cóctel tiene un sabor tan delicioso que no podrá tomarse sólo uno. Si la ocasión lo merece, agregue además una medida de calvados.

Para 1 persona

1 medida de vermut dulce

3 medidas de zumo de manzana

1 cucharada pequeña de helado de vainilla

hielo triturado

soda

canela rallada

1 rodaja de manzana

1 Pase por la batidora los tres primeros ingredientes con hielo triturado durante 10-15 segundos hasta obtener un granizado espumoso.

2 Sirva en un vaso alto bien frío y rellene con soda.

3 Decore con la canela y la rodaja de manzana.

Fizz del pastor

(969)

Este cóctel es tan nutritivo como una comida y perfecto para los días gélidos.

Para 4 personas
3 huevos
el mismo volumen de nata
4 medidas de schnapps
4 medidas de zumo de limón recién
exprimido con 3 cucharadas de azúcar
o 4 medidas de jarabe de lima
1 taza de hielo triturado

1 Pase por la batidora los huevos, la nata, el schnapps y el zumo de limón o el jarabe de lima con hielo hasta obtener un granizado.
2 Puede que necesite una cuchara para beberlo cuando aún esté parcialmente congelado.

(970)

Batido de pepino

Un combinado perfecto para disfrutar después de la sauna, de la piscina o del gimnasio, y restituir la fortaleza interna.

Para 1 persona
$^1/4$ de pepino, pelado
el zumo de 1 lima
1 medida de vodka
hielo triturado
soda
1 rodaja de pepino y 1 ramita de menta

1 Pase por la batidora el pepino, el zumo de lima, el vodka y el hielo hasta obtener una especie de puré.
2 Vierta la mezcla sobre hielo, rellene con soda al gusto y decore con la rodaja de pepino y la ramita de menta.

971

Refresco de menta y pepino

Beba este combinado la próxima vez que haga una dieta. ¡Es la ayuda perfecta para no pasar hambre!

Para 1 persona

ramitas de menta

1 cucharadita de azúcar lustre

el zumo de 1 lima

1 trozo de unos 2 cm de pepino, cortado en rodajas muy finas

soda, bien fría

cubitos de hielo

1 Pique unas hojitas de menta y mézclelas con el azúcar.

2 Frote el borde de una copa de cóctel con el zumo de lima y escárchelo con la mezcla de azúcar y menta.

3 Mezcle el resto del zumo, el pepino y más menta (picada y entera) en un bol y ponga a enfriar.

4 Sirva la mezcla de lima y pepino en la copa y rellene con soda al gusto.

972

Café de avellana

Un vaso helado y refrescante de café negro con burbujas con una deliciosa nota de sabor a avellana.

Para 1 persona

250 ml de café negro fuerte, bien frío

1 cucharada de jarabe de avellana

2 cucharadas de azúcar moreno

6 cubitos de hielo

125 ml de soda

rodajas de limón y lima

1 Pase por la batidora los cuatro primeros ingredientes hasta obtener una mezcla suave y espumosa.

2 Sirva en un vaso alto bien frío y rellene con soda helada.

3 Decore con las rodajas de lima y limón.

973 Té a la canela

Si le gustan las infusiones, no podrá resistirse a este té especiado con aroma a limón.

Para 2 personas

400 ml de agua

4 clavos de especia

1 rama pequeña de canela

2 bolsitas de té

3-4 cucharadas de zumo de limón

1-2 cucharadas de azúcar moreno

rodajas de limón

1 Ponga el agua, los clavos y la canela en una cazuela y lleve a ebullición.

2 Retire del fuego y añada las bolsitas de té. Deje en remojo 5 minutos y retírelas.

3 Agregue el zumo de limón, el azúcar y más agua caliente al gusto.

4 Vuelva a calentar a fuego lento y sirva en vasos resistentes al calor.

5 Decore con rodajas de limón.

974 Té helado de naranja y lima

El té helado siempre resulta refrescante, incluso a quienes no lo beben por costumbre. Esta versión resulta deliciosa, fresca y con aroma a frutas. Guárdelo en la nevera si no lo consume todo de una vez.

Para 2 personas

300 ml de té recién preparado, bien frío

100 ml de zumo de naranja

4 cucharadas de zumo de lima

1-2 cucharadas de azúcar moreno

rodajas de lima

azúcar granulada

8 cubitos de hielo

rodajas de naranja, limón o lima

1 Mezcle bien el té frío, el zumo de naranja, el zumo de lima y azúcar al gusto.

2 Frote el borde de dos vasos con 1 rodaja de lima y escárchelos con el azúcar granulada.

3 Llene los vasos de hielo y agregue el té.

4 Decore con rodajas de naranja, limón o lima.

975 Refresco de piña

Si sirve este cóctel en cáscaras vacías de piña obtendrá la admiración de todos. ¡Llegó el tiempo de las vacaciones!

Para 2 personas

175 ml de zumo de piña

90 ml de leche de coco

200 g de helado de vainilla

140 g de trozos de piña congelados

175 ml de soda

2 cáscaras vacía de piña (opcional)

1 Pase por la batidora el zumo de piña, la leche de coco, el helado de vainilla y los trozos de piña hasta obtener una mezcla homogénea.

2 Sirva en las cáscaras vacías de piña o en vasos altos (llene dos tercios de cada uno).

3 Rellene con soda y presente el combinado con pajitas para beber.

(976) # Granizado de cítricos

Si a los más jóvenes de la familia no les gustan los tropezones verdes, prepare esta bebida con jarabe de menta o cuélela antes de servirla.

Para 1 persona

1 pomelo o 1 naranja y 1 limón

4 medidas de leche fría

1 cucharada de helado de vainilla

1 cucharada de hielo triturado

6 hojitas de menta (opcional)

1 Pele la fruta, retire las semillas y toda la piel blanca que pueda.

2 Pase por la batidora todos los ingredientes durante 15-20 segundos hasta obtener un granizado.

3 Sirva en una copa tipo *sundae* o de boca ancha y agregue 1 ramita de menta y 1 cuchara.

(977) # Almendrina

Un cóctel suave y aterciopelado que le encantará. Añada zumo de fruta al gusto.

Para 1 persona

2 medidas de zumo de melocotón o mango

4 medidas de leche fría

gotas de esencia de almendras

1-2 cucharadas de miel de trébol

1 huevo pequeño

cubitos de hielo

1 galleta de ratafía pequeña

1 Agite bien los seis primeros ingredientes hasta que se condense agua en el exterior de la coctelera.

2 Sirva en una copa de cóctel grande y desmenuce la galleta de ratafía por encima.

(978) # Atardecer rosa

No precisará una gran cantidad de esta combinación tan deliciosa como inusual, pues su aroma a agua de rosas deja una impresión perdurable.

Para 4 personas

100 ml de yogur natural

500 ml de leche

1 cucharada de agua de rosas

3 cucharadas de miel

1 mango maduro, pelado y troceado

6 cubitos de hielo

pétalos de rosa comestibles (opcional)

1 Pase por la batidora el yogur y la leche hasta que se mezclen bien.

2 Añada el agua de rosas y la miel y vuelva a batir. A continuación incorpore el mango y el hielo y repita el procedimiento hasta obtener una mezcla homogénea.

3 Sirva en copas y decore con los pétalos de rosa comestibles.

Mini Colada

A los niños les encanta el sabor del coco y la leche, por eso este cóctel será con toda seguridad muy popular entre los más pequeños de su familia.

Para 2 personas
6 medidas de leche fría
4 medidas de néctar de piña
3 medidas de crema de coco
$^1/_2$ cucharada de hielo triturado
cubitos de piña y 1 guinda

1 Agite bien todos los ingredientes con hielo hasta que se condense agua en el exterior de la coctelera.
2 Sirva en vasos altos con más hielo picado, decore con los cubitos de piña y la guinda ensartados en un palillo y beba el combinado con pajita.

Sueño de kiwi

Este incitante y espeso batido se prepara agregando las refrescantes notas de sabor del kiwi y la lima al helado de vainilla. Consúmalo de inmediato.

Para 2 personas
150 ml de leche
el zumo de 2 limas
2 kiwis, pelados y picados
1 cucharada de azúcar
400 g de helado de vainilla
rodajas de kiwi
tiras de piel de lima

1 Pase por la batidora la leche y el zumo de lima hasta que se combinen bien.
2 Añada la pulpa de kiwi, el azúcar y el helado, y vuelva a batir hasta obtener una mezcla homogénea.
3 Sirva en vasos bien fríos y decore con las rodajas de kiwi y las tiras de piel de limón.

981

Fuzzypeg

Una delicia para los más jóvenes, por su sabor y su extraño color. También puede preparar este combinado con otras bebidas.

Para 1 persona
2 cucharadas de helado de vainilla
1 medida de jarabe de lima
cola
hielo

1 Pase por la batidora el helado, el jarabe de lima y un poco de cola unos 5-10 segundos.
2 Sirva en un vaso alto lleno de hielo y rellene con cola.
3 Beba con pajita.

982

Menta helada

El color de este batido de lujo puede variar según el helado que utilice, pero aún con helado de menta y pepitas de chocolate el resultado será casi blanco, así que, si prefiere un poco más de animación, agregue unas gotas de colorante.

Para 4 personas
150 ml de leche
2 cucharadas de jarabe de menta
400 g de helado de menta
ramitas de menta fresca

1 Pase por la batidora la leche y el jarabe de menta hasta que se combinen bien.
2 Añada el helado de menta y siga batiendo hasta obtener una mezcla suave.
3 Sirva en vasos bien fríos y decore con las ramitas de menta.
4 Añada pajitas para beber y sirva.

983 Chocolate especiado

Una deliciosa variación del chocolate caliente, no pensada para uso cotidiano pero sí como premio especial después de un día particularmente frío o en Navidad.

Para 4 personas
850 ml de leche
200 g de chocolate negro (mínimo 70% de cacao), picado
2 cucharaditas de azúcar
1 cucharada de mezcla de especias mixtas
4 ramas de canela
2 cucharadas de nata batida

1 Ponga la leche, el chocolate, el azúcar y las especias en una cazuela a fuego medio.
2 Remueva continuamente hasta que el chocolate se derrita. Caliente bien, pero no lleve a ebullición.
3 Retire del fuego y sirva en tazas o vasos resistentes al calor, decorados con una ramita de canela y un poco de nata batida.

984 Chocolate mexicano

Con un chocolate de calidad, el sabor y la textura de este combinado son excelentes.

Para 6 personas
750 ml de agua
55 g de masa harina
1 rama de 5 cm de canela
750 ml de leche
85 g de chocolate negro rallado
azúcar al gusto
chocolate rallado, para decorar

1 Ponga el agua en una cacerola grande y agregue la masa harina y la canela.

2 Caliente a fuego lento entre 5 y 10 minutos, hasta obtener una mezcla homogénea y espesa.
3 Añada la leche y el chocolate poco a poco y remueva constantemente, hasta que el chocolate se haya derretido e incorporado en la mezcla.
4 Retire del fuego, deseche la rama de canela y añada azúcar al gusto.
5 Sirva en vasos resistentes al calor y decore con chocolate rallado.

985 Cóctel de plátano

Una deliciosa manera de comprimir todas las necesidades vitamínicas de un día en una bebida muy fría.

Para 1 persona
1 plátano pequeño
50 g de yogur griego natural
1 huevo
1-2 cucharas de azúcar moreno o miel clara
hielo
1 ramita de menta

1 Pase por la batidora el plátano, el yogur, el huevo, el azúcar y 1 o 2 cubitos de hielo durante unos 2 minutos.
2 Sirva en un vaso alto y decore con la ramita de menta.
3 Si lo desea, añada 1 medida de ron o brandy.

 986 # Cóctel de melón

No se preocupe si no puede adquirir uno de los dos tipos de melón en el mercado. Esta bebida resulta estupenda con sandía y cualquier otro tipo de melón.

Para 4 personas
250 ml de yogur natural
100 g de melón galia troceado
100 gramos de melón cantaloupe troceado
100 g de sandía troceada
6 cubitos de hielo
4 guindas

1 Pase por la batidora el yogur y el melón galia hasta obtener una mezcla homogénea.
2 Agregue el melón cantaloupe, la sandía y el hielo y repita el procedimiento.
3 Sirva la mezcla en 4 vasos y decore con las guindas.

 987 # Piñamenta salpicada

Un cóctel prácticamente libre de alcohol. Pero si aún esta pequeña cantidad le resultara excesiva, puede sustituir la crema de menta por colorante verde.

Para 1 persona
4 medidas de leche fría
¹⁄₄ de medida de jarabe de menta
1 medida de crema de coco
2 medidas de zumo de piña
hielo
1 golpe de crema de menta helada

1 Agite bien con hielo todos los ingredientes menos la crema de menta hasta que se condense agua en la coctelera.
2 Deje escurrir unas gotas de crema de menta por las paredes interiores de un vaso alto y delgado bien frío.
3 Agregue el cóctel lentamente y añada un poco más de crema de menta.
4 Beba con pajita.

 988 # Delicia tropical

Una bebida aterciopelada y aromática sin una gota de alcohol, que puede tomarse a cualquier hora del día y es especialmente deliciosa durante el desayuno.

Para 4 personas
2 mangos maduros grandes
1 cucharada de azúcar glasé
600 ml de leche de coco
5 cubitos de hielo
copos de coco tostado

1 Pele los mangos, corte la pulpa en trozos y descarte los huesos.
2 Pase por la batidora la pulpa de mango y el azúcar hasta obtener una mezcla suave.
3 Añada la leche de coco y el hielo y repita el procedimiento hasta obtener una mezcla espumosa.
4 Sirva en 4 vasos altos y decore con el coco.

Refresco de limón y lima

Si este combinado resulta demasiado suave para su paladar, agregue ginebra o vodka.

Para 3 personas

1 clara de huevo

3-4 cucharadas de azúcar lustre

2 limas, cortadas en 8 pedazos

1 tallo pequeño de citronela, picado

4 cubitos de hielo

1/2 taza de agua

4 rodajas de lima

soda

1 Frote los bordes de tres vasos con la clara de huevo y escárchelos con el azúcar.

2 Pase por la batidora los pedazos de lima y la citronela junto con el resto del azúcar y los cubitos de hielo. Añada el agua y vuelva a batir durante unos segundos.

3 Cuele la mezcla y sírvala en los vasos escarchados. Añada 1 rodaja de lima a cada vaso y rellene con soda.

 # Batido de piña

Esta popular bebida es el suave y delicioso resultado de combinar una fruta dulce y otra astringente. Quizá usted quiera crear sus propias variaciones.

Para 2 personas

125 ml de zumo de piña

el zumo de 1 limón

100 ml de agua

3 cucharadas de azúcar moreno

175 ml de yogur natural

1 melocotón, troceado y congelado

100 g de cubitos de piña congelados

rodajas de piña fresca

1 Pase por la batidora todos los ingredientes menos las rodajas de piña hasta obtener una mezcla homogénea.

2 Sirva en 2 vasos y decore con las rodajas de piña.

 # La gran manzana

Un cóctel muy divertido para preparar con los niños. Hágalo en grandes cantidades y añada coñac o calvados en las raciones de los adultos.

Para 1 persona

1 manzana crujiente

el zumo de 1/2 limón

el zumo de 1 naranja

1/2 medida de granadina

hielo triturado

1 Forme una copa vaciando la manzana. Deje la base intacta y frote el interior con zumo de limón.

2 Deseche el corazón y pase por la batidora la pulpa de la manzana, los zumos, la granadina y el hielo hasta obtener un granizado. Vierta la mezcla en la manzana.

3 Beba con pajita... ¡y cómase la manzana!

 # Plátano especiado

El plátano se mezcla bien con otros aromas incluso si está semicongelado, además de producir una textura final cremosa y apetitosa.

Para 2 personas
300 ml de leche
1/2 cucharadita de mezcla de especias
150 g de helado de plátano
2 plátanos, congelados y cortados en rodajas

1 Pase por la batidora la leche, la mezcla de especias, el helado de plátano y la mitad del plátano congelado hasta obtener una mezcla suave.

2 Agregue el resto del plátano y repita el procedimiento.

3 Sirva en vasos altos y beba con pajita.

 # Refresco de fruta

La bebida ideal para comenzar bien el día o para reponerse después de su rutina de ejercicio diaria.

Para 2 personas
250 ml de zumo de naranja
125 ml de yogur natural
2 huevos
2 plátanos, cortados en rodajas y congelados
rodajas de plátano fresco, para decorar

1 Pase por la batidora el zumo de naranja y el yogur hasta que se combinen bien.

2 Añada los huevos y los plátanos congelados y bata hasta obtener una mezcla suave.

3 Sirva en vasos y decore con las rodajas de plátano.

4 Beba con pajita.

 # Reactor de pimiento rojo

El gusto cálido y penetrante de los pimientos se incrementa todavía más cuando se baten bien. El sabor de este combinado le sorprenderá.

Para 2 personas
250 ml de zumo de zanahoria
250 ml de zumo de tomate
2 pimientos rojos grandes, despepitados y toscamente troceados
1 cucharada de zumo de limón
pimienta negra recién molida

1 Pase por la batidora los zumos de zanahoria y de tomate.

2 Agregue los pimientos y el zumo de limón.

3 Añada pimienta negra al gusto y bata hasta obtener una mezcla homogénea.

4 Sirva en vasos altos y beba con pajita.

995 Batido de higos y avellanas

Una combinación lujosa y fuera de lo común, que debe preparar para una ocasión especial durante la temporada del higo.

Para 2 personas
350 ml de yogur de avellanas
2 cucharadas de zumo de naranja recién exprimido
4 cucharadas de jarabe de arce
8 higos frescos y grandes, picados
6 cubitos de hielo
avellanas tostadas picadas

1 Pase por la batidora el yogur, el zumo de naranja y el jarabe de arce hasta que se combinen bien.
2 Añada los higos y el hielo y repita el procedimiento hasta obtener una mezcla homogénea.
3 Sirva en vasos y decore con un poco de avellana tostada picada.

996 Explosión de jengibre

Una audaz combinación de tomate y zanahoria creada especialmente para los amantes del jengibre. ¡Prepárese para la explosión de sabores!

Para 2 personas
250 ml de zumo de zanahoria
4 tomates, pelados, sin pepitas y troceados
1 cucharada de zumo de limón
30 g de perejil fresco
1 cucharada de jengibre fresco rallado
6 cubitos de hielo
125 ml de agua
perejil fresco picado, para decorar

1 Pase por la batidora el zumo de zanahoria, los tomates y el zumo de limón a baja velocidad hasta que se combinen bien.
2 Añada el perejil, el jengibre y el hielo.
3 Repita el proceso. Añada el agua y vuelva a batir hasta obtener una mezcla homogénea.
4 Sirva en vasos altos y decore con el perejil picado. Consuma de inmediato.

997 Zanahoria helada

Las zanahorias resultan muy dulces, especialmente si emplea zanahorias tiernas y crudas. Su sabor armoniza muy bien con el intenso gusto del berro.

Para 2 personas
500 ml de zumo de zanahoria
30 g de berros
1 cucharada de zumo de limón
ramitas de berros frescos

1 Pase por la batidora el zumo de zanahoria, los berros y el zumo de limón hasta obtener una mezcla homogénea.
2 Vierta la mezcla en una jarra, tape con film transparente y ponga a enfriar en la nevera durante al menos 1 hora.
3 Sirva en 2 vasos y decore con las ramitas de berros. Consuma de inmediato.

998

Batido de plátano y arándanos

Congele los plátanos y los arándanos con antelación para obtener un resultado más cremoso y refrescante.

Para 4 personas

175 ml de zumo de manzana

125 ml de yogur natural

1 plátano, cortado en rodajas y congelado

175 g de arándanos congelados

arándanos frescos, para decorar

1 Pase el zumo de manzana y el yogur por la batidora. Agregue el plátano y la mitad de los arándanos y repita el proceso.

2 Añada el resto de los arándanos y vuelva a batir hasta obtener una mezcla homogénea.

3 Sirva en vasos altos y decore con los arándanos frescos.

999

Cóctel de zanahoria

La piña y la zanahoria se combinan para producir un delicioso sabor, denso y refrescante, y bien cargado de vitaminas.

Para 1 persona

75 g de zanahoria cruda, pelada y troceada

1 rodaja de piña troceada

1 cucharadita de zumo de limón

1 cucharada de miel clara

hielo

1 ramita de menta o perejil

1 Pase por la batidora la zanahoria, la piña, el zumo de limón y la miel durante aproximadamente 1 o 2 minutos, hasta obtener una mezcla homogénea.

2 Sirva el combinado con cubitos de hielo y decorado con la ramita de menta o perejil.

Batido del atardecer

La mezcla de zanahoria y naranja se ha convertido en un clásico. Como la zanahoria es de por sí muy dulce, la naranja sólo intensifica su sabor.

Para 2 personas

175 ml de zumo de zanahoria

175 ml de zumo de naranja

150 g de helado de vainilla

6 cubitos de hielo

rodajas y tiras de piel de naranja

1 Mezcle bien en la batidora los zumos de zanahoria y naranja a baja velocidad.

2 Añada el helado y repita el procedimiento. Agregue a continuación el hielo y vuelva a batir hasta obtener una mezcla homogénea.

3 Sirva en vasos bien fríos y decore con las rodajas y las tiras de piel de naranja.

Prairie Oyster

El último remedio para esos momentos en los que nos cuesta enormemente despegarnos de las sábanas.

Para 1 persona

salsa Worcestershire

vinagre

ketchup

1 yema de huevo

pimienta de cayena

1 Mezcle cantidades iguales de salsa Worcestershire, vinagre y ketchup, y sirva en un vaso bien frío.

2 Añada la yema de huevo con cuidado, sin romperla.

3 No remueva. Esparza un poco de pimienta de cayena por encima y beba de un solo trago.

Glosario

Aguardientes de fruta: así como el brandy se elabora destilando vino, los aguardientes de fruta son destilados hidroalcohólicos de frutas fermentadas.

Amaretto: licor italiano de almendra.

Amer Picon: aperitivo amargo de origen francés aromatizado con naranja y genciana.

Angostura: bíter muy aromático elaborado con ron y hierbas; se produce en Trinidad y Tobago.

Anisette: licor francés aromatizado con anís, cilantro y otras hierbas.

Aperitivo: bebida que se toma antes de comer con el fin de estimular el apetito.

Applejack: nombre del aguardiente de manzana que se elabora en Estados Unidos (*véase* Aguardientes de fruta).

Aquavit: bebida espiritosa escandinava que, por destilación, se extrae de los cereales y se aromatiza con alcaravea.

Armagnac: brandy francés producido en Gascuña, raramente utilizado en la elaboración de cócteles.

Bacardi: marca de ron blanco originaria de Cuba y producida hoy en las Bermudas. Nombre de un cóctel.

Baileys: licor irlandés elaborado con whisky y nata y aromatizado con chocolate.

Bénédictine: licor francés elaborado con hierbas, especias y miel por los monjes benedictinos de la abadía de Fecamp.

Bíter: aperitivo o licor amargo elaborado a base de bayas, raíces y hierbas utilizado para dar un sabor más intenso a los cócteles o para usos medicinales. Los más comunes son el Amer Picon, el angostura, el Campari, el Fernet Branca, el de naranja y el de melocotón

Bourbon: whisky norteamericano elaborado con un mosto que debe contener un 51% de maíz como mínimo.

Brandy: aguardiente destilado de uvas fermentadas.

Calvados: brandy francés de manzana procedente de Normandía.

Campari: bíter amargo italiano aromatizado con quinina.

Casis: licor aromatizado con grosellas negras que se elabora sobretodo en Francia.

Champán: vino espumoso francés producido únicamente en la zona de la Champaña bajo condiciones estrictamente controladas.

Chartreuse: licor francés de abadía elaborado con una fórmula secreta que incluye 130 tipos de hierba. El chartreuse verde es más fuerte que el amarillo

Cobbler: tipo de cóctel originario de Estados Unidos, ideal para climas cálidos. Por lo general se sirve en un vaso tipo *highball* con hielo triturado, azúcar y licor, y se decora con fruta.

Cointreau: la marca más vendida de licor de naranjas que se elabora con la cáscara de la naranja dulce del Mediterráneo y la de la naranja del Caribe (*véase* Triple seco)

Collins: cualquier cóctel que se complete con una bebida carbonatada, como soda o ginger ale.

Cooler: cóctel largo y refrescante elaborado con licor, azúcar o jarabe de azúcar, soda o ginger ale y hielo triturado, y decorado con fruta fresca.

Crema de cacao: licor francés aromatizado con chocolate y producido en diversos colores y gradaciones alcohólicas.

Crema de menta: licor aromatizado con menta; puede ser blanco o verde.

Crema de noyau: licor elaborado con huesos de melocotón y albaricoque.

Crema de plátano: licor aromatizado con plátano.

Crema de violeta: licor aromatizado con violetas.

Crema Yvette: licor norteamericano aromatizado con violetas de Parma.

Curaçao: licor de naranja originario de la isla de Curaçao y producido principalmente en Francia y los Países Bajos; se encuentra en diversos colores tales como blanco, naranja y azul.

Daisies: variaciones del *Daisy* original, que consiste en la mezcla de un licor, jarabe de frambuesa, jugo de limón, hielo triturado y fruta.

Drambuie: licor de whisky escocés aromatizado con miel y brezo.

Dry gin: *véase* Ginebra.

Dubonnet: aperitivo elaborado con una base de vino y aromatizado con quinina; puede ser de color rojo o amarillo.

Eau-de-vie: bebida espiritosa obtenida por la destilación de frutas. Tiende a confundirse erróneamente con el aguardiente de frutas.

Egg Nog (Noggin o Grog): variaciones de la mezcla de brandy, ron, leche, huevo y azúcar, espolvoreadas con nuez moscada. Puede llevar otros licores y por lo general se bebe fría.

Falernum: jarabe de frutas y especias procedente del Caribe.

Fernet Branca: licor italiano de sabor muy amargo.

Fix: mezcla de licor, limón, azúcar, agua y fruta con hielo triturado que se sirve en un vaso tipo *highball.*

Fizz: mezcla de cinco partes de vino espumoso blanco y helado con una parte de granadina u otro jarabe de frutas.

Flip: bebida muy popular entre los marineros que originalmente se preparaba con ron, brandy, oporto, huevo, azúcar y nuez moscada o jengibre.

Fraise: licor aromatizado con fresa.

Framboise: licor aromatizado con frambuesa.

Frappé: granizado que puede llevar licor y se bebe con una pajita.

Galliano: licor italiano aromatizado con miel y vainilla.

Ginebra: aguardiente destilado a partir de semillas y aromatizado con enebro y otras hierbas; las más usadas en la preparación de cócteles son la London, la Plymouth y la *dry gin.*

Ginebra de Plymouth: variedad de ginebra menos seca que la London (*véase* Ginebra).

Ginebra London: la ginebra más seca (*véase* Ginebra).

Granadina: jarabe sin alcohol aromatizado con granada que se emplea para endulzar y colorear cócteles.

Grand Marnier: licor francés elaborado con coñac y aromatizado con naranja.

Grappa: aguardiente italiano muy fuerte obtenido por la destilación de los residuos de la uva una vez ésta ha sido utilizada para elaborar el vino. Similar al orujo.

Highball: cóctel que consiste en aguardiente, licor o vino y soda o ginger ale servido en un vaso alto conocido con el mismo nombre que la bebida. Se dice que el origen de la denominación («bola alta», en inglés) se remonta a finales del siglo XIX en St. Louis, donde era costumbre en las estaciones de ferrocarril colgar una bola sobre una vara para indicar a los conductores de las locomotoras que debían acelerar. Con el tiempo pasó a designar estos cócteles cuya característica principal es que deben prepararse a una velocidad considerable.

Jarabe de azúcar: bebida para endulzar cócteles que se elabora disolviendo azúcar en agua hirviendo (*véase* Jarabe de goma).

Jarabe de goma: jarabe de azúcar muy dulzón que se puede encontrar embotellado.

Julepe: cóctel largo de licor, azúcar y menta que se sirve con hielo en un vaso escarchado.

Kahlúa: marca mexicana de licor de café que goza de una gran popularidad.

Kirsch: destilado (o eau-de vie) incoloro de cereza producido principalmente en Francia y Suiza.

Kümmel: licor incoloro aromatizado con semillas de alcaravea que se produce en los Países Bajos.

Licor: bebida espiritosa destilada aromatizada con frutas, hierbas, café, frutos secos, menta o chocolate.

Licor de café: licor aromatizado con café. Las marcas más conocidas son Tia Maria (licor elaborado con ron jamaicano) y la mexicana Kahlúa.

Licor de coco: licor aromatizado con coco. La marca más célebre es Malibú.

Licor de melón: licor aromatizado con melón. La marca más popular es Midori.

Lillet: licor francés elaborado con vino o Armagnac y aromatizado con hierbas.

Madeira: vino fortificado procedente de la isla portuguesa homónima.

Malibú: marca líder de licor de coco elaborado con ron jamaicano.

Mandarine Napoleón: licor belga que se elabora con brandy aromatizado con mandarina.

Marrasquino: licor italiano aromatizado con cereza, que por lo general es incoloro aunque pueda ser de color rojo

Martini: popular marca italiana del vermut producido por Martini y Rossi. También es el nombre de un cóctel clásico.

Midori: licor japonés (*véase* Licor de melón).

Noilly Prat: célebre marca francesa de un vermut muy seco.

Oporto: vino fortificado portugués que puede ser de color blanco, rosado o tinto (los blancos y rosados más económicos son ideales para hacer cócteles).

Orgeat: jarabe aromatizado con almendra o chufa.

Pastis: licor francés con sabor anisado. Las marcas más célebres son Pernod y Ricard.

Pernod: *véase* Pastis.

Ponche: combinado que se originó en el siglo XVIII en la India compuesto por ron y cinco bebidas alcohólicas diferentes. Actualmente consiste en una mezcla de diversas bebidas, con o sin alcohol, unidas de modo que ningún sabor predomine sobre el resto.

Pousse-café: combinado de distintos licores cuya preparación debe realizarse de manera que las diferentes capas de licor no se mezclen entre sí. También se llama así el vaso alto y delgado en el que se sirve la bebida.

Quinquina: aperitivo francés que se elabora con vino aromatizado con quina.

Ricard: *véase* Pastis.

Rickey: cóctel elaborado con licor, soda y lima o limón para añadir un toque astringente. Se sirve en un vaso alto con hielo y se decora con 1 rodaja de lima o limón.

Ron: aguardiente destilado a partir del jugo fermentado de la caña de azúcar. Puede ser blanco, dorado o negro, cada uno con su sabor característico. Se utilizan juntos o por separado en numerosos cócteles y ponches.

Sake: vino de arroz japonés.

Sambuca: licor italiano de sabor anisado, aromatizado con regaliz.

Schnapps: aguardiente destilado a partir de cereales que existe en diferentes sabores, como melocotón o menta.

Slammer: cóctel que se mezcla golpeando el vaso contra la barra del bar.

Sling: cóctel largo que se prepara mezclando licor con zumo o jarabe de fruta y se rellena con soda.

Slivovitz: aguardiente de ciruela (*véase* Aguardientes de fruta).

Sloe gin: licor que consiste en ginebra enriquecida con endrinas.

Smash: cóctel compuesto por menta majada en una mezcla de agua, azúcar, ron, brandy o ginebra. Se sirve con hielo en un vaso tipo *old-fashioned* y se decora con una rodaja de naranja y una tira de piel de limón.

Sour: cóctel a base de licor, zumo de limón, azúcar, angostura y clara de huevo.

Southern Comfort: licor procedente de Estados Unidos que se elabora con whisky aromatizado con melocotón.

Strega: licor italiano aromatizado con hierbas.

Swedish Punch: bebida elaborada con ron y aromatizada con vinos y jarabes.

Tequila: aguardiente mexicano que se elabora por destilación de la pulpa fermentada del magüey. Para obtener la denominación de «Tequila» debe producirse en ciertas zonas de México, de otro modo se lo conoce como mezcal.

Tia Maria: licor de café jamaicano elaborado con ron.

Toddy (o Grog): cóctel a base de licor, limón, azúcar, canela y agua fría o caliente.

Tom Collins: cóctel preparado con zumo de limón o lima, azúcar, *dry gin* y hielo. Se sirve en un vaso alto y se rellena con soda.

Triple seco: licor incoloro aromatizado con naranja. Se parece al curaçao, pero es más fuerte y seco.

Vermut: aperitivo a base de vino aromatizado con extractos de ajenjo. Los vermuts dulce y seco se emplean en numerosos cócteles.

Vodka: aguardiente incoloro elaborado con cereales originario de Rusia y Polonia. Recientemente han aparecido en el mercado vodkas aromatizados con limón, frambuesa o guindilla que están obteniendo una gran acogida.

Whisky: aguardiente destilado a partir de cereales o cebada malteada. Las principales variedades son el bourbon o whisky de maíz, el rye o whisky de centeno, el irlandés y el escocés.

Whisky de centeno: whisky procedente de Estados Unidos y Canadá, elaborado con un mosto que debe contener como mínimo un 51% de centeno. También se lo conoce como rye

Whisky escocés: las mezclas o *blends* que contienen un 40% de malta y un 60% de otro cereal son las más indicadas para los cócteles. El whisky escocés puro de malta debe consumirse solo o diluido con un poco de agua.

Whisky irlandés: se elabora sin mezclar a partir de cebada malteada o no malteada y otros cereales, y es adecuado para numerosos cócteles.

Índice de cócteles

Cócteles favoritos